MARISA FERRARI

Arrabal
e a noiva do capitão

Novas Páginas

Esta é uma obra de ficção. Nomes, personagens, lugares e acontecimentos descritos são produto da imaginação do autor. Qualquer semelhança com nomes, datas e acontecimentos reais é mera coincidência.

1ª Impressão — 2014

Produção Editorial:
Equipe Novo Conceito
Impressão e Acabamento RR Donnelley 300114

Este livro segue as regras da Nova Ortografia da Língua Portuguesa.

Dados Internacionais de Catalogação na Publicação (CIP)
(Câmara Brasileira do Livro, SP, Brasil)

Ferrari, Marisa
Arrabal e a noiva do capitão / Marisa Ferrari. -- Ribeirão Preto, SP : Novo Conceito Editora, 2014.

ISBN 978-85-8163-383-1

1. Ficção brasileira I. Título.

14-00226 CDD-869.93

Índices para catálogo sistemático:
1. Ficção : Literatura brasileira 869.93

Novas Páginas

Rua Dr. Hugo Fortes, 1885 — Parque Industrial Lagoinha
14095-260 — Ribeirão Preto — SP
www.grupoeditorialnovoconceito.com.br

Para minha filha Rafaela, que partilhou comigo o sonho desde o dia em que o Arlecchino saltou de mim para o papel pela primeira vez.

Sumário

CAPÍTULO I

Il feroce Saladino

NÁPOLES, FEVEREIRO DE 1707.

Gioconda completou vinte anos na noite em que deu à luz. Pensava nisso entre uma contração e outra, repuxando a gola exageradamente rendada da camisola para minorar o calor. Afastou da testa e do pescoço os cabelos colados de suor e suspirou. Não gritava, apenas gemia e respirava com fúria. Estava apavorada e não pôde evitar perguntar a si mesma como chegara até ali. Amava Carlo Romanelli, e a notícia de que havia sido prometida a ele soara como música aos seus ouvidos, mas fora tudo tão rápido. Havia pouco mais de um ano, suas únicas ocupações eram os bordados, as aulas de cravo e as corridas de cavalo com as primas, e agora...

Mais uma contração e aquela dor lancinante nos quadris, como se uma mão invisível os estivesse abrindo de par a par. Gemeu mais alto, apertou quanto pôde a mão de Teresa e de aflição arrancou, pela cabeça, a camisola ensopada. Teresa cobriu-a com o lençol depois que relaxou. Ia ser mãe, mas ainda era tão filha e menina. Por mais gentil e carinhoso que Carlo fosse — e ele era um *gentiluomo* de fato, como Gioconda avaliava —, ainda se sentia constrangida em ceder àquela intimidade compulsória sem a preparação de um desejo reprimido, de uma proibição. Ia ser mãe e sentia tanto medo e angústia ali, sozinha, nas mãos da parteira anônima, cujos olhos vasculhavam os seus. Até que a notícia chegasse à sua mãe em Agrigento e a trouxesse, dias já se teriam passado e aquele momento, de solidão inigualável, teria ficado para trás.

Teresa mergulhou mais uma vez a compressa de pano na água fria e limpou a testa e o rosto de Gioconda com delicadeza. Um anjo, Teresa. Não fosse por ela, já se teria desesperado, considerou. Teresa Mosso tinha em torno de quarenta anos, porém aparentava mais. Trabalhava para a família de Gioconda desde pequena e ajudara a criá-la. Gioconda ousava dizer que Teresa a conhecia melhor que a própria mãe. Embora não falasse — Teresa era muda de nascença —, tinha um coração atento. Fazia uso de gestos codificados para se comunicar — que Gioconda conhecia de cor —, mas sua melhor forma de interação era o olhar, e era com ele que, agora, mantinha a calma e o ânimo da menina conforme a hora se aproximava.

A parteira lavou as mãos ensanguentadas na bacia, aproximou-se de Gioconda e falou numa voz que tentou fazer mansa, mas que lhe saiu da boca cheia de preocupação.

— Vamos precisar de toda a sua força agora. — Fez uma pausa e prosseguiu: — São gêmeos!

— Gêmeos? — gaguejou Gioconda, olhando para Teresa em desespero.

Teresa sorriu e gesticulou, eufórica. Era uma benção, ela disse, mas Gioconda não conseguiu se sentir assim.

— Quando eu disser "agora", quero que faça toda a força que puder, está bem? — Gioconda apertou a mão de Teresa e, soluçando, concordou com a cabeça. — Calma, respire, respire — pedia a parteira, apalpando a barriga de Gioconda, até que ordenou: — ... Agora!

O grito de medo e de dor ecoou pelas paredes do palácio e se repetiu outras tantas vezes, mais intenso, até por fim trazer ao mundo os bebês. Giordano e Giuseppe. Minúsculos, brancos, trêmulos, eles também bradavam, a plenos pulmões, seu existir. Teresa segurou os seios pesados e fartos de Gioconda e os colocou com gentileza nos lábios dos pequenos, que, após certa sofreguidão, conseguiram sugar. Gioconda sentiu uma fisgada aguda e rápida, que logo esqueceu. Foi invadida por um amor profundo, soberano, pacificador. Um amor que inundou o quarto e o fez, a seus olhos, parecer mais claro e até mesmo divino.

Respeitoso, Carlo parou à porta, também ele percebendo a sacralidade do instante. Ao vê-lo, Gioconda sorriu. Parecia ainda mais linda agora, com os longos cabelos castanhos, de largos cachos, soltos em desalinho sobre o travesseiro; o rosto muito branco, onde sardas minúsculas conservavam o ar da adolescência; e aqueles olhos de um azul translúcido que clareavam e escureciam de acordo com a luz ao redor, olhos que o encantaram desde o início e que agora, mesmo sombreados pelas olheiras do esforço, brilhavam flagrando sua felicidade.

Teresa cobriu Gioconda e correu para trocar os lençóis, mas Carlo a impediu.

— Não vou demorar — disse, aproximando-se e sentando-se junto da mulher. — Só queria ver... — balbuciou, mas as lágrimas não permitiram que concluísse a frase. Acariciou as cabecinhas ainda sujas dos bebês, beijou devotadamente a testa de Gioconda e sussurrou: — Obrigado, obrigado, querida!

Carlo nunca conseguiu precisar em que momento a perdera. Em que momento, entre aquela noite e a vida que se seguiu depois, Gioconda fugira para aquela parte dentro de si mesma, em que a realidade ocupava um parco espaço em comparação da ilusão. Acontecera aos poucos, da mesma forma lenta com que a erva daninha cresce na terra durante o inverno. Tudo levava a crer que o estopim fora aquela tarde, no fim de março, um mês após o aniversário de sete anos dos meninos. Mas Teresa e Carlo sabiam que não principiara ali. Anos antes, mais precisamente quando os gêmeos deram os primeiros passos e começaram a explorar a casa e o mundo à sua volta, Gioconda já se havia transformado. Dava sinais constantes de impaciência, irritava-se por qualquer coisa sem importância e bastava um simples tropeço de um dos meninos para desabar num choro compulsivo, como se algo muito grave se tivesse passado. Tinha medo, real pavor que algo de ruim lhes acontecesse, e, ao mesmo tempo, não conseguia passar mais que meia hora perto deles, suportar-lhes os gritinhos, as risadas ou as lágrimas, sem cair, também ela, em prantos.

Naquela tarde de março, porém, algo nela se rompera, como se o feixe de todos os seus nervos que se vinha estirando ao máximo ao longo daqueles seis anos, de súbito e para sempre, houvesse arrebentado. E com esse corte, fulminante, seu mundo interior também se partira, ficando a um tempo na infância e na fantasia e, noutro, no desconforto da realidade. A única lembrança daquela tarde, porém, a responsável por toda a desintegração de sua identidade, essa permaneceria intacta, a assombrá-la por toda a existência.

* * *

Estavam no jardim. Gioconda bordava sentada na grama enquanto Giordano e Giuseppe corriam de Teresa, que os perseguia, animando a brincadeira. Ambos gritavam e riam à medida que Teresa quase os alcançava. Gioconda tapava os ouvidos, trêmula, como se os gritos agudos dos meninos a fizessem estremecer, minuto a minuto, de terror. Quando não mais pôde suportar, gritou:

— Parem! Parem com isso! Pare, Teresa! — As crianças se detiveram, assustadas, e correram na direção de Teresa, em busca de proteção. Arrependida, Gioconda sorriu para eles e perguntou, tentando se redimir:
— Por que não brincam um pouco com as marionetes?

Teresa meneou a cabeça em concordância, sentou-se ofegante na grama e acenou para que os meninos apanhassem os bonecos que Cosimo, pai de Gioconda, fizera para eles.

Muito se falava sobre o visconde Cosimo Salvatore, popularmente conhecido por suas marionetes. Pertencente à nobreza siciliana, senhor de uma vastidão de terras, Cosimo era tido por muitos como excêntrico, enquanto para outros era apenas um *bon-vivant*; contudo, uma parcela significativa da corte o acreditava mesmo doente dos miolos, porque só isso poderia explicar que um homem com sua posição social dedicasse boa parte do tempo a criar e manipular marionetes — pois era esse o passatempo preferido de Cosimo desde muito jovem, favorito e proibido, e, portanto, causa de grande parte de seus tormentos.

Seu pai, o conde Benedetto Salvatore, não poupava esforços para evitar ver o nome da família enxovalhado e sua proximidade com o rei comprometida por aquele *pazzo*. Quando a proibição não surtiu mais efeito, Benedetto não hesitou em trancafiar o filho em uma das masmorras do castelo, até o *ataque* passar. O *ataque* a que Benedetto se referia eram as idas de Cosimo à Piazza Armerina para contar ao povo, por meio de canções, histórias e lendas da Sicília. Um *cantastorie* era o que Cosimo dizia ser, com um sorriso alienado na cara enquanto era levado de volta ao castelo aos empurrões.

— *Cantastorie*! *Io sono un cantastorie*! — gritava, rindo, e seguia cantando enquanto os soldados do pai o arrastavam para a masmorra.

Foi só quando se casou que Cosimo pôde alçar seu *ataque* à categoria de recreação, o que lhe conferiu um quê de exotismo e, às marionetes, algum prestígio, tudo potencializado por seu charme pessoal e pelo sucesso que comumente fazia com o sexo oposto.

Quando vieram os netos, Cosimo já estava doente — uma doença estranha, que começara lhe fazendo tremer as mãos e depois tornara seu corpo todo frágil, magro e um tanto enrijecido. Contudo, os gêmeos adoravam os bonecos, e Cosimo renascia a cada dia com eles. Sofria para manipular os materiais e mais ainda para pintar as figuras, entretanto a alegria de contar histórias aos netos e ver seus olhinhos brilhando de surpresa e expectativa, embora a trama sempre fosse a mesma, o mantinha vivo.

Quando morreu, Gioconda herdou as terras, mas as marionetes, essas, Cosimo fez questão de deixar endereçadas. Para Giordano, deixou os primos Rinaldo e Orlando, paladinos valentes que lutavam entre si pelo amor de Angelica. Porque aquele neto, de cabelos cor de sol e porte altivo, amava os combates e as histórias de conquista. Para Giuseppe, deixou *il feroce Saladino*, que ele tanto amava. De tão contente que ficara, Giuseppe nem se importara em ganhar apenas uma marionete enquanto o irmão ganhara duas. Aos seus olhos de menino, aquele herói valia por muitos.

De feroz, Saladino, parece, não tinha nada. Segundo as tradições muçulmanas, o tal era versado em ciências matemáticas, medicina e filosofia, mas lutara pela conquista dos territórios ocupados pelos cristãos na Palestina e na Síria e, nessa empreitada, dera cabo de muita gente, daí o apelido. Giuseppe o adorava porque o Nonno fazia uma voz fingindo ser a do boneco, e ele sabia que o Nonno era um homem bom. Então, em sua meninice, concluiu que o cavaleiro de barba negra e olhos penetrantes da mesma cor escondia sob a túnica nada mais que um bom coração. Angelica não era de ninguém, Nonno dissera. Ficava lá, atirada no gramado feito boba, já que nenhum dos dois achava graça nela. Cosimo a deixou para Teresa — ela, na certa, recomeçaria sempre aquela trama inacabada.

E assim estavam os três, cada qual com seu personagem. Giordano batia Rinaldo contra Orlando e os fazia rolar na grama, arranhando-lhe a pintura. Teresa sacudia Angelica de um lado para o outro, movimentando-lhe as mãos no ar, como se estivesse reclamando de tamanha falta de atenção. E Giuseppe, fazendo as vezes do avô, punha *il feroce Saladino* sobre o cavalo e gritava:

— *Morte ai cristiani*!

Tudo parecia bem: as crianças brincavam, Gioconda voltara aos bordados, quando, de súbito, Giordano, num salto, arrancou Saladino das mãos do irmão. Confusão armada, Giuseppe pulou sobre ele para pegar o boneco de volta. Rolaram na grama aos socos. Teresa correu, tentando separá-los. Gioconda levantou-se, mas não conseguiu dar um passo sequer. Estava paralisada, tremendo da cabeça aos pés, sem saber o que fazer.

— Parem! Parem já com isso! — gritou.

Teresa gesticulou pedindo-lhe que se acalmasse. Era coisa de criança, garantiu. Foi então que Giuseppe, vermelho de tanto gritar, puxou a camisa de Giordano, rasgando-a no peito. Este, igualmente irritado e enrubescido, atirou Saladino para longe. Giuseppe correu para pegá-lo. Giordano também. Nova briga, novos socos, novos gritos. Gioconda correu na direção deles, meio zonza. Só queria que parassem. O boneco chacoalhava no ar entre as mãos dos dois, que gritavam. Teresa tentava apartá-los. Foi então que, num ímpeto, Gioconda avançou sobre os filhos, puxou o boneco e o arrancou das mãos de ambos com um grito agudo, um urro que reverberou pelo vale e retornou como eco ao seu coração. Com a força do gesto, o boneco escapou-lhe da mão, fez uma curva no ar e desapareceu precipício abaixo. A marionete de seu pai *cantastorie*, que trazia alegria para casa, subvertia a ordem e parecia tudo entender.

Aquela cena transformou-se em pesadelo recorrente. O mesmo que assombrava Gioconda agora, trinta anos depois.

* * *

— Vá buscar o chá, Teresa, e algumas gotas de beladona. Ela precisa dormir — disse Carlo, e prosseguiu, paciente e triste, tomando Gioconda nos braços e embalando-a como criança. — Pronto, passou, passou. Está tudo bem agora, querida. Estou aqui! *Io sono qui con te*!

Gioconda não sabia, mas naquela mesma noite em que sofria de seu tormento constante Giuseppe voltaria para casa, depois de meses longe com sua trupe, e em mais alguns dias Giordano também estaria de volta. Era a primeira vez, em muitos anos, que os irmãos estariam em Nápoles na mesma época, e talvez fosse o pressentimento dessa proximidade a causa da agitação incomum que Carlo não conseguia controlar.

CAPÍTULO II

Pródigos

Teresa pôs água no fogo e retirou de um vidro grande um maço de flores de lavanda que havia desidratado para os chás. Esfregou delicadamente as flores secas entre as mãos, pedindo à natureza que acalmasse Gioconda e a fizesse dormir. Juntou outro tanto de flores secas de jasmim e repetiu a rogativa. Depois suspirou e deixou o olhar boiar na água fervente, seguindo as bolhas miúdas que o fogo começava a colar nas paredes da panela.

Sentia um aperto no peito, uma agonia pelo que estava por vir. Levantou a tampa da chaleira outra vez, e seu rosto magro aqueceu-se no vapor e pareceu enrugar um pouco mais. Tornou a tampá-la. Precisava ferver.

Giordano chegaria em dois dias, o pai alardeara a notícia. E Giuseppe também estava prestes a chegar, Teresa soubera. Na cidade, não se falava em outra coisa. Arrabal, o poeta, em Nápoles novamente. Era assim que passara a se apresentar desde que se metera naquela coisa de teatro, até porque de Giuseppe pouco nele restara.

Arrabal tinha olhos azuis que resplandeciam quando sorria. Tinha sobrancelhas, cílios e cabelos de ouro, que usava como os de Giordano, compridos sobre os ombros. Igual ao irmão tinha a altura, a brancura da pele, os lábios perfeitamente desenhados e dentes brancos e alinhados, mas também tinha guizos, roupa colorida de retalhos e a máscara de couro que não lhe saía do rosto.

O pai não podia vê-lo. Deus, não podia!, Teresa pensou, torcendo para que Giuseppe não aparecesse, não a procurasse, como sempre fazia. Abriu mais uma vez a chaleira. As bolhas revolviam a água num turbilhão, numa antecipação do porvir. Derramou a água fervente sobre as ervas secas. O aroma subiu, entrou-lhe pelas narinas e tomou conta do ar. Teresa tampou a chaleira e espremeu os olhos miúdos, morenos, tentando conter um arroubo de saudade súbita. Agora, torceu para que Giuseppe aparecesse, para que a procurasse, como sempre fazia.

Naquele exato momento, Arrabal entrava no jardim do palácio, esgueirando-se pela passagem secreta que terminava nos túmulos. Deixara a trupe acampada na estrada e vinha em busca de comida. Sacudiu as teias que se lhe enroscaram nas pernas, e os guizos dos sapatos ecoaram no silêncio fantasmagórico do lugar. Abafou o barulho com as mãos e encolheu-se atrás dos arbustos. Aquele era seu refúgio desde a infância. Sempre que brigava com Giordano ou era o responsável por alguma estripulia, era ali, entre os mortos, que se escondia da mão pesada do pai. Via qualquer coisa de poético naquele silêncio, na umidade que se desprendia das pedras, esfriando o ar e exalando aquele cheiro doce, transcendente, o mesmo que sentira quando pisou num palco pela primeira vez. Gostava de ler as inscrições nas lápides e recriar, na mente, as histórias que Teresa lhe contava em gestos sobre os antepassados eternizados nelas. Gostava de imaginar o que pensavam, por que ou por quem teriam sofrido, se teriam amado. E, quando o passado não lhes era favorável, inventava um novo para cada um, numa espécie de juízo final às avessas.

* * *

Um dia, quando o *beccamorto* Serafino preparava uma cova, Arrabal, ainda Giuseppe, convenceu Giordano a ir até o local com ele. O coveiro gostava de aterrorizar os dois meninos e intrigava-se com o fato de Giuseppe não sentir medo. Estava de costas quando ambos chegaram. Virou a cabeça para trás, sorriu e disse, balançando algo entre as mãos:

— Quero ver quem é o mais rápido dos dois. — Em seguida, atirou o que tinha nas mãos.

Giordano empurrou o irmão com o ombro e, antes que Giuseppe pudesse se levantar, agarrou o arremesso. Quando viu o que era, estancou, como tudo à sua volta. Aquela foi — como Arrabal qualificaria mais tarde — sua primeira lição de transcendência. O *beccamorto* atirara um crânio para Giordano, um pedaço de osso, seco, oco.

— Era do Nonno — Giordano murmurou, em choque. — Do Nonno...

— Ambos sentaram-se lado a lado e entrelaçaram as mãos miúdas. — Do Nonno, Giuseppe, do Nonno que fazia as marionetes.

Giuseppe ficou em silêncio, partilhando aquela dor, quando de repente um pensamento claro, definido, invadiu sua mente de menino e pôs todas as ideias no lugar.

— Não! Isto não é Nonno. Estes são os restos dele, por isso se diz "restos mortais". É a parte que não serve mais para nada, por isso fica para trás. Nonno continua sendo Nonno, só que agora ficou transparente, feito o vento que bate no rosto quando sopra, mas que não se consegue pegar.

Giordano pensou um pouco, então parou de chorar e sorriu.

* * *

Arrabal balançou a cabeça e afastou as lembranças. Esgueirou-se por entre os arbustos para perto do palácio. Havia luz na cozinha e guardas perto dela. Parou por um instante. Parecia impossível alcançar a porta sem ser visto. Os guardas jogavam qualquer coisa que os entretinha sobre um tronco de árvore, mas se corresse certamente seria pego. Desistiu e começou a se arrastar de volta para a saída. Então, o choro de sua mãe, sofrido e alto, se fez ouvir. Era de novo aquele lamento triste, aquela mesma dor que ele conhecera desde a infância.

— Mãe... — murmurou.

O balcão da janela dela estava iluminado. Podia ver a luz trêmula da vela desenhar a silhueta do pai na parede do quarto. Ele nunca sabia o que fazer quando a via sofrer assim. Precisava entrar, pensou. Mas como? Estava prestes a desistir quando viu os próprios sapatos. Um vermelho, outro verde, ambos arrebitados na ponta. Sorriu, traquinas, para si mesmo, e, no gesto, seus olhos azuis se iluminaram como os de um gato prestes a pular sobre um pássaro qualquer. Arlecchino! Sim, claro, por que não pensara nisso antes? Arlecchino, sua personagem na *commedia*, sua *persona*! Representava-o havia tanto tempo que já não sabia dizer ao certo onde a personagem terminava e ele começava a existir. Arlecchino atravessaria o jardim e entraria no castelo.

Tirou os sapatos, para que os guizos não o denunciassem, curvou o torso sobre os joelhos e caminhou, ligeiro, na ponta dos pés. Um dos guardas se virou de repente, olhando em volta. Arrabal mergulhou depressa nas folhagens e ficou imóvel. Arlecchino lhe conferira agilidade, elasticidade e, a princípio, uma terrível dor lombar. Às vezes, após o espetáculo, precisava ficar horas deitado sobre a madeira, para aliviar a dor. Quando Dottore chegou à trupe, melhorou bastante. Este o ensinara a alongar o corpo antes e depois das apresentações e o obrigava a nadar e a fazer exercícios todos os dias, com pesos improvisados, para fortalecer a musculatura das costas. Os movimentos, as cambalhotas, o caminhar silencioso na ponta dos pés ele aprendera com um velho *zanni*, o verdadeiro Arrabal, de quem herdara o pseudônimo.

Os guardas voltaram ao jogo, e Arrabal aproveitou a oportunidade para saltitar até a base das escadas e, com um salto-estrela, alcançar a porta da cozinha. Espiou pela janela. Lá estava Teresa, parada, com a bandeja nas mãos, olhando para a porta, desconfiada. Sentira a aproximação de alguém. Arrabal bateu de leve na pequena janela e escondeu-se como uma criança. Teresa deixou o utensílio sobre a mesa e caminhou com o candelabro até a porta, abrindo a janelinha de segurança. Iluminou a saída e a fechou, intrigada. Ia pegar novamente a bandeja quando Arrabal tornou a bater. Ela largou o utensílio mais uma vez e correu em direção à porta. Nada. Dessa vez, assustou-se e fechou a pequena janela num estrondo. Arrabal conteve o riso e voltou a bater, antes que ela desaparecesse de medo. Teresa hesitou. Segurou o candelabro com mais firmeza e caminhou, temerosa, para a porta. Arrabal abaixou-se, esperando que ela abrisse a janelinha. Quando ela aproximou a luz da abertura, ele saltou. Teresa pulou para trás e fechou a janela de supetão.

— Sou eu! — sussurrou ele, empurrando a abertura. — Sou eu! — repetiu, rindo e puxando a máscara para a testa. Teresa estava lívida. Ficou assim por um instante, com as mãos sobre o peito, até que se recompôs e partiu, dedo em riste, resmungando, na direção dele. — Desculpe! Desculpe, Teresa! Não queria lhe assustar, estava só brincando! — Ela continuou desfiando seu rosário incompreensível de reclamações. Quando ficava nervosa, gesticulava tão depressa que era quase impossível decodificar as palavras. — Eu sei, eu sei, não teve graça. Está bem, foi molecagem. Eu não devia ter feito isso. Você tem razão, não devia, desculpe! Já pedi desculpas, Teresa! Que mais posso fazer?

Afinal, não foi tão grave assim! — Após uma pausa, Arrabal arriscou: — Pode abrir a porta, por favor? Está frio aqui fora.

Teresa bufou e o olhou bem séria. Por alguma razão, o enfrentamento os fez lembrar uma brincadeira de infância, quando Teresa, Giordano e Giuseppe sentavam-se em círculo e encaravam-se, apostando quem riria primeiro. A lembrança a fez morder o lábio inferior. Teresa tapou a boca com a mão e acabou por escancarar os dentes amarelados numa risada, para depois abrir a pesada porta de carvalho.

Arrabal entrou e sentiu-se de novo parte daquele lugar. O calor do forno a lenha, os pães assados, os temperos, aquela mistura de cheiros que traduzia sua história, tudo lhe dava a sensação de intimidade, de aconchego. Teresa correu a pôr quitutes sobre a mesa, e Arrabal avançou, faminto, sobre eles. Queijos, linguiça fresca, peixe e pães, a minestra fumegando na panela de ferro quente. Ele comia com os olhos, com as mãos, com todos os sentidos. Teresa trouxe a taça e o vinho e o serviu; pôs doces e frutas nas travessas de prata ao redor dele. Depois, ficou olhando para ele, enrodilhando os dedos no avental, e Arrabal pôde jurar ouvir de sua alma, como na parábola, "... este meu filho estava morto e reviveu; estava perdido e foi achado...", e ele se sentiu o mais pródigo dos mortais.

Foi quando o choro de Gioconda invadiu a cozinha, interrompendo o banquete, e traspassou, num queixume, o coração do poeta.

— O pesadelo de novo? — perguntou. Teresa fez que sim com a cabeça. — Preciso vê-la, Teresa! — disse, dirigindo-se num ímpeto para a escada. Teresa o segurou pelo braço e sacudiu a roupa colorida de Arlecchino. — Ele não gosta da roupa? Que vá para o diabo! — falou Arrabal, um tanto alto demais. Teresa implorou para que falasse baixo. — Pois diga a ele que este é o meu uniforme! Ele não gosta de uniformes? Pois então. Giordano tem o dele. Eu tenho o meu! — bradou, soltando o braço e subindo a escada.

Teresa correu e parou na frente dele, gesticulando o argumento que o fez retroceder. Quem poderia prever o que Carlo faria se visse o filho vestido daquele jeito? O que faria se soubesse que Giuseppe viera buscar comida para saltimbancos, os quais ele costumava chamar de vagabundos? Gritaria? Ele o espancaria, talvez, e o enxotaria porta afora para sempre? E Gioconda? Quem poderia prever o que um novo trauma faria à sua mente já tão transtornada?

A voz de Carlo se fez ouvir do alto da escada e reverberou pelas paredes do palácio.

— Teresa! Depressa com esse chá! — gritou, começando a descer as escadas. Arrabal e Teresa correram de volta para a cozinha. Embrulharam o máximo de comida que conseguiram e enfiaram-na no grande saco que ele trazia às costas. A voz de Carlo se aproximava tanto quanto seus passos majestosos descendo a escadaria de pedra. — Que diabos está fazendo que demora tanto? Não é possível que eu tenha de vir buscar esse remédio! — reclamou alto enquanto descia os degraus.

Teresa correu para destrancar a porta.

— Giuseppe! Giuseppe, *figlio mio*! — chamou Gioconda, em sua agonia.

Num impulso, Arrabal largou o saco e voltou à base da escada. Teresa correu em sua direção. A voz do pai soou mais próxima ainda. Teresa o puxou para trás. Arrabal deslizou a mão por debaixo da manga e, como num passe de mágica, entregou a Teresa uma das flores de papel que costumava fazer.

— Dê a ela. É mais poderoso que qualquer sedativo.

Teresa sorriu, enternecida, e escondeu a flor no bolso do avental. Em seguida, ambos correram em direção à porta. O ferrolho girou e travou num estalo. Teresa sacudiu, em desespero, a maçaneta de ferro. Arrabal afastou as mãos dela e tentou abrir a porta. Não conseguiu. Estavam trancados. Ia tentar a janela, mas não havia mais tempo. Empurrou o saco para debaixo da mesa e mergulhou com ele. Segundos depois, Carlo entrou na cozinha, e a consciência de sua proximidade provocou em Arrabal um tremor involuntário.

— O que você está fazendo? — perguntou a Teresa, olhando com estranheza a comida espalhada sobre a mesa e alguns restos pelo chão. — O que aconteceu aqui? — Teresa gesticulou, agitada, dizendo não saber. Com os nervos à flor da pele, inventou a fantasiosa saída: fora à estufa buscar um pouco de beladona e, quando voltou, encontrou a cozinha naquele estado. — Mas está travada por dentro — disse Carlo, testando a porta. Teresa fez o sinal da cruz e apontou para os pelos arrepiados dos braços. — Tolices! Você e seus fantasmas — Carlo prosseguiu, depois de um leve suspiro. — Não existem fantasmas aqui, exceto os nossos próprios. — Em seguida, girou a chave calmamente no sentido contrário e, num único movimento, destrancou a porta num novo estalo. — Pronto! Onde está o chá? — O chá esfriara na xícara que Teresa segurava sem jeito entre as mãos. Carlo suspirou. — Ande depressa com isso! Ela precisa dormir. — Teresa correu para o fogão. Gioconda chorava baixinho agora. Carlo aproximou-se da janela da cozinha e deixou o olhar se perder no céu. — Lua cheia... — murmurou. — Eu devia ter imaginado.

Arrabal esgueirou-se para olhar o rosto do pai pela abertura da toalha de mesa. A proximidade do chão tornou Carlo, novamente, gigante a seus olhos, como na infância. Assim, emoldurado pela lua, Carlo Giacomo Romanelli era mais pai de Giordano que seu. Giuseppe também herdara dele as espáduas e o tronco largo, o mesmo brilho dos olhos e as pernas longas, mas a altivez, essa só Giordano herdara. Os cabelos de Carlo haviam ficado grisalhos desde muito cedo, seu rosto tinha traços retos, a pele era morena, os olhos, castanhos. O queixo, marcado, conferia à sua figura certa majestade.

Arrabal lembrava-se das poucas vezes em que o pai lhe sorrira e da onda de felicidade que o invadia então. Carlo gostava de brincar de luta, de rolar no chão aos socos com Giordano e de fabricar para ele pequenas espadas de madeira. Arrabal detestava tudo aquilo! Achava que o pai tinha a mão pesada e que mesmo nas brincadeiras os fazia perder o ar. Preferia as marionetes do Nonno, para as quais Giordano fingia não ligar, embora aproveitasse qualquer distração do irmão para brincar escondido com os bonecos.

— Eu lhe disse que Giordano chega em alguns dias? — perguntou Carlo. Teresa assentiu e escorregou o olhar para Giuseppe, preocupada com sua mágoa antiga. Arrabal lhe devolveu um sorriso e deu de ombros. O pai sempre preferira Giordano, não havia novidade nenhuma naquilo, afinal. — Demorou a voltar dessa vez, o meu filho. Ele deve estar com saudade de casa. — Teresa concordou. Em seguida, derramou o chá fumegante na xícara, e o aroma de flores e ervas adocicadas subiu novamente, agora inundando a cozinha com um quê de magia. — Tenho tanto orgulho dele! — disse Carlo, com aquele sorriso abobalhado de quem ama incondicionalmente. — *Capitano* Giordano Romanelli, *il capitano delle Guardie del Corpo del Re.* — Teresa sorriu, sem graça. — Mande a cozinheira fazer alguma coisa de que ele goste — concluiu em voz baixa, voltando-se para a lua. — Meu filho merece tudo!

Teresa ia levar o chá, mas Carlo tomou-lhe a bandeja das mãos e caminhou em direção à escada. Ela o acompanhou com o olhar, até que sumisse no topo, para então voltar à cozinha e despejar uma torrente de gestos agitados sobre Arrabal.

— Meu pai está esperando Giordano chegar em poucos dias — disse ele, tentando compreender. — Eu sei, Teresa, eu ouvi. Quem nesta cidade não sabe quando o capitão chega? — ironizou e começou a recolher a maior quantidade de comida possível para levar à trupe.

Teresa o vigiava, tentando retirar do saco o que acreditava ser mais caro e mais fino. Pura perda de tempo. Enquanto ela tirava, Arrabal colocava tudo de volta, até que empataram, puxando cada qual para seu lado uma compota reluzente de cerejas em calda que Teresa preparara. Arrabal a surpreendeu com um puxão firme e rápido. Teresa bufou, ele sorriu e, como vencera, achou-se no direito de pegar mais uma compota. Teresa desistiu e continuou a gesticular e grunhir.

— Não se preocupe — disse ele. — Estou com minha trupe na estrada, longe daqui. Não há nenhuma chance de meu pai me ver. Agora tenho de ir. Todos estão me esperando, e estão com fome também.

Arrabal jogou o grande saco às costas e caminhou para a saída. Teresa o seguiu. De súbito, ele se virou, enlaçou-a pela cintura e estalou uma sequência de beijos em suas bochechas murchas. Ela fingiu querer se livrar do afago, mas acabou rindo e apertando-o entre os braços. Depois, ficou séria, alisou-lhe o rosto com as mãos ásperas e pousou a direita no próprio peito, sobre o coração. Então, olhou-o com ternura, e em seu "falar sem palavras" Arrabal compreendeu. Teresa disse que o amava; que o amava sem restrição.

❋ ❋ ❋

Havia quatro dias Giordano mandara uma mensagem ao tenente Pietro dizendo que encontraria ele e seus soldados em Montesanto. Dispensara sua tropa nos arredores de Roma e seguira viagem sozinho — era o que costumava fazer nos intervalos de suas atividades. Quando a mensagem chegou, a tropa de Pietro descansava num tipo de estalagem a alguns quilômetros de Nápoles.

— Quem é o tenente Pietro? — perguntou o dono do lugar.

— Sou eu — disse o jovem. Pietro acabara de completar vinte e dois anos e por influências familiares conseguira integrar-se à equipe de Giordano. Tinha por ele uma admiração de infância. Mais que um superior, Giordano era seu ídolo, seu modelo, tudo que gostaria de ser um dia.

— Mensagem para você — disse o homem, estendendo o envelope lacrado.

Pietro o abriu e leu a missiva ansiosamente.

— É do capitão Giordano! Ele disse que nos encontrará em Montesanto em quatro dias! — disse ao grupo, com evidente alívio.

Os soldados esperaram que o líder se afastasse para comentar entre si:

— Diga-me uma coisa — um soldado perguntou ao outro em tom sarcástico —, por que diabos ele se preocupa tanto com o capitão Giordano? Será que ainda não percebeu que quando o capitão não está em serviço costuma descansar em bons lençóis?

— E em sinuosas curvas! — completou outro.

— E em fartos quadris! — emendou o primeiro, fazendo todo o grupo explodir numa gargalhada. — Se Pietro quer tanto seguir os passos do capitão, deveria aprender os modos dele com as mulheres.

A fama do capitão se justificava. Giordano escrevera o bilhete logo depois de acordar, o vento frio entrando pela janela do quarto, o dia querendo amanhecer. Por um momento, não conseguiu definir exatamente onde estava nem quem era a mulher nua deitada ao seu lado. Fechou a janela, acendeu a lareira e enrolou o corpo também nu no cobertor. O barulho fez a mulher remexer-se e espreguiçar-se, para então relaxar novamente como uma criança e voltar a dormir. A luz tênue do fogo que lhe iluminava as curvas e a pele de alabastro contra o vermelho denso das cobertas fez todo o conjunto parecer, de súbito, aos olhos de Giordano, um Caravaggio perfeito e repleto de melancolia. Ele suspirou de uma saudade indefinida. Era sempre assim quando estava prestes a voltar para Nápoles, aquela tristeza sem razão.

A noite anterior, lembrava-se agora, fora como tantas outras, quando retornava da vistoria das tropas. Um pouco de vinho — porque ele não se permitia muito —, a boa música do povo, que adorava desde criança, e uma bela mulher para aquecer a cama.

Mas já amanhecia. O dia se impunha e invadia de luz os cantos da janela. Não havia mais o que fazer, a não ser se preparar para voltar para casa.

Voltar para casa... Quão penoso isso podia ser? O pai, sem dúvida, esperava-o ansioso, desejando ouvir histórias de conquistas, feitos heroicos que lhe enchessem de orgulho e lhe dessem uma espécie de retribuição pelo ato da paternidade. Isso soava amargo, mas era como Giordano se sentia sempre que retornava, na obrigação de ter o que contar, como se todas aquelas vitórias o definissem, justificassem sua existência. Não era falta de amor, Giordano sabia. Tinha certeza de que o pai sempre amara a ele e a seu irmão com intensidade. Era apenas um "não saber amar". Carlo não sabia como querer bem a outro diverso de si mesmo; não sabia gostar do que não lhe fosse igual.

Desde que ele e Giuseppe eram pequenos, Carlo já tinha todo um destino traçado, sem autorização, para os dois. Giordano seria um general importante, comandaria exércitos, defenderia a pátria; Giuseppe, por ser mais extrovertido e exuberante, seria um *diplomatico*, cuidaria das relações com outros países, apoiando o rei. Giordano acabou aceitando aquilo que o pai lhe predestinara, mas o irmão rompera muito cedo as amarras e escrevera ele mesmo o próprio destino.

Entretanto, Giordano não podia dizer que seguira aquele caminho por pura subordinação, embora cedesse de si a maior parte do tempo. Escolhera ser soldado porque, de fato, era-o na alma; porque sentia um orgulho desmedido em servir à pátria e à cidade; porque gostava de liderar os homens e transmitir-lhes ânimo e coragem para arriscar a vida na ponta das espadas. Amava as campanhas, as trincheiras e até as noites de calor insuportável em que só era possível se deitar na grama e abandonar os olhos no céu, que parecia pesar de tantas estrelas. Escolhera ser soldado porque assim poderia proteger, com seu tronco largo, a vida do rei ou de um companheiro de luta e porque, caso morresse nas mãos do inimigo, esse papel teria dado à sua existência todo o sentido.

— *Capitano*... — murmurou a bela mulher, encerrando-lhe a reflexão — ... *sei già svegliato*?

— Já. Preciso ir, *carina*.

— *Non! Stai con me. È così presto* — murmurou ela, com voz lânguida e sedutora.

— *Devo andare* — respondeu Giordano, desprendendo-se dos braços dela com esforço .

— *Dunque vado a Napoli con te.*

— Não vou direto a Nápoles, *carina*. Tenho coisas a resolver antes — respondeu, vestindo-se o mais rápido que pôde. Depois, enrolou o dinheiro em uma rosa perdida no vaso e colocou-a na mão da mulher.

— *È stata una notte meravigliosa. Grazie!* — disse, beijando-a com pressa, evitando acariciar os seios que ela fazia tocar em suas mãos, e saiu.

CAPÍTULO III

A trupe

Mamma não parara de chorar um só instante desde que os ladrões se foram. Não que fosse necessária uma razão específica para que ela caísse em prantos. O drama era, de fato, sua marca registrada, e ela não poupava esforços em fazer cena por qualquer coisa sem importância. Mas, naquela noite, tinha todos os motivos para entrar em desespero. Mal haviam chegado a Nápoles, tiveram todo o figurino roubado por ladrões de estrada. Como se apresentariam na praça na noite seguinte?

Estavam assim havia mais de hora, os cinco em torno do baú vazio, sem saber o que fazer. Mamma, sentada ao centro, fazia jus a seu papel de matriarca do grupo. O título estabeleceu-se espontaneamente, como consequência natural da forma como os tratava. Era explosiva, passional e não hesitava em gritar e até distribuir alguns tapas no vigor de uma reprimenda qualquer. Contudo, se os via cabisbaixos e tristes, arrependia-se, escancarava o mais largo dos sorrisos e os trazia num puxão para junto de si. Velava-lhes o sono quando tinham febre, curava-lhes as mazelas com seus chás e o pouco que tinham para comer procurava deveras tornar saboroso ao paladar. Inspirava respeito, apesar da aparência simples, dos cabelos grisalhos sempre em desalinho e das péssimas maneiras. Aos setenta e cinco anos, tinha o vigor de uma menina, olhos castanhos redondos e muito grandes que ficavam ainda maiores no rosto miúdo e enrugado, porém menos que o esperado para sua idade. Devotavam-lhe por tudo carinho e confiança irrestritos. Era para eles a Mamma, e isso bastava. Nunca procuraram saber seu nome real.

Gigi estava sentado à esquerda de Mamma, estático, olhos negros grudados no fundo do baú antigo. Vez ou outra, afastava da testa os cabelos castanho-escuros encaracolados, que lhe emolduravam o rosto branco e magro. Sua figura romântica lembrava a de um palhaço triste.

Desde que trocara o noviciado pelo teatro, Gigi sentia-se miseravelmente culpado. Não que estivesse arrependido. Amava o teatro, a trupe e a vida que levava. Mas o sentimento de culpa da decisão tomada, da religião deixada para trás, este não o abandonava e era o responsável pelas sérias dificuldades que ainda, aos trinta anos, enfrentava. E naquele momento era essa mesma culpa que o fazia fantasiar ser, de alguma maneira, responsável pelo assalto daquela noite.

Vincenzo, ajoelhado em frente ao baú, apalpava-o e dava-lhe leves socos, provocando um barulho contínuo e enervante. Mamma teve o ímpeto de gritar para fazê-lo parar, mas estava tão arrasada que se limitara a olhar, melancólica, para sua careca reluzente e suspirar. Vincé, como era carinhosamente chamado, tentava descobrir uma forma de garantir a segurança de todos caso fossem assaltados de novo. Era oleiro antes de ser ator, por isso era especialista em criar e emendar coisas — pelo menos era assim que se autointitulava. Tinha em torno de sessenta anos. Era alto, magro, dono de mãos longas e delicadas. Um homem simples e sem instrução que se apaixonara pelo teatro, que o resgatara para a vida.

— Pare, Vincé! Está me dando nos nervos! — reclamou Francesca, andando de um lado para o outro, enrolando os cabelos castanhos com o dedo indicador.

— Pare você de andar *da un lato all'altro*! Vai gastar o chão! *Almeno io sto facendo qualcosa utile*! — rebateu Vincé, e, à última frase, Mamma fez um muxoxo.

Francesca, recém-saída da adolescência, debruçou-se sobre o parapeito da pequena janela da carroça e bufou. Sim, esperava por Arrabal. Ela o amava desde que o conhecera, havia seis anos, quando tinha doze e esmolava pelas estradas. E era esse amor que lhe dava a certeza de que ele os salvaria do problema, como sempre costumava fazer.

Só Dottore parecia tranquilo. Também ele estava certo de que Arrabal ajeitaria as coisas. Era de fato um mistério para todos, o Dottore. Apenas Arrabal conhecia sua história. Sabiam tão somente que era médico, daí o tratamento. Porque, ao contrário do que podia parecer à primeira vista, no palco ele não interpretava o Dottore, figura célebre da *commedia*. Sua personagem era o *capitano* Matamoros. Tinha setenta e dois anos, e parecia mais jovem. Havia um quê de viking em sua aparência: no rosto que ficava corado ao mínimo esforço; nos sensíveis olhos azuis que não suportavam a luz do sol sem ficar irritados; no corpo largo, musculoso, e nas mãos grandes, próprias mais de um guerreiro que de um cirurgião.

Matamoros era um covarde que contava suas proezas de amor em batalhas para impressionar os ouvintes, mas que acabava sempre desmentido porque era o primeiro a fugir das lutas. A máscara satirizava os soldados espanhóis. Dottore não era covarde, mas impressionar era, sem dúvida nenhuma, um esforço em que ator e personagem conseguiam empatar. Conhecendo a precária instrução do grupo, Dottore deliciava-se em despejar seu palavrório acadêmico e sua erudição na mais simples conversa só para atrair-lhe a admiração. Exatamente como fazia agora, caminhando compassadamente ao redor do baú, parando aqui e ali numa pose teatral.

Mamma pegou um retalho de pano amarelo que sobrara e assoou o nariz com força. Depois, fixou nos companheiros os olhos enormes, cheios de lágrimas, como se fosse dizer alguma coisa definitiva. Todos se voltaram para ela, na expectativa do que parecia vir como solução.

— *Figli d'un cane*! — gritou, recomeçando a chorar. — Como vamos nos apresentar amanhã à noite sem o figurino? O que vamos fazer? — disse, assoando mais uma vez o nariz.

— Não chore, *signora*. Esses malfeitores não merecem suas lágrimas — disse Dottore, elevando de repente a voz e fazendo um amplo e dramático movimento com os braços, que obrigou Gigi a desviar o rosto. — *Quem pode ser sábio e perplexo, moderado e furioso, leal e neutro num mesmo instante*? — Todos entreolharam-se, atônitos, buscando a resposta. Então, após uma pausa calculada, Dottore concluiu: — *Ninguém*!

— *Cazzo*! — resmungou Vincé. — Nem mesmo numa hora dessas *questa bestia* para de dizer essas coisas estúpidas!

— Não são coisas estúpidas, imbecil! É Shakespeare. *Macbeth*, Ato II, Cena III. Mas você certamente nunca ouviu falar dele antes — rebateu Dottore.

— "Mas você certamente nunca ouviu falar dele antes" — imitou Vincé, concluindo aos gritos: — *Va! Vattene! Va all'inferno!*

— Você me respeite! — gritou Dottore, apontando o indicador quase no nariz de Vincé. — Não fale comigo dessa maneira!

Mamma não suportou mais. Num impulso, segurou o dedo de Dottore com força e distribuiu tapas tanto nele quanto em Vincé, que se encolheram como meninos.

— Parem! Parem! Parem vocês dois! — gritou e recomeçou a chorar dramaticamente depois. — Estamos com um problema, um problema terrível, e tudo o que vocês conseguem fazer é brigar por besteira?!

— Vou procurar Arrabal — anunciou Gigi, caminhando para a saída.

— Você vai fazer o quê? — gritou Mamma, sacudindo os braços de um jeito engraçado e histérico.

Gigi congelou.

— Você por acaso sabe onde ele está? — ela o interpelou no mesmo tom histérico e irritado.

— Bem, ele me disse que ia arranjar comida... pensei em procurá-lo nas redondezas — Gigi respondeu, sem graça.

— É melhor você ficar, Gigi — recomendou Francesca. — Arrabal vai chegar logo e é melhor esperarmos por ele todos juntos aqui. Ele certamente saberá o que fazer.

Gigi voltou a se sentar, e Mamma, num arroubo de arrependimento, puxou-o para junto de si e encheu-lhe o rosto de beijos molhados. Todos ficaram em silêncio novamente, suspirando de quando em vez, numa espécie de coreografia muda. Foi quando um assobio alto se fez ouvir.

— Arrabal! — Francesca exclamou, correndo para a porta da carroça. — Arrabal? — chamou.

Ele assobiou de novo. Mamma se benzeu.

— *Grazie a Dio!*

Assim que Arrabal entrou na carroça, todos o cercaram contando, ao mesmo tempo, fora de sequência, o ocorrido. Arrabal sentou-se ao lado de Mamma, remexendo no pouco que restara do figurino. Encontrou um espartilho e começou a brincar com ele, esticando-o entre as mãos, pensativo. De súbito, todos se calaram e cravaram-lhe os olhos ansiosos.

— Então, o que vamos fazer? — perguntou Francesca, com um sorriso esperançoso.

Arrabal suspirou.

— O que vamos fazer... — repetiu para si mesmo.

— Sim, você tem uma ideia, não tem? — perguntou Gigi.

— Você sabe o que fazer, não é, *figlio*? Claro! Você sempre sabe! — acrescentou Mamma.

Arrabal suspirou novamente e então disse, com calma:

— Não.

— Não?! O que você quer dizer com "Não"?! — Vincé perguntou, assombrado.

— Quero dizer não com "Não". Não sei o que fazer — afirmou, pondo-se de pé num movimento rápido, para então prosseguir, sorrindo. — No entanto, sei o que vocês podem fazer exatamente agora. Venham comigo.

Do lado de fora, Arrabal deixara seu grande saco de pano. Sorriu travesso para eles, as mãos segurando a abertura da juta, fazendo suspense até que a abriu. Uma exclamação conjunta se fez ouvir. O saco aberto transformou-se numa grande toalha, na qual Arrabal espalhou o banquete. Pães, queijos, frutas, doces sofisticados. Num impulso, todos se atiraram sobre a ceia e começaram a comer com avidez.

Arrabal afastou-se um pouco para observá-los melhor. Adorava vê-los comer assim, sem modos, sem compostura, lambuzando-se como crianças. Sorriu e suspirou de uma espécie de ventura.

— Hum, Mestre, isso está uma maravilha! Onde você encontrou tudo isso, *per l'amor di* Dio? — perguntou Dottore.

— Comam, meus amigos, comam — Arrabal respondeu, já pendurado de cabeça para baixo numa árvore, desenhando movimentos acrobáticos entre os galhos. — Essa é a melhor coisa que vocês podem fazer agora! — exclamou. — Não sabemos quando teremos outra chance dessa. Então, sirvam-se à vontade!

— E você? — perguntou Francesca. — Não vai comer?

— Já comi, *carina*, não se preocupe.

— Não quero ser insistente, *figlio* — repetiu Mamma, a boca cheia prejudicando a dicção —, mas e nossa apresentação de amanhã à noite? Sem o figurino, como vamos fazer?

— "Basta a cada dia o seu mal"!, já dizia o Mestre, Mamma — Arrabal gritou, passando em piruetas de uma árvore para outra. — Algo deve acontecer para nos ajudar!

— O quê, por exemplo? Uma chuva de roupas? — perguntou Vincé, irritado.

Arrabal balançou-se um pouco mais e com um salto alcançou o chão.

— Não sei. — Deu de ombros. — Realmente não sei e, para ser sincero, não vou perder meu tempo com uma questão sem resposta. Minha mente precisa estar tranquila para ter ideias, e ideias e preocupações não cabem no mesmo espaço. Vou dormir. Boa noite. Não se deitem tarde, hein? Teremos um dia cheio amanhã — disse, caminhando em direção à carroça.

A noite estava estrelada, e a lua, redonda e branca, de tão próxima, dava a impressão de poder tocar. Arrabal improvisou sua cama sobre a carroça, ao lado de Gigi. Francesca correu e aconchegou-se em seu peito para ouvir uma história antes de dormir. Era assim desde pequena. Todas as noites em que estava com a trupe, Arrabal punha Cesca para dormir contando-lhe uma história. E aquela noite era a vez de *La Nonna Finta*, que os séculos vindouros transformariam em *Chapeuzinho Vermelho*.

— Na porta gradeada, a Ogra gritou de longe: "Porta Gradeada, não a deixe passar!". Mas a porta disse: "Claro que a deixo passar, pois me deu pão com óleo!" — Arrabal contava, imitando a voz das personagens e mantendo em si, presos, os olhos vidrados de Francesca. — No rio Jordão, a Ogra gritou: "Rio Jordão, não a deixe passar!". Mas o rio disse: "Claro que a deixo passar, pois me deu roscas!". Porém, quando a Ogra quis passar, o rio Jordão não baixou suas águas e a Ogra foi arrastada para longe. Na margem, a menina ria e fazia caretas para ela. Fim.

— Conte outra — pediu Francesca, fazendo manha de criança.

— Não, senhora. Está na hora de dormir — disse Arrabal, beijando-lhe a testa. — *Buonanotte, bambina mia*!

— Não sou sua *bambina*! Sou adulta! — Francesca reclamou, fazendo Gigi rir abafado debaixo das cobertas. — Por que você me beija assim? Por que nunca me dá um beijo de verdade, um beijo de homem, desses que você dá nas outras mulheres?

— Talvez porque, para mim, você não seja como as outras mulheres. Talvez porque você seja especial e eu queira que continue sendo.

Gigi sorriu, admirando-lhe a habilidade.

— Você se lembra de quando nos conhecemos? — emendou ela, sem dar importância à tentativa de lisonja. — Lembra-se do que eu lhe disse na primeira vez em que o vi?

— Cesca...

— Lembra-se?

— Claro que me lembro. "Quando eu crescer, vou me casar com você" — repetiram em uníssono.

Francesca lembrava-se bem daquela tarde, no fim de agosto, quando ainda fazia calor. Lembrava-se de suas mãos pequenas, unhas sujas, entrelaçadas às dele, tão macias, tão brancas, mãos de poeta, como associara desde então. Arrabal lhe sorrira, alisara num carinho seu rosto e seus cabelos desgrenhados e piolhentos. Não se importara com a sujeira, com a miséria de seu aspecto. Não quisera tomar-lhe a inocência, como tentavam outros dos quais vivia a fugir. Ajoelhara-se à sua frente, perguntara seu nome, dera-lhe água e pão. Depois mandara que Mamma lhe desse banho, cortasse suas unhas e lhe improvisasse qualquer coisa para vestir. Era um príncipe, um anjo, um deus. Naquele momento, Francesca soube que o amava e que o amaria, incondicionalmente, por toda a vida.

— Lembra-se do que você respondeu? — perguntou ela.

— Vou esperar por você. — repetiu Arrabal. — Era brincadeira, *carina*! Era um carinho.

— Não foi brincadeira para mim! Foi uma promessa! Uma promessa, Arlecchino! — exclamou ela e, num movimento rápido, beijou-lhe os lábios e entrou na carroça.

Estava quente e escuro lá dentro. Francesca tateou até sua cama e jogou-se nela, virando-se de um lado para o outro para se acomodar. Chamar aqueles compartimentos de cama era, de fato, um elogio. Eram, na verdade, pranchas de madeira que se recolhiam e se prendiam nas paredes durante o dia. À noite, abertas e presas por correntes, improvisavam leitos.

A cama de Francesca ficava logo abaixo do teto. Sob ela, para seu infortúnio, ficava a de Vincé, que roncava alto e ininterruptamente, tornando quase impossível conciliar o sono. Cesca socou o travesseiro e afundou a cabeça nele com força.

Mamma dormia no chão — gostava de se espalhar, como assegurava. Dottore dormia a seu lado, com a mesma justificativa. Na verdade, usava qualquer pretexto para ter direito àquela proximidade. Mamma sacudiu o cobertor algumas vezes para afastar os mosquitos, que eram sempre muitos, e acomodou-se. Dottore fingia dormir, mas vigiava os movimentos dela. Esperava que relaxasse, o que a sinfonia de Vincé tornava impossível, para se aproximar. Depois de alguns minutos, ela serenou, e Dottore percebeu que adormecera. Resolveu arriscar. Suavemente, colocou a mão esquerda sobre os quadris dela e ensaiou uma carícia delicada. Mas logo um tapa ardido e barulhento se fez ouvir como resposta, reverberando pelas paredes da carroça e fazendo Vincé engasgar.

— O quê? O que foi isso? O que aconteceu? — dissimulou Dottore.

— Acho que foi um mosquito sem-vergonha que tentou me importunar. Acho melhor abrir a porta e mandá-lo para fora antes que ele tente morder mais alguém! — gritou Mamma, acordando os outros.

— Você realmente não compreende os meus sentimentos, não é? Não tem importância — disse ele num tom solene, gesticulando, sem se levantar. — *Per aspera ad astra*! Através da aspereza se alcançam as estrelas!

— *Dormi*, Dottore! *Dormi sodo*! — ordenou Mamma, sem paciência.

— Cala a boca! *Tu parli troppo, infelice*! *Non se può dormire così*! — gritou Vincé.

Francesca cobriu a cabeça com o travesseiro, em desespero.

— Olha quem fala, olha quem fala! Ninguém aqui consegue dormir com esse seu ronco! — rebateu Dottore.

Arrabal piscou para Gigi e começou a socar o teto da carroça.

— *Cosa succede*? Está havendo uma festa e ninguém me convidou? — disse, contendo o riso.

— Psiu! — ordenou Mamma. — Olha o que vocês fizeram! Acordaram o menino!

Arrabal enrolou-se no cobertor, abafando o riso, até que aos poucos serenou. Tudo ficou quieto, e a noite cobriu como um manto a velha carroça e tudo mais que havia ao seu redor.

CAPÍTULO IV

A prometida

Uma pomba branca pousou no peito de Arrabal no primeiro claro da manhã. Ele continuou a dormir sem perceber. Seu sonho, ao contrário, seguiu de alguma forma o pássaro, que, em seu voo, subiu alto no céu. Arrabal se viu, num átimo, atravessando nuvens, mergulhando rasante sobre o Mar Mediterrâneo e cruzando os campos, ainda úmidos do sereno da noite. Voava em direção a um desconhecido palácio. Havia lá uma jovem igualmente adormecida. Arrabal a viu quando a pomba pousou carregando sua alma para o parapeito do balcão. A moça tinha cabelos castanhos de cachos largos, esparramados sobre os travesseiros. O desarrumado da coberta oferecia um vislumbre de suas pernas longas, esculpidas, e revelava uma parte farta de seus seios.

A jovem acordou assustada, e Arrabal também, confuso, no mesmo instante.

— O que foi? — perguntou Gigi.

— Eu estava sonhando... — respondeu Arrabal, ainda um pouco tonto. — Escutei alguém me chamar. Era uma voz conhecida.

A moça também pensou ter ouvido uma voz familiar. Então, notou a pomba branca, delicada em sua imponência, pousada no parapeito. Caminhou na ponta dos pés em sua direção, mas, sentindo-lhe a aproximação, o pássaro fugiu. Ela suspirou e se debruçou, melancólica, na sacada.

Seu nome era Luigia di Medinacelli. Fora batizada em homenagem ao irmão mais velho, Luigi, morto ao nascer, deixando a ela o posto de única herdeira de Filippo di Medinacelli, duque de Stella. Sua mãe, Maria Pia, morrera quando ela tinha apenas três anos, e com isso o pai passou a ser o responsável por sua criação e pela maior parte de seu infortúnio. Estava convalescendo de uma gripe que a mantivera na cama por vários dias. Não era a doença, porém, a razão de seu extremo desânimo. Luigia tinha medo do porvir. A corte atribuía seu estado de tristeza à recente e precoce viuvez. Enrico Signorelli, barão de Santa Lucia, seu marido, morrera no mês anterior, dois dias após Luigia completar trinta anos. Mas todos sabiam que a morte do barão tinha sido, na verdade, um grande alívio para ela.

O casamento fora celebrado para servir aos interesses de seu pai, porque Filippo di Medinacelli não pensava em ninguém além de si mesmo. Via a filha como uma propriedade, como suas terras, cavalos e palácios. Uma propriedade, no caso, de grande beleza e valor comercial. Seria perfeita não fosse a rebeldia e aquele espírito perigosamente assertivo para uma mulher, avaliava, referindo-se à compulsão de Luigia pela leitura e seu estranho interesse pela política e por assuntos de estado. No mais, nunca lhe dirigira uma palavra de carinho; jamais lhe fizera um afago ou demonstrara afeição. Luigia o evitava o mais que podia e era facilitada nisso pelas dimensões do palácio. Após a morte da mãe, o único afeto que recebera fora o de sua ama, Angelina, e com o tempo se bastara nele.

Não se podia dizer que enfrentasse o pai. Aceitava-lhe o jugo, porém sem baixar a cabeça, como quem é torturado mas não abjura de suas convicções. Fora assim quando se casara com o barão de Santa Lucia, homem pernóstico, trinta e dois anos mais velho que ela. O fato de ele ter decidido que dormiriam em quartos separados desde o início do casamento e de este, por consequência, o mesmo não se ter consumado não a aborrecera. Ao contrário! Luigia agradecia todos os dias a Deus por ter sido poupada do que seria uma repugnante intimidade.

Mas então rumores na corte davam conta de que o barão tinha outras preferências e que gostava de patrocinar orgias em seu aposento particular. Luigia começou a seguir os passos do marido, e logo as evidências confirmaram suas suspeitas. Fora inútil recorrer a seu pai. Medinacelli ainda a repreendeu por se imiscuir nos assuntos pessoais do marido. Foram dois anos de humilhações e sofrimento até que um súbito colapso pôs fim à existência do barão.

Luigia estaria feliz não fosse por saber que não ficara verdadeiramente livre. Logo o pai traria outro homem para sua vida, de acordo com suas conveniências e alianças. Pensava nisso quando Angelina entrou.

— Mas o que você está fazendo de pé, menina, pelo amor de Deus? Você devia estar na cama! Não está completamente curada ainda! — exclamou a ama, correndo até o balcão em passinhos diminutos.

Angelina cuidava de Luigia desde que a mãe da jovem morrera e a amava como se sua filha fosse. Era uma mulher pequena, roliça, de aproximados cinquenta anos. Havia qualquer coisa de esnobe nela e em seu jeito de empinar o nariz, já de per si arrebitado. Trazia sempre o uniforme num branco imaculado e era muito rígida em relação às regras, de maneira geral, mas quando o assunto era Luigia ela se transformava numa manteiga derretida.

— Já para a cama! — Angelina disse, empurrando a moça.

Luigia voltou a se deitar, a contragosto. Angelina a cobriu ao exagero, mas Luigia empurrou as cobertas, puxou o bracinho gordo da ama e fez com que se sentasse, deitando a cabeça em seu colo.

— O que foi? — perguntou Angelina, acariciando seus cabelos.

— Nada.

— Você precisa descansar, mocinha.

— Você está exagerando, como sempre. Foi uma gripe à toa.

— Nada disso. Seu pai disse que...

Luigia não deixou que Angelina terminasse a frase.

— Meu pai não sabe de nada que me diga respeito.

— Ele está preocupado com você. Desde que o barão morreu, seu pai anda preocupado com essa sua tristeza.

— Não me diga! — exclamou Luigia, sentando-se, indignada. — Quer dizer que ele realmente acha que sou a triste viúva do marido desprezível que ele escolheu para mim?

— Bem, você não parece feliz.

— E não estou! Mas isso não tem nada a ver com o barão. Você sabe perfeitamente que ele não significava nada para mim. A morte dele foi um alívio.

Angelina se benzeu.

— Não fale assim, *signora*. Deus castiga.

— Não seja hipócrita, Angelina! Você o odiava! E não me chame de *signora*. É ridículo, considerando que praticamente nasci em seus braços. — concluiu, deitando-se no colo da aia outra vez.

Angelina suspirou e tornou a acariciar os cabelos da jovem.

— Eu não o odiava. Simplesmente não conseguia suportar vê-la sofrer por causa dele.

— Todo o meu sofrimento é culpa do meu pai!

— Mas ele é seu pai.

— Um homem que nem sequer me olha e só se lembra de que existo quando pode me usar para lucrar de alguma forma.

— Não seja tão dura.

— Só estou dizendo a verdade, e você sabe disso.

Angelina não pôde contestar. Luigia estava certa. Ambas suspiraram, numa antecipação de tristeza. Mas então Maria entrou no quarto como um raio, e os olhos de Luigia brilharam de esperança novamente.

— *Cosa succede*? Um terremoto? — perguntou Angelina, furiosa.

— Desculpe, Angelina, pensei... pensei ter ouvido a *signora* Luigia me chamar.

Luigia conteve o riso diante da desculpa esfarrapada.

— E precisava entrar no quarto correndo feito louca por causa disso?

— Não, desculpe-me! — falou a arrumadeira, fingindo humildade e fazendo sinal a Luigia, discretamente, para que despachasse Angelina.

— Angelina, você tem de dar ordens à criadagem, não tem? Pode deixar, Maria me ajuda a me vestir.

Angelina olhou fixamente para as duas, por um momento.

— Está certo. Vou fingir que não notei nada estranho por aqui. Mas saibam que estou atenta. Cuidado, vocês duas! — ameaçou, muito séria, e deixou o quarto.

— E então? — perguntou Luigia tão logo Angelina saiu.

— É verdade! A trupe está mesmo na cidade! Parece que chegou ontem! — disse Maria, batendo palmas. — Os artistas devem se apresentar na Piazza Mercato esta noite!

— Mas é tão cedo! Como você já sabe disso?

— Pierino os viu na estrada ontem, quando trazia o duque de Capodimonte. Só falta confirmar a apresentação. Mas isso faremos durante o dia.

— Você já falou com Pierino? — perguntou Luigia.

— Já! Está tudo acertado! Ele nos levará às escondidas à cidade! — respondeu Maria, os olhos negros dançando de excitação.

— Ótimo! Quero muito assistir a essa apresentação! — exclamou Luigia, batendo levemente as palmas das mãos. Então continuou, preocupada: — Tem certeza de que esse cocheiro não vai nos delatar a Angelina?

— *Neanche per sogno*! — garantiu. — Pierino é louco por mim. Ele faz tudo o que quero.

Luigia sorriu da presunção. Maria era alegre, meio maluquinha, motivo pelo qual Luigia gostava tanto dela. Vinte anos, pele muito branca, um andar de moleque, Maria era, entretanto, perfeitamente consciente do fascínio que exercia sobre os homens. Quando queria seduzir, sabia como ninguém usar seus atributos.

— *Signora*, desculpe perguntar, mas não seria mais fácil pedir a seu pai que contratasse a trupe para representar aqui no palácio, como todas as senhoras fazem?

— Nunca faço nada que todas as senhoras fazem, Maria. Você já deveria saber disso. Além do mais, apresentações de teatro para a corte são entediantes. Os nobres não entendem o teatro. Sentam-se na plateia e riem como idiotas.

— O povo também ri feito idiota — Maria argumentou, soltando os cabelos negros que mantinha presos por ordem de Angelina e penteando as pontas com a escova de Luigia.

— Não. O povo ri porque realmente se identifica com as personagens — rebateu Luigia, puxando a escova das mãos de Maria. — O teatro é feito para eles.

— Mas não são os nobres que financiam as artes? — insistiu Maria, jogando os travesseiros no chão e praticamente empurrando Luigia para fora da cama para arrumá-la.

— Só porque acreditam que isso os torna mais refinados e principalmente porque o rei ama as artes. Querem garantir a simpatia dele, mas no fundo continuam olhando os artistas com desdém e tratando-os como malandros e ladrões. Existem exceções, claro! Mas são exatamente isso: exceções —

disse Luigia e prosseguiu, intrigada: — Mas por que você está me dizendo tudo isso? Não quer ir assistir ao espetáculo comigo na cidade?

— Claro que quero, *signora*! *Madonna Mia*, adoro ser sua cúmplice! Em especial quando estamos enganando Angelina...

Luigia achou graça, mas logo pareceu preocupada novamente.

— Angelina virá à noite ver se estou bem. Ela sempre faz isso. Como vamos fazer?

— Não se preocupe, tenho tudo planejado. — afirmou Maria, batendo de leve o indicador na testa. — Arrumamos a cama com travesseiros, almofadas e cobertores para parecer a *signora* dormindo. Estará escuro aqui no aposento. Ela não vai notar nada.

— E se notar? — insistiu Luigia.

— É um risco que teremos de correr. — Após uma pausa, indagou: — E *poi*? O que vai ser? Devo prosseguir com os planos ou não?

Luigia caminhou até o balcão, pensativa. Maria acreditou que ela fosse desistir, apanhou do chão as roupas de cama por lavar e preparou-se para sair. Foi quando Luigia se voltou para ela com um sorriso travesso no rosto e exclamou:

— É claro que deve, sua boba! Claro que sim!

CAPÍTULO V

A costureira e o quarto-de-sonhar

Mamma tinha sido a primeira a acordar, como sempre. Saiu da carroça, sonolenta, espreguiçou-se e caminhou até o rio, arrastando as chinelas maiores que os pés. Ajoelhou-se na margem, tomando coragem para enfrentar a água fria, e, com um suspiro, encheu as mãos em concha e jogou o líquido no rosto. Depois, esfregou-o com vigor com sabonete de alecrim da própria fabricação. Bochechou, deslizou o indicador sobre os dentes e gargarejou, barulhenta, afugentando as garças. Voltou ao acampamento trazendo gravetos que juntou à fogueira da noite, acendeu-os e pôs água para ferver. Ia preparar o *brodo*, tipo de caldo que constituía a refeição matinal da trupe. Picou com destreza um amontoado de ervas, juntou farinha e um amarrado de temperos que só ela sabia fazer. Logo o cheiro subiu e penetrou as frestas da carroça com aquele aroma de lar que nutria as manhãs.

Mais um pouco, estavam todos reunidos em torno da pequena fogueira. Mamma serviu Dottore e Vincé. Francesca e Gigi, de olhos semifechados, sorviam cautelosos a sopa quente, enrolados num único cobertor. Estavam tristes, desanimados. Só Arrabal parecia não partilhar do desalento geral. Tomou a sopa a goles largos e começou a calçar as botas. Mamma aproveitou a distração do grupo para falar com ele em particular.

— Ouvi no caminho que ele está chegando — disse, referindo-se a Giordano. Era a única da trupe que sabia sobre o irmão gêmeo e sobre sua nobre ascendência.

— É, eu sei. Está na minha hora de partir. Preciso mesmo escrever. Sinto as ideias fluindo em minha mente. Depois da apresentação de hoje, vou viajar.

— Você viu seu pai?

— Ele quer ver Giordano, Mamma, não a mim — disse, mudando de assunto logo depois. — Ei, Gigi, *sbrigati*! Temos que chegar cedo à praça!

— Para quê? — perguntou ele, em meio a um amplo bocejo.

— *Come* para quê? Nós temos uma apresentação para anunciar, não temos? — e prosseguiu para Vincé: — Você consertou minha máscara?

— Ainda não — resmungou Vincé, em seu costumeiro mau humor matinal.

— Então faça isso logo, Vincé, por favor! Vou precisar da minha máscara hoje à noite — disse, colocando no rosto a máscara que tinha nas mãos. — Esta aqui me machuca demais!

Dottore observava a cena tentando identificar o que Arrabal realmente sentia. Talvez porque fosse miseravelmente cético, parecia-lhe impossível acreditar que alguém pudesse permanecer confiante em meio à adversidade, quando a própria vida não dava sequer um aceno de esperança. Mas lá estava Arrabal se preparando para anunciar o espetáculo na praça, como se nada tivesse acontecido, e Dottore não pôde deixar de cogitar que ele agia como um pai, simulando calma para sustentar o ânimo da família, enquanto por dentro também ele estava alarmado. Mas as evidências logo provariam quão errado Dottore parecia estar.

— Sou oleiro, não fabricante de máscaras! — reclamou Vincé.

Arrabal não fez caso. De um salto, pôs-se de pé, abraçou Gigi e começou a andar com ele em zigue-zague.

— Mas um oleiro cria coisas a partir do barro, como Deus. Quem poderia ser melhor para fazer máscaras, que são, na verdade, nossa outra face? — argumentou.

Vincé sorriu, lisonjeado, e amoleceu. Enciumado, Dottore fez-lhe uma careta.

— Esperamos vocês para o almoço? — perguntou Mamma.

— O que teremos hoje? — perguntou Arrabal em seu ziguezaguear.

— *L'evre*... — respondeu ela, desanimada, da forma como os napolitanos chamavam o conjunto de vegetais. Folhas para eles indicavam, mais especificamente, qualquer variação de repolho, couve-flor ou brócolis, o *vruoccolo*.

— Não se preocupe, Mamma. Estaremos com você nesse infortúnio — respondeu Gigi, desaparecendo com Arrabal logo depois.

Ambos caminharam alguns quilômetros em silêncio, até que Gigi começou a cantar a ária de uma ópera de Pergolesi, seu compositor favorito. A voz de tenor abraçou o bosque e se entrelaçou com os primeiros raios de sol daquele dia. O frágil Gigi dava lugar a um gigante quando começava a cantar. Arrabal fechou os olhos e inspirou, como se para inalar a transcendência do momento. Quando Gigi terminou a canção, abriu-os novamente e o aplaudiu.

— Bom, muito bom, meu amigo! Muito bom! E a sua ópera, a quantas anda? Compôs mais alguma coisa?

— Só aquele início que lhe mostrei.

Caminharam mais um pouco em silêncio. Arrabal, irrequieto, saltava sobre as pedras. Gigi então tomou coragem e iniciou uma prosa:

— Arrabal?

— Quê?

— Estava pensando... Você já sentiu alguma coisa diferente por uma mulher? Quer dizer, algo especial, mais forte?

Arrabal olhou-o, desconfiado.

— O quê? Só estou perguntando. É pura curiosidade! — argumentou Gigi.

— Você tentou novamente, não foi?

Gigi, constrangido, fez que sim.

— Ah, meu amigo, eu já lhe disse: não se pode forçar esse tipo de coisa!

— Eu sei, concordo com você, mas Dottore e Vincé insistiram em me levar àquele lugar. — Prosseguiu, imitando os dois: — Vá, Gigi, você precisa conhecer as garotas! Beije! Abrace! É fácil! Afinal, você é o quê? Um *finocchio*? Conclusão: mais um fracasso!

— Deixe que a vida o guie, meu amigo. Acredite em mim. A vida é sábia. Ela sabe quando estamos prontos. Quando você menos esperar, vai encontrar uma mulher e... bum! Será como um relâmpago!

Gigi ficou subitamente triste. Arrabal percebeu. Passou o braço por sobre seus ombros e o trouxe para perto de si.

— Esqueça os frades, Gigi, *per l'amor di* Dio! O fato de ter desistido de ser noviço não faz de você um pecador. Você foi sincero, não tinha vocação, não seria um bom padre, não ajudaria ninguém. Acredite neste seu velho amigo. Em tudo há que se ter amor!

Gigi sorriu emocionado e ameaçou chorar. Arrabal, percebendo, soltou-se dele e recomeçou suas piruetas sobre as rochas. Gigi enxugou um arremedo de lágrima com as costas da mão e tentou segui-lo.

— Mas e se você se apaixonar por alguém? Eu realmente gostaria de saber. Vai existir alguém um dia. O que vai fazer?

Arrabal parou novamente, fazendo Gigi tropeçar nele e quase derrubar ambos no chão.

— Gigi, *tesoro mio, guarda, Dio* me fez de tal forma, com tanto amor dentro de mim, que seria um pecado dividir tudo isso com uma única criatura. Além do mais, todas as mulheres são especiais para mim.

Gigi balançou a cabeça. Frase feita, pensou.

— É verdade! Eu as amo, a todas! — afirmou, como se lendo-lhe os pensamentos. — Seus sorrisos, o jeito de cada uma fazer amor. Cada mulher tem sua marca, alguma coisa que fica na memória como um sabor, um aroma; algo que se pode antecipar quando se olha para ela. — E perguntou, voltando-se para Gigi de súbito: — Você já prestou atenção no olhar de uma mulher?

— Pobre de mim. Mal posso encarar uma!

A frase assim sincera e sofrida fez Arrabal sentir pena.

— Quando você conseguir compor, conseguirá amar uma mulher, ou vice-versa. Tudo brota da alma. Você só precisa se permitir.

Chegaram à praça e a adorável confusão que lá reinava os fez instintivamente sorrir. Arrabal caminhou por entre o povo e mergulhou naquele torvelinho, os olhos azuis dançando de excitação nas órbitas, todo o seu corpo tomado de euforia. Descalço, o vendedor de frutos do mar, calças enroladas nas canelas, mostrava duas bacias cheias de peixes de todos os tipos e cores, mais moluscos e crustáceos, e chamava os clientes no dialeto napolitano.

— *'E cannulichie 'e mare, robba 'e Pusilleco!*

O chamado virou melodia morna se entrelaçando, em contraponto à voz forte do *maccaronaro*.

— *Vierdi, vierdi, li maccarune!*

Arrabal aproximou-se das panelas e aspirou o perfume que já tomara toda a praça. A figura do *maccaronaro* vendendo a massa fresca, cozida na própria rua, fazia parte de suas raízes. O *macaroni* nascera ali mesmo, em

Nápoles, e a princípio era produzido apenas na cidade e nos arredores da costa sorrentina e amalfitana. Arrabal via poesia naquela forma rústica de preparar a massa, nos caldeirões postos sobre fogareiros nas calçadas, nas tendas que tudo cobriam. E para completar aquele prosaico e democrático banquete havia a pirâmide de queijos ralados, estrategicamente posta ao lado das panelas, da qual o vendedor tirava as mãos cheias para salpicar os pratos fumegantes que passava aos clientes.

O sino da igreja soou chamando os fiéis para a missa e abençoou, com seu som transcendente, o ar pagão da manhã. Arrabal foi invadido por uma onda de inexplicável felicidade. Fechou os olhos e abençoou, também ele, aquele instante. Amava sua gente; amava os aromas que inundavam o ar e definiam sua terra; amava existir.

Gigi aproximou-se, temeroso de interromper-lhe o devaneio. Eram-lhe comuns aqueles transes, a trupe acostumara-se àquilo. Tantas vezes, mesmo estando todos juntos, o olhar de Arrabal fugia para aquela instância além de todas as coisas e era inútil chamá-lo de volta à realidade. Era preciso esperar que, por vontade própria, retornasse porque sabiam, mesmo sem compreender, que aquele ser pujante de luz e força estava ao mesmo tempo preso à terra e irremediavelmente atraído para o céu.

Arrabal abriu os olhos e Gigi arriscou:

— Eles não vão prestar atenção em nós — disse baixinho, quase num sussurro. — Assim, só de máscara, sem o figurino, não vão.

— Pois acho que é um excelente exercício.

— Não entendi.

— Pense comigo: se conseguirmos atrair a atenção deles assim, apenas usando nossas máscaras, imagine o que não seremos capazes de fazer quando estivermos usando o figurino? Além disso, não é preciso usar máscara para interpretar uma personagem. Eu já lhe disse isso.

— Mas você usa a sua o tempo todo, até quando não é preciso!

Arrabal pensou um pouco e admitiu:

— Tem razão. Tenho algumas ideias contraditórias. Mas são todas boas! Todas boas! Está pronto?

Gigi fez que sim, sem convicção.

— Então... — disse, girando os ombros e segurando as pontas dos pés para alongar a coluna — Hora de trabalhar! — exclamou e, respirando fundo, cruzou, em saltos-estrela, a praça.

— *Chi desidera sognar*: I *miei sogni*? *Chi desiderai miei sogni da sognare*? — Ao seu chamado, todo o povo acorreu.

Arrabal sacudiu os braceletes feitos de pequenos guizos e fitas coloridas e abriu aquele sorriso que a todos encantava. "Quem quer sonhar meus sonhos? Quem quer meus sonhos para sonhar?" — era um convite irresistível.

— L*a compagnia di Teatro* I *Trovatori* Del Re! A trupe do poeta Arrabal, esta noite na Piazza Mercato! — completou Gigi.

— Pulcinella, Arlecchino, Isabella e *il capitano* Matamoros! — animou-se Gigi. — A trupe I *Trovatori* Del Re, esta noite, na Piazza Mercato!

O povo formou um círculo em torno deles. Arrabal dava saltos, cambalhotas, e fazia flores de papel de seda surgirem de dentro das mangas da camisa. Os homens sorriam, as mulheres se derretiam por ele, até que, de súbito, Arrabal avistou uma mocinha cega, sentada no meio-fio, seus olhinhos mortos vagando acima do real. Ela ria e batia palmas como se assistisse à cena toda.

— Quem é aquela menina? — Arrabal perguntou a um homem na multidão.

— Aquela? É Caterina, a costureira. Você é o poeta Arrabal, não é? — devolveu o homem.

— Costureira? Mas ela é cega. Como pode ser?

— É, é bem estranho mesmo. Ninguém entende como, mas o fato é que ela costura para várias senhoras da corte — o homem respondeu e insistiu: — Você é o poeta Arrabal, não é?

— Sou, meu amigo, e conto com sua presença na plateia hoje à noite — disse, apertando-lhe a mão e recomeçando a série de piruetas pela praça, até alcançar Caterina.

Ela era pequena como uma boneca, de frágil e delicada constituição. Devia ter em torno de vinte e cinco anos, Arrabal avaliou. Usava um vestido de pano barato, arrematado por uma gola de renda fina, talvez importada de um modelo de estilo qualquer. Calçava botas feitas de couro bom, herdadas provavelmente de uma cliente. A observação fez Arrabal notar o tamanho diminuto de seus pés. Ele se ajoelhou em frente a ela, e, à sua aproximação,

Caterina virou o rosto de um lado para outro, como sintonizando um afinado radar. Vinha dele uma distinta fragrância de flor que se transformou em doce de amora em sua boca. Ela esfregou os lábios um no outro e sorriu.

— Quem está aí?

— Sou eu, o poeta Arrabal — ele disse, segurando com cuidado a mão dela. — Muito prazer!

— Poeta Arrabal? Que grande prazer conhecê-lo! — respondeu ela, selando num aperto firme o cumprimento. — Eu sou Caterina. Não sou tão importante quanto um poeta. Sou uma mera costureira.

— Mas costureiras são gente de grande importância! Em especial aquelas que costuram com o tato. Agora, por exemplo, minha trupe vai precisar muito de uma.

— É mesmo? Por quê?

— Imagine que fomos roubados. Tivemos todo o nosso figurino roubado ontem por ladrões de estrada.

— Não me diga!

— Pois é. Eles estão cada dia mais audazes e em maior número. O rei precisa fazer algo a respeito. Não acha?

— Acho! Com certeza!

— Como não temos valores, dinheiro, levaram-nos a única coisa que poderia ser vendida: nosso figurino. Então, quando as roupas novas chegarem, vamos precisar de uma costureira para ajustá-las para nós.

— Mas você está anunciando uma apresentação para esta noite. Já conseguiu as roupas, então?

— Na verdade, não. Mas até a noite alguma coisa deve acontecer para nos ajudar. Alguma coisa sempre acontece.

— Você é sempre assim tão confiante?

— Sou, porque a vida é confiável, minha cara. A vida provém! — como ela o ouvia perplexa e incrédula, acrescentou: — O pior que pode acontecer é representarmos assim, só de máscara. As máscaras, os trouxas não levaram. Não sabem o valor que têm para nós! — E ajeitando a sua, como se mirasse um espelho invisível, perguntou: — Então? Não será tão mal, não é verdade?

Caterina sorriu e calou-se, dando a Arrabal a impressão de que lhe vasculhava a alma.

— O que foi? — perguntou ele.

— Você é um homem bom, poeta. Gostei de você — disse ela.

— Também gostei de você, Caterina.

Então, de improviso, ela exclamou:

— Espere! Claro! Como não pensei nisso antes?

— O quê?

— Sei quem pode ajudá-lo conseguir o figurino. A *marchesa della* Fontana!

— *Marchesa della Fontana*?

— Sim, Vittoria é o nome dela. A *marchesa* é patrona das artes, mecenas de vários artistas e excelente pessoa. Ela certamente vai encontrar uma forma de lhes ajudar. Qualquer um na cidade pode indicar o caminho para o seu palácio.

— *Marchesa* Vittoria... Está certo, seguirei seu conselho, mas em retribuição quero que me prometa que vai assistir à nossa apresentação hoje à noite.

— Estarei aqui, poeta. Infelizmente, é só o que posso prometer.

Arrabal alisou os cabelos finos e alourados de Caterina e fez surgir uma de suas flores de papel por detrás da orelha dela, colocando-a na palma de sua mão.

— Estou certo de que você pode fazer mais que isso, Caterí! — disse ele, no apelido que a acompanharia para sempre depois, e de uma pirueta desapareceu.

* * *

A marquesa Vittoria della Fontana era a única filha do marquês de Nola, nascido Renier Bouchard, nobre herdeiro de uma aristocrática família francesa. A atmosfera do palácio de Comtois, onde Renier vivera toda a sua vida e onde criara Vittoria, era a das artes, da cultura e da erudição, razão pela qual escolhera os melhores preceptores para educar a filha. Vittoria estudara latim e grego, história romana, canto e música. Renier estimulava o gosto da filha pelas artes e a incentivara quando quisera aprender a tocar cravo e alaúde. Depois, interessara-se pelos gregos e por astrologia, e Renier novamente a apoiara. Quando se casara, ainda menina, já era fluente em grego e latim, além do francês, e possuía grande conhecimento musical para alguém de sua idade.

À primeira vista, todo aquele refinamento poderia sugerir pouca espontaneidade, mas no palácio de Comtois a sofisticação convivia pacificamente com as risadas, as brincadeiras e a alegria. Os Bouchard eram, antes de tudo, uma família, e, nesse sentido, eram como os mais comuns dos mortais.

A mãe de Vittoria, Dominica, era italiana. Tinha dezesseis anos quando se casara com Renier, então com vinte e cinco. Apesar de ter sido um casamento acertado pelas famílias, o casal se apaixonara e se amara, verdadeira e profundamente, desde então. Vittoria nasceu um ano depois e foi batizada em homenagem à bisavó materna.

Vittoria podia dizer que amara tudo em sua infância, mas suas mais doces recordações, as que se eternizariam na memória, eram as das tardes na sala de música, aposento preferido da mãe. Era lá que Dominica tocava cravo para o marido. Vittoria costumava se sentar no canapé de seda cor-de-rosa, com as perninhas relaxadas sobre as almofadas, para ouvir as notas delicadas fugirem pela janela e trocarem de lugar com o sol poente. Acabava invariavelmente dormindo e era levada para a cama no colo do pai. E aquela mistura da música quase mística com o cheiro doce que lhe vinha da pele ficara para sempre em sua mente, como referência concreta do que vinha a ser a felicidade.

Vittoria viveu na França até os pais morrerem vitimados pela peste e depois ficou sob os cuidados do único parente vivo, Frederico, seu tio por parte de mãe. Irresponsável, perdulário, viciado em jogo e em mulheres, Frederico viu na tutela da sobrinha a oportunidade de gozar de uma vida de luxo e riqueza, mas, para sua surpresa, Renier deixara o futuro da filha resguardado. Todas as propriedades e a fortuna dos Bouchard ficariam sob a custódia dos frades até que Vittoria alcançasse a maioridade ou se casasse. E foi exatamente o que Frederico tratou de arranjar depressa. Três anos mais tarde, aos quinze anos, Vittoria se casou com um homem vinte e três anos mais velho, Nicola, marquês della Fontana, e passou a viver em Nápoles.

Quando o vira pela primeira vez, Vittoria sentira o coração disparar. Era bonito, de rosto selvagem e altivo. Os olhos, de um negro penetrante, faiscaram quando cruzaram com os dela. Fora um olhar de desejo, cobiça e deslumbramento que ela até então jamais sentira, e por isso acreditara que o poderia amar.

Todavia, a intimidade logo se encarregara de desmantelar a fantasia daquela primeira impressão. Nicola agia como um rude senhor feudal. Tinha personalidade agressiva, própria de um homem familiarizado com os perigos. Sua única preocupação era defender as terras contra invasores estrangeiros. Tinha à disposição uma centena de homens prontos para, a qualquer momento, levantar armas, o que dava a Vittoria a impressão de viver num forte, em meio a uma iminente guerra.

Não era, porém, nada disso o que mais a entristecia. O que, de fato, a devastava era a sua total falta de sensibilidade, educação e das mais básicas noções de boas maneiras. Criada num ambiente de erudição, acostumada aos saraus de música e poesia, e, sobretudo, à ternura dos pais, a jovem sentia a alma definhar a cada dia. E pouco a pouco, toda aquela aridez, aquela absoluta ausência de lirismo, encarregaram-se de minguar sua adolescente alegria.

Os planos de Frederico falharam miseravelmente. Nicola podia ser tudo, menos estúpido, e logo percebeu as intenções do tio da esposa. Assim, tornou-se, ele próprio, o guardião da fortuna dela. Vittoria e Nicola não tinham filhos, para tristeza dela, e dessa forma a tutela de seus bens tornou-se o único elo entre os dois.

Vittoria não podia dizer que odiava o marido. Havia momentos mesmo em que sentia pena de sua ignorância. Era tão primitivo em suas emoções, tão medíocre em suas práticas hedonistas! Mas, então, era obrigada a deitar-se com ele, e nem todo o seu espírito cristão era capaz de evitar que desejasse vê-lo morrer.

Pensava nisso enquanto penteava os cabelos em frente à penteadeira antiga, quando se deparou com Nicola encostado no batente da porta. Trinta e sete anos haviam se passado, e Vittoria continuava bela, ele considerou, colando nela os olhos que ainda agora faiscavam de desejo e deslumbramento. Amava seus cabelos de cachos ruivos, que cheiravam a rosa quando ela meneava a cabeça; amava sua cintura fina, que cabia quase inteira em suas mãos largas; e amava seus seios rosados e redondos, especialmente quando ela, descuidada, dava deles um vislumbre pelo ousado do decote. Ela era linda e era sua! Pensando nisso, Nicola despiu a calça e caminhou em direção à mulher com um olhar repugnante que a fez, instintivamente, cobrir os seios com as mãos. Ele tomou-lhe os braços e a pôs de pé, mas então, de repente, arrotou. Vittoria prendeu a respiração.

— O porco do jantar de ontem não me caiu bem — disse ele.

O terrível incidente felizmente o fez sair para a varanda para respirar. Ela suspirou aliviada e tornou a se sentar em frente à penteadeira.

— Já ouviu falar desse tal capitão Giordano Romanelli?

— Romanelli? Lembro-me da família. A mãe sofre dos nervos, acho. Estivemos na casa dele certa vez, num jantar, não se lembra?

— Hum, não. Mas acho que seria bom oferecermos a ele uma recepção — continuou, falando alto da sacada. — Ele está cada vez mais próximo do rei. Andam dizendo que pode até se tornar ministro — Nicola disse e voltou ao quarto após uma pausa silenciosa. — Soube que há uma trupe para chegar à cidade. Você, que costuma apoiar essa gente, podia contratá-la para uma apresentação aqui para o tal Giordano Romanelli.

— *Bien sûr!* — exclamou Vittoria, instintivamente, no automatismo de sua língua nativa, para corrigir logo depois. — Claro! É uma excelente ideia!

Nicola se irritou. Detestava quando Vittoria falava francês. Não entendia uma palavra sequer e se sentia humilhado, traído mesmo, principalmente se a conversa fosse entre ela e Sophie, a dama de companhia. Pior ainda se rissem. Imaginava que debochavam dele ou que urdiam tramas às suas costas. Não era suficiente ter de aturar-lhe as maneiras de princesa à mesa ou numa conversação qualquer? Não bastava suportar-lhe o intelecto notável, que sempre a tornava o centro das atenções nas reuniões sociais? Porque não era só a beleza, aquela beleza de deusa. Era a maldita inteligência! Mesmo que a proibisse, que a ameaçasse, havia sempre um infeliz a iniciar uma conversa insuportável sobre clássicos e, às vezes, até mesmo sobre assuntos de Estado, a que ela, sob pretexto da boa educação, não se podia esquivar. Era adorada pela rainha, admirada e respeitada pelos homens como igual nas discussões, dando constantemente a Nicola a comprovação silenciosa de sua inferioridade. Não bastasse tudo isso, ainda havia os pintores, os músicos, os escritores todos que não saíam de sua casa. Era bom para ele, não podia negar. Dava-lhe status, um arremedo de distinção, mas Nicola sabia, sempre soube desde o dia em que se casou com ela: Vittoria era o sol, fulgurante e inalcançável! Mesmo que a prendesse para sempre em uma caixa, por qualquer fresta mínima seu brilho se faria notar.

Vittoria, por sua vez, percebia o efeito que seu sucesso causava na alma embrutecida do marido e sentia-se constrangida. Não gostava de vê-lo deslocado e humilhado na própria casa. Era como ferir de morte um animal já abatido, por isso procurava se calar a maior parte do tempo, refugiando-se entre as mulheres, que, na maioria, só falavam tolices. Mas aí uma delas, mais culta, ou até mesmo um dos homens no salão, conhecendo-lhe a erudição, propunha um tema e, quando dava por si, lá estava ela recebendo olhares de admiração.

Nicola se afastava para um canto da sala e afogava a frustração em taças sucessivas de bom vinho. Vendo-a de longe assim, sorrindo, mergulhada em sua aura de intocável delicadeza, ele a odiava a não mais poder. E, como forma inconsciente de se proteger da dor, lembrava-se de que em breve todos iriam embora e ele estaria a sós com ela, no quarto. Ele e ela a sós em seu domínio, lá onde Vittoria era só sua, onde ele lhe era, enfim, superior.

Vittoria ouvia horas de insultos sempre que se distraía e deixava um ou outro termo em francês escapar. E naquele dia não fora diferente. Nicola desfiava sua sequência de caprichados de agravos enquanto Vittoria, conformada, sentada em silêncio na frente do espelho, prendia os cabelos no alto da cabeça. No movimento, Nicola viu-lhe desnudo o pescoço longo e branco, e de imediato seus olhos e o corpo todo se inflamaram de desejo. Vittoria percebeu-lhe a reação pelo reflexo do espelho, Vittoria preparou-se para sair do quarto.

— Vou ver se o almoço está pronto — tentou uma desculpa. Mas Nicola espalmou a mão larga sobre a porta, impedindo-a de sair. Segurou seu braço e a conduziu, à força, para a cama, com um riso promíscuo no canto da boca, numa antecipação de suas péssimas intenções.

— Agora, não! Eu nem vou almoçar em casa — disse e, num empurrão, fez com que ela se deitasse, levantou-lhe as saias, puxou com força a ceroula e se acomodou, sem cuidado, entre suas pernas. — Mas não posso passar sem essa nossa brincadeira, minha cabritinha!

Vittoria virou o rosto, tentando esconder a repulsa que Nicola fingiu não perceber. Aquela aversão, de certa forma, o estimulava. Era aquele o único campo em que podia subjugá-la e tê-la só para si. Que diriam se o vissem agora os nobres, os embaixadores, os artistas, toda aquela raça esnobe que a cercava e aplaudia? Eles o respeitariam, afinal! Inconsciente de si mesmo, Nicola não podia elaborar o que sentia. Invejava Vittoria, e a inveja de um homem pode ser mais terrível e cruel para uma mulher que a de todas as rivais.

O sentimento, um misto de veneno e ardor, fez com que iniciasse uma dança violenta e solitária sobre ela. Mas então o perfume de rosa de seus cabelos de fogo, o delgado da cintura, o coração que sentia bater junto ao seu fizeram um'outra coisa brotar. Algo que doía e que Nicola não queria perceber. Algo que por pouco não o fez falhar. Não podia assimilar o que sentia. Nicola lhe tinha, de fato, adoração.

Para escapar de todo aquele terror e sofrimento, Vittoria fechou os olhos e imaginou um homem sem rosto: viril, delicado, sensual, gentil. Aquele com quem sonhava vendo o amor dos pais, o que imaginara que Nicola viria a ser. O quarto girou por trás de suas pálpebras, e então, deitado sobre ela, estava aquele homem, forjado em seus devaneios.

— *Io ti amo, Vittoria mia*! Amo seus seios, sua pele, seu cabelo... *Amore mio*! *Sei tanto bella*! — dizia ele. Assim, seduzida pelo imaginário, Vittoria involuntariamente gemeu de amor. Nicola, assustado, parou. — O que é isso? *Non fare rumore*! Que modos são esses? Isso não é comportamento para uma *signora*! Sua mãe não lhe ensinou? Tão educada e nem sabe se portar na cama como uma mulher direita! — disse, enfiando o rosto novamente no pescoço dela e recomeçando os movimentos brutos.

Vittoria deixou-se ficar inerte sob ele, mergulhada na fresta de sol da manhã que adentrava o quarto e aquecia seus pés. Para seu alívio, em alguns minutos o tormento acabou, e Nicola saiu com seus homens.

— Não vou demorar! — disse, e ela rogou a Deus que um contratempo qualquer o desmentisse.

Vittoria levantou-se meio cambaleante. Sophie entrou, e ela pediu que lhe preparasse um banho quente. As lágrimas escorriam dos seus olhos sem que se desse conta. Queria esfregar o corpo o mais que pudesse para arrancar da pele aquele suor. Caminhou até a sacada enquanto Sophie, penalizada, corria a encher os cântaros. Nicola dava ordens a seus homens no pátio, e do alto Vittoria pôde ver sua cabeça calva reluzindo no sol. Sorriu de sua decrepitude, mas não o suficiente para aplacar-lhe a dor. De repente, o ressentimento de todos aqueles anos lhe escapou da alma e forjou a cena que, por um instante, ela desejou fosse real: Nicola, cercado por seus homens, montava em seu cavalo e então sentia uma dor lancinante no peito. Contorcia-se, olhava para ela no alto da sacada e lhe estendia a mão. Mais uma pontada violenta, ele se contorcia novamente, apertava o peito e caía morto. Os homens corriam para ajudá-lo, mas era inútil.

— Inútil! Inútil! — Vittoria murmurou, socando o mármore da sacada sem perceber, para depois cair em si. Benzeu-se, horrorizada, arrependida, e a cena se desfez.

De volta à realidade, Nicola montou em seu cavalo, acenou para ela e partiu, seguido por seus homens. O pátio ficou vazio e inerte sob o sol, que agora já o tomava por completo.

Vittoria voltou para o quarto. Sophie preparara o banho. Vittoria entrou na água quente e esfregou-se com força, avermelhando a pele alva. Em seguida, mal se enxugou, pôs uma camisola fina, saiu do aposento e começou a subir as escadas.

— Não quer um chá? — perguntou Sophie, correndo atrás dela, tentando cobri-la com um penhoar. — A senhora ainda não comeu nada hoje!

— Não. Leve uma garrafa de vinho e frutas para o meu quarto-de-sonhar e me deixe sozinha — disse, ganhando os degraus na ponta dos pés descalços.

— Madame, por favor, essa tolice de novo? O marquês...

— O marquês vai demorar. Ele foi bajular o duque Di Medinacelli, não volta tão cedo. — Depois, concluiu: — E isso não é tolice!

— *Pardon, madame*!

— Vá, vá! Ande depressa!

❀ ❀ ❀

O quarto-de-sonhar era um quarto de despejos quando Vittoria foi morar no palácio. Levou para lá as relíquias afetivas de sua casa: as bonecas, o canapé de cetim cor-de-rosa, o cravo da mãe e outros instrumentos a que Nicola não dava valor. Espalhou pela casa pinturas e esculturas que os pais haviam colecionado e que, para o marido, equivaliam a uma peça de mobília qualquer.

Um dia, quando Nicola viajava, Vittoria entrou no quarto de despejos, retirou os panos que cobriam o cravo e começou a tocar. Imediatamente, a música a levou de novo para a infância e para aquele sol que trocava de lugar com a melodia. Fechou os olhos e estava outra vez no salão de baile de sua casa, vendo os pais rodopiarem sobre o mármore rosa e brilhante. Estava novamente no sarau de poesia, recitando Virgílio e Homero de cor. Quando abriu os olhos, já anoitecera. Fora feliz por uma tarde inteira e assim descobrira a utilidade do aposento, que decorara com esmero; passou, desse dia em diante, a chamá-lo de seu quarto-de-sonhar.

* * *

Os momentos viraram rituais. Sempre que Nicola viajava ou ficava fora boa parte do dia, Vittoria subia para o quarto, retirava a cobertura dos móveis, que agora estavam cuidadosamente dispostos, e começava a tocar. Havia espelhos pendurados com requinte nas paredes, e candelabros eram acesos ao cair da tarde. As recordações também se aperfeiçoaram. Ampliaram-se em sonhos, em desejos que Vittoria não podia realizar. Embalados pelo som do cravo, e às vezes até mesmo do alaúde, por detrás de seus olhos fechados, os sonhos ganhavam rosto, perfume, sabor.

Sophie entrou no aposento trazendo a bandeja num visível desconforto. Pousou sobre a mesa duas taças trabalhadas de cristal. Serviu o vinho, dispôs frutas e pães. Depois arrumou no vaso os lírios que trouxera do jardim.

De roupas de baixo, os cabelos vermelhos soltos na pele que, de tão branca, rosava contra a luz, Vittoria tomou a taça de vinho nas mãos, comeu uma uva e disse, com aquele sorriso estranho nos lábios:

— *Merci, Sophie! Tu peux aller maintenant!*

Sophie ia argumentar, mas desistiu. Aquele sorriso enigmático de felicidade transformava a patroa em uma Vittoria que ela não conhecia, com um quê de selvagem e indomável que a assustava.

Assim que Sophie fechou a porta, Vittoria levantou a sua taça num brinde. No vazio à sua frente havia o homem sem rosto, aquele que a admirava e lhe dizia palavras de amor. Aquele que, como seus pais, amava as artes e a música e estava ali apenas para a aplaudir.

❋ ❋ ❋

No portão principal, Arrabal tentava explicar aos guardas a razão de sua presença. Gigi o segurava pelo braço, tenso, como se preparado para correr a qualquer momento.

Após alguns minutos de espera, Sophie chegou e permitiu que Arrabal e Gigi aguardassem no pátio até que ela falasse com Vittoria. Arrabal passeou pelo átrio, que lembrava o de sua casa, acariciou os cavalos e fingiu não perceber o olhar hostil dos guardas.

— Será que não é melhor irmos embora? — iniciou Gigi, estalando os dedos para conter a aflição. — Vai que essa marquesa manda nos prender!

— Não vai acontecer nada disso. Caterina não disse que ela é uma *patronesse* das artes? Tenha fé, homem! Que diabo! Por que você está sempre antecipando uma desgraça qualquer?

Mal concluiu a frase, Sophie apareceu novamente e ordenou aos guardas que deixassem Arrabal e Gigi entrarem.

— *Madame* já vai atendê-los.

— Não falei? — sussurrou Arrabal, piscando para o amigo.

Gigi entrou na primeira sala e acreditou ter adentrado o céu. Nunca antes conhecera os cômodos principais de um palácio. Quando estivera em um, entrara pelos fundos. Em tudo ao redor havia uma aparência difusa de maciez. Ajoelhou-se e alisou os tapetes. Arrabal achou graça na atitude do amigo e continuou passeando pela sala, observando as telas, as esculturas, seu estilo. Na certa, a marquesa os ajudaria.

Sophie apareceu de novo por entre uma pesada cortina de cetim e anunciou, com visível preocupação:

— La *marchesa della* Fontana!

Gigi impactou-se ao vê-la e por pouco não deixou cair no chão uma peça de bricabraque. Arrabal aproximou-se, e Vittoria deu, instintivamente, um passo para trás. Ele sorriu por trás da máscara de couro que a impedia de definir seu rosto. Era um belo homem, e, parado assim, no centro da sala, parecia ter saído de um conto de fadas qualquer. Aproximou-se, temerosa, e pôde ver seus olhos de um azul diáfano por entre as frestas do couro. Era bem mais alto que ela; tinha os cabelos num tom de louro que terminava dourado nas pontas, caindo sobre os ombros. Arrabal estendeu a ela a mão longa e branca, macia ao toque, e fez-lhe uma reverência.

— *Signora marchesa.*

— Você é...

— Poeta Arrabal, às suas ordens.

— Arrabal... já ouvi falar de você. Mas Arrabal é um nome espanhol, não? — perguntou Vittoria.

— Sim, sou espanhol de nascimento, mas napolitano de coração. Esta é uma cidade *meravigliosa*.

Gigi o olhou, imaginando o porquê da mentira desnecessária.

— Oh, deixe-me apresentar meu amigo, Luigi Tomanesi. Pode chamá-lo de Gigi. Ele é ator e músico. Está compondo uma ópera no momento.

— *Sono lieto di fare la vostra conoscenza, signora marchesa* — disse Gigi, automaticamente, sem conseguir controlar as palavras.

— O prazer é todo meu, senhor Gigi. Bem-vindo à minha casa.

Gigi beijou-lhe a mão, e a frase que ouvira de Arrabal naquela manhã reverberou dentro dele: *Quando você menos esperar, vai encontrar uma mulher e... bum! Será como um relâmpago!*

— Bem, Arrabal, o que posso fazer por você? — começou Vittoria.

— Ladrões de estrada roubaram todo o nosso figurino ontem à noite, *marchesa*, assim que chegamos a Nápoles, e sem ele não temos como nos apresentar hoje. Ouvi falar a seu respeito na cidade e...

— Por que não tira a máscara? — perguntou ela, interrompendo-lhe a explicação.

— O quê?

— A máscara. Por que não a tira? Deve ser incômodo.

— Ah, a máscara... A máscara, claro! Não, *marchesa*, ao contrário! Esta máscara é, digamos assim, parte de mim. Estou tão habituado a usá-la que quando tenho de tirá-la é como se estivesse arrancando parte do meu rosto.

— Hum, interessante — disse Vittoria, pensativa. — Muito interessante. Bem, Arrabal, acho que tenho algumas roupas que podem ser úteis a vocês. Gostaria de vê-las?

— Claro!

Gigi fez menção de segui-los, mas Arrabal lhe fez sinal para que ficasse. Triste, o jovem obedeceu.

Vittoria subiu novamente as escadas em direção ao quarto-de-sonhar. Arrabal a seguiu em silêncio, pisando nos degraus com a ponta dos pés. Ela abriu a porta. Ele entrou e girou nos calcanhares, olhando em torno os espelhos, a mobília. Viu as taças, uma servida sobre a mesa.

— Que lugar interessante! — disse.

— Gosta?

— Muito!

— Eu também. É o meu quarto-de-sonhar.

— Sei... — e exclamou de repente: — Um cravo! Gigi iria amar se o visse! A senhora toca?

— Quando meu marido não está em casa, sim.

— Por que só quando ele não está em casa?

— Ele não gosta de música.

— Como alguém pode não gostar de música?

Vittoria riu.

— Também já me fiz muitas vezes essa pergunta — respondeu.

Arrabal continuou olhando para ela, o que a deixou desconcertada. Percebendo-lhe o constrangimento, ele desviou o olhar para a janela. Vittoria então se ajoelhou e abriu um grande baú.

— Aqui estão as roupas.

Ele se ajoelhou ao lado de Vittoria e começou a examinar as peças.

— Fique à vontade — disse a marquesa, levantando-se e voltando ao cravo.

Arrabal remexia as roupas e olhava para ela, quando em vez. Havia uma tensão crescente no ar da sala. Arrabal tomou uma anágua fina entre as mãos e esfregou-a no rosto.

— Além de tocar cravo, o que mais a marquesa faz aqui?

— Sonho. Desde que perdi meus pais, ainda criança, toda vez que a realidade não me agrada, eu sonho.

— Nunca pensou em transformar seus sonhos em realidade?

— É tarefa difícil para uma mulher. Mas me fale de você. Quanto tempo ficará na cidade?

— Difícil dizer. Dependerá da receptividade, dos convites que tivermos.

— E depois? Qual será o seu destino depois de Nápoles?

— Destino? Nunca tenho destino certo — Arrabal respondeu e continuou a remexer o baú no momento suave das mãos, como se brincasse nas águas de um lago qualquer. — Roupas de mulher... Quantas coisas escondem? Desejos, lágrimas, perguntas sem resposta... — disse ele, pegando um corpete de seda. Cheirou-o e, olhando-a nos olhos, concluiu: — Pelas roupas se pode conhecer tão bem a alma de uma mulher!

Vittoria sentiu o peito queimar, e o rosto corado a denunciou.

— A senhora tem boas roupas aqui, marquesa! — Arrabal mudou de tom, evitando-lhe o embaraço.

— Pode levá-las, todas!

— Infelizmente, não há nada para homens.

— Homens? — perguntou, absorta, os olhos presos no tronco largo dele, de pelos dourados, insinuando-se pela camisa aberta. — Ah, sim, roupas masculinas, claro! Penso que deva ter alguma coisa, sim. Venha comigo.

— Acha que pode arranjar alguma coisa para vestir Arlecchino? Essa é, talvez, a roupa mais complicada.

Vittoria virou-se para responder à pergunta e acabou perigosamente muito perto dele. Arrabal a olhou nos olhos, e ela sentiu-se nua.

— Eu... eu posso tentar — disse ela, dando um passo atrás. — Acho que posso ter qualquer coisa.

No quarto dela, havia uma penumbra morna, embora há pouco apenas fosse a tarde e ainda houvesse da primavera, o sol. Havia também uma tristeza, uma atmosfera pesada que tornava penoso respirar. Arrabal abriu de par a par as portas da varanda, sem pedir licença.

— Desculpe. Está abafado aqui. — disse.

Vittoria fez que sim com um movimento de cabeça. Também ele sentira o sofrimento do lugar. Em seguida, abriu um grande baú de cedro e começou a remexê-lo, buscando roupas. Arrabal gostou de um chapéu, que experimentou em frente ao espelho. Fez para si mesmo uma reverência. Então, encontrou sapatos. Andou um pouco com eles, fazendo troça. Vittoria riu e voltou a remexer no velho baú. Arrabal ajoelhou-se ao lado dela, enfiou as mãos no fundo do móvel e, num impulso, fez as roupas voarem pelo quarto. Vittoria riu, um riso alto, escancarado, como havia muito tempo não fazia. Depois, começou a montar figurinos com as peças sobre a cama.

— Vejamos. Isto serve para Pulcinella!

— Esta calça preta vai bem para Dottore — acrescentou Arrabal. — Mas seria preciso apertar.

— Serão necessários alguns ajustes, sim. Aliás, muitos. Nicola é bem forte. Você tem quem os faça?

— Estou pensando na costureira mágica que conheci na Piazza Mercato hoje cedo. Foi ela quem me falou para lhe procurar. Caterina.

— Caterina? Sim, ela é *carina*. Mas isso talvez seja um pouco complicado demais para ela. O que Caterina faz são cerziduras, pequenos consertos, o que, convenhamos, já é um milagre. Agora, coisas assim, maiores, não sei. — Afastando-se da cama para vislumbrar melhor o conjunto, concluiu: — Bem, mais alguns adornos e acho que teremos tudo.

— E Arlecchino? Não é porque estamos em Nápoles que ele não vai dar o ar da graça! — exclamou Arrabal, com a voz gutural de sua personagem.

Vittoria sorriu e Arrabal enterneceu-se. A marquesa era amável, no sentido literal da palavra, digna de ser amada, e era isso o que Arrabal desejava fazer.

— Veja, isso pode servir — disse ela, trazendo uma camisa de cetim vermelho nas mãos e estendendo-a em frente ao peito dele, sem o tocar. — Deixe-me ver.

— Para vestir Arlecchino é preciso conhecê-lo — disse Arrabal, segurando-lhe as mãos. — É preciso conhecer a personagem para criar o figurino

— continuou, aproximando-se suavemente dela. — Deixe que eu lhe apresente Arlecchino, marquesa. Deixe que ele seja seu servo. Descubra se ele é só um bufão num corpo ágil ou se possui poderes mágicos. Garanto-lhe que Nápoles só é louca por Pulcinella porque não sabe quão sedutor Arlecchino pode ser.

Arrabal enlaçara Vittoria, suavemente, pela cintura. A marquesa podia sentir nele o cheiro de flor, de terra molhada. Podia ver agora de perto seus olhos iluminados por entre as frestas da máscara, olhos de um azul mediterrâneo intenso. Era lindo, másculo, delicadamente sedutor.

— Só Arlecchino pode levá-la aonde deseja ir.

— Por que supõe que desejo ir a algum lugar? — articulou ela, com esforço.

— Está escrito em seus olhos. Pulsa em sua respiração — disse ele, começando a desfazer-lhe o laço do vestido. — *Chi desidera sognare i miei sogni? Chi desidera I miei sogni da sognare?* — murmurou.

— Não faça isso! Por favor, não! — Vittoria pediu, segurando o decote e desprendendo-se de seus braços.

Arrabal suspirou e ficou sério por um instante. Depois, tomou-lhe as mãos e beijou suavemente o dorso delas. Vittoria sentiu a alma escapar um pouco por entre os dedos e um torpor quente fazer-lhe as pernas bambear.

— Eu sei o que parece, mas de fato é só amor! — disse ele. — Só amor e liberdade! Ao menos uma vez na vida, Vittoria, ao menos uma vez, faça o sonho se tornar realidade!

— O que você sabe sobre os meus sonhos? Você mal me conhece.

— Sei que você tem um mar de amor por dentro — disse Arrabal, desfazendo-lhe agora todo o laço do vestido e beijando-lhe devagar o queixo e pescoço.

— Por favor... — pediu ela, num tom de duplo sentido.

— Por favor... — murmurou ele, até alcançar com os lábios a sua boca.

Vittoria entregou-se ao beijo longo, lento, que parecia lhe curar da alma todas as feridas. O beijo primeiro com que sonhara desde a infância, arrebatador e proibido, de certa forma um pouco amigo; o beijo que já não imaginava dar.

— Tire a máscara. Quero ver seu rosto.

— Então feche os olhos — disse ele, escorregando os dedos sobre as suas pálpebras. — Feche-os e prometa que não vai abri-los.

— Por quê?

— Prometa. É a condição.

— Está bem. Prometo, mas queria muito ver seu rosto.

Arrabal beijou-lhe os olhos fechados, rasgou um retalho de uma das roupas sobre a cama e os cobriu. Depois, tirou a máscara e murmurou:

— Eu não tenho rosto, minha senhora! Por trás da máscara só existe a minha alma.

Arrancaram apaixonadamente a roupa e abraçaram-se como se fossem um só ser. Vittoria correu a ponta dos dedos pelo rosto dele, tentando adivinhar-lhe a silhueta, depois o desenho do corpo, a estrutura delicada das mãos. Era mágico, lúdico, entorpecente.

A visão do corpo de Vittoria, branco contra as roupas coloridas sobre a cama, sugeriu a Arrabal o início de um verso:

— *Sei tanto bella*! — Arrabal murmurou. E a lembrança de seu devaneio num momento triste do dia a emocionou.

❃ ❃ ❃

Gigi deixou o olhar se perder no pôr do sol. Pelo adiantado da hora, tudo, na certa, já se consumara. Sophie entrou na sala e falou alto, despertando-o do transe melancólico.

— *Pourquoi prennent-ils si longtemps*?

— O quê?

— Por que eles estão demorando tanto?

— Não sei, mas também gostaria de saber. Ainda temos de nos preparar para a apresentação desta noite.

— *Le Marquis* está para chegar e detesta encontrar gente estranha em casa! — exclamou Sophie, num sotaque agora ainda mais carregado de preocupação.

— Ele está chegando? O marquês? Ai, meu Deus! — Gigi exclamou, apavorado. — Então é melhor chamar Arrabal! — disse e preparou-se para ir em direção às escadas, quando Sophie o puxou pela camisa.

— *Vous restez ici*! Eu cuido disso! — falou a criada, que ia pelo corredor quando o relinchar dos cavalos se fez ouvir no pátio.

Sophie correu até a sacada.

— *Oh*, *mon* Dieu, o marquês!

— O marquês! — gritou Gigi, em desespero.

— Vou chamar a marquesa! — a criada disse e saiu.

Gigi ficou sozinho e, apavorado, correu para a sacada. A visão do marquês e de seus homens apeando dos cavalos o fez procurar uma sala de banho.

Sophie saltava os degraus, olhando de quando em vez o pátio pelos vitrais, até que chegou ao quarto e se jogou sobre a porta, esmurrando-a com força.

— *Madame*! *Madame*! *Le Marquis est arrivé*!

Por um instante, Arrabal e Vittoria ficaram estáticos, sem saber o que fazer. Foi Arrabal quem apanhou as roupas dela e começou a ajudá-la a se vestir.

— Quando o verei novamente? — perguntou a marquesa, prendendo os cabelos, enquanto Arrabal lhe passava as cordas do vestido.

— Vá assistir à apresentação hoje!

— Não posso — ela disse e continuou beijando-lhe os lábios. — Prometa que vai voltar!

Sophie continuava a esmurrar a porta.

— Depressa, *signora*! *Vite*! *Vite*!

A voz do marquês se fazia ouvir na primeira sala. Gigi gostaria de morrer e já sentia próximo o seu fim.

— Nunca prometo nada, *carina*. Não posso — disse Arrabal, acariciando o rosto de Vittoria, para depois ajudá-la a colocar todas as roupas doadas em sua grande sacola. E, sem se incomodar com os murros de Sophie, segurou-lhe o rosto entre as mãos e falou: — Ouça, você é muito, muito especial. E é bela como o sol. Não permita que ninguém a machuque. Por favor.

Vittoria sorriu e entregou a boca à dele num beijo apaixonado.

— Marquesa, *s'il vous plaît*!

O marquês entrou na sala e se deparou com Gigi, que se petrificou. Nicola o olhou de cima a baixo com desprezo e caminhou na direção dele, como se fosse exterminá-lo.

— Quem diabos é você?

— Eu, eu, eu, eu... perdão, perdão, senhor marquês! Perdão! Eu não pretendia ofendê-lo — disse Gigi, agachando-se numa espécie de reverência humilhante.

— O que está fazendo aqui?

— Bem... sou ator. Sou da trupe do poeta Arrabal. O senhor o conhece?

— Não conheço esse tipo de gente! — disse, quase num rosnar, acima da cabeça de Gigi, que continuava semiagachado, suando aos borbotões. Nicola ia apanhá-lo pelo colarinho quando Arrabal apareceu.

— Então, deixe que me apresente, *signore marchese*. Sou o poeta Arrabal, um servo a seu dispor! — disse, desenhando no ar uma exagerada e irônica reverência.

Nicola o olhou com preocupação. Pressentiu nele a altivez, a inteligência mordaz, certo tipo de elegância. Não era como os outros, um vagabundo qualquer. Aquele era de outra cepa.

— Vittoria, o que está acontecendo aqui?

— Você não me pediu para contratá-los para se apresentarem ao capitão Giordano? Então!

Por um instante, Nicola pensou ter vislumbrado também na esposa qualquer coisa distinta no tom da resposta, no olhar direto com que o encarou. Não era a revolta habitual nem mesmo a repulsa — era um tipo diferente de destemor.

Arrabal tentou disfarçar o impacto que a menção ao nome de Giordano lhe causara.

— E que diabos ele estava fazendo lá dentro?

— Estávamos selecionando roupas que não são mais de uso e que poderiam ser usadas como figurino. A trupe foi roubada ontem por ladrões de estrada — disse Vittoria, caminhando com firmeza pela sala. — Esses assaltos estão cada vez mais frequentes. É preciso que se faça alguma coisa.

— Sua esposa nos fez essa gentileza, marquês. Sem as roupas que ela nos doou, não haveria como nos apresentarmos hoje à noite. Mais uma vez, muito obrigado, senhora marquesa — disse e beijou-lhe a mão, ainda causando nela um leve tremor.

— Sophie, acompanhe os senhores até o portão — ordenou Vittoria.

Arrabal ia sair quando Nicola o interpelou.

— Espere! Quero ver o que está levando.

— Nicola! — exclamou Vittoria.

— Está tudo bem, marquesa, não se preocupe. Faço questão — disse Arrabal, abrindo a trouxa e esparramando as roupas pelo chão da sala.

Nicola puxou a espada e revirou, com a ponta, as roupas todas.

— Mas aqui há roupas minhas!

— Que você não usa mais, Nicola. Elas são úteis para eles, pelo amor de Deus.

Se pudesse, Nicola não permitiria que levassem suas vestimentas, mas, tendo Carlo di Borbone como rei, não era bom negócio mexer com artistas.

— Está bem. — gritou, chutando as roupas. — Peguem essa bagunça e sumam daqui!

Gigi correu, juntando as peças. Arrabal as pegou propositalmente devagar. Quando tudo estava de novo amarrado na trouxa, ele a jogou nas costas e empurrou Gigi para a saída.

— Grato pela hospitalidade, *signore marchese*! Esteja certo de que todos na cidade vão saber quão bem os artistas são tratados em sua casa. — E, numa última e debochada reverência, concluiu: — Perdoe-nos por existir!

Vittoria esperou que Nicola saísse da sala para ir até a janela ver Arrabal partir. Ele corria às gargalhadas, puxando Gigi pela camisa. Com o peso, a trouxa caiu, espalhando pelo chão algumas peças mal acomodadas. Ele as apanhava e enfiava de qualquer jeito de volta no pano e jogava outras sobre a cabeça de Gigi, que agora também ria. Vittoria colou o rosto na fina cortina de renda e ficou ali, sorrindo, sentindo aquela ternura imensa perpassar-lhe a alma como um beijo.

— Sophie, ordene que deem a eles um cavalo. A pé, jamais chegarão a tempo.

Sophie obedeceu, preocupada. Arrabal surpreendeu-se quando o guarda, enorme e sisudo, apresentou-lhes o lindo animal branco. Imediatamente, Arrabal procurou Vittoria na janela do quarto-de-sonhar. Ela afastou um pouco a cortina e se deixou ver. Arrabal sorriu, fez-lhe uma respeitosa reverência e deu um tapa nas costas de Gigi, para que fizesse o mesmo. Vittoria riu e acenou para eles. Depois, voltou a se esconder por trás das rendas e, sem que ele percebesse, acompanhou-o com o olhar até que desaparecesse na estrada e tudo em sua vida voltasse a ficar sombrio e triste novamente.

CAPÍTULO VI

O poema

Passava já das quatro da tarde, mas no acampamento ninguém se dava conta do adiantado da hora. Movida pela confiança de Arrabal, a trupe ensaiava a apresentação da noite. A base da *Commedia* era o improviso, mas faziam os esquetes há tanto tempo que, de algum modo, já possuíam um certo texto de cor.

Francesca, na pele da Colombina, lencinho em uma das mãos, a outra nos quadris ligeiramente inclinados para evidenciar a cintura fina, contracenava com Mamma, que, no ensaio, fazia as vezes de Arlecchino.

— Meu querido amigo, diga-me a verdade: Ama-me? — perguntava.

E Mamma, tentando imitar a voz gutural que Arrabal inventara para Arlecchino, respondia:

— Sim, amo-te, com certeza. Amo-te como um velho ama o próprio dinheiro.

— Não, não, não! Está soando falso! — gritou Dottore, que, na ausência de Arrabal, dirigia as cenas.

Todos bufaram em uníssono. Mamma largou-se pesadamente sobre a grama, com as pernas abertas feito uma boneca de pano. Não aguentava mais.

Vincé, que assistia à cena recostado em uma árvore próxima, proibido que fora Dottore de se aproximar, não se conteve e gritou:

— *Cazzo*! M*a* o que você quer, *infelice*? Uma tragédia grega?

— Dottore, você é por demais exigente — acrescentou Mamma, antes que ele despejasse uma torrente de impropérios sobre Vincé. — Tudo o que temos de fazer é seguir o *canovaccio* e improvisar o texto. Além do mais, Arrabal sempre muda alguma coisa no último minuto, você está cansado de saber.

E, como ela se levantasse, Dottore pressentiu que sua paciência, já de per si limitada, havia se esgotado e tentou remediar, mas Mamma continuou:

— E tem mais: nem sabemos se vamos nos apresentar hoje! Aqueles dois desapareceram! — Olhando para o céu, afirmou: — Já passa das quatro da tarde. Deus sabe a que horas vão voltar!

Dottore tentou se aproveitar de uma nova pausa, mas Mamma, outra vez, impediu-o:

— Para completar, meus joelhos estão destruídos. Não tenho mais idade para ficar ajoelhada nessa grama o dia todo. *Insomma, non me posso più*! — concluiu e entrou na carroça.

Francesca a seguiu.

— Vou tomar um banho! — anunciou, batendo a porta, antes que Dottore pudesse argumentar.

Vincé deu uma risadinha irritante, e Dottore, em vez de reagir, olhou para ele com uma expressão teatral de desencanto. E, como Vincé desse literalmente de ombros, declamou alto:

— *Oh, si le siècle rendait justice aux beaux esprits...*

Vincé enrolou em um pano a máscara de Arrabal, que levara toda a manhã para consertar, pegou seus artefatos e dirigiu-se para a carroça, sem demonstrar nem um pouco de curiosidade pela tradução da frase ou por sua origem. Não que não tivesse. Quantas vezes, em segredo, decorava as citações que lhe falavam mais especialmente à alma? Mas sabia que Dottore esperava que ele o olhasse como parvo, para então traduzir a fala, borrifando-o com suas gotas de sabedoria, e ele não queria lhe dar esse prazer.

— Ah, se os séculos fizessem justiça a seus gênios! — gritou e, como Vincé nem sequer olhasse para trás, concluiu, mais alto ainda: — *As sabichonas*, Ato III, Cena III! Molière! Ouviu? Molière!

Vincé fechou a porta atrás de si num estrondo e desatou a rir.

— Boçal! — Dottore gritou, e ia emendar outro impropério quando Gigi apareceu, correndo em sua direção. — Gigi, o que aconteceu? Onde está Arrabal?

Vincé ouviu a pergunta de Dottore e abriu a porta.

— Está vindo! Conseguimos as roupas! — disse Gigi, arfando. — Conseguimos!

— Não acredito! Como? — exclamou Dottore, sorridente.

Gigi contou tudo em detalhes. Pouco depois, Arrabal chegava com Caterina. Ninguém entendeu muito bem como ele podia depositar tanta confiança em uma pessoa cega para fazer consertos daquela importância, mas seu argumento, como sempre, era o mais simples.

— Temos outra opção?

Todos se calaram e já iam escapando de manso pelos cantos quando ele advertiu:

— Ela precisa do nosso incentivo! Está com medo de errar e precisa do nosso acolhimento. Portanto, quem quiser se apresentar condignamente mais tarde, faça o obséquio de ser solidário.

Caterina marcou os ajustes com tal destreza que Mamma acreditou estar diante de um verdadeiro milagre. A costura, no entanto, começou a sair num desvio, meio torta. Bom demais para ser verdade, Mamma avaliou e preferiu afastar-se para não ver o resultado.

Enquanto costurava, mergulhada naquele burburinho dos integrantes da trupe, que se esbarravam uns nos outros no espaço minúsculo da carroça; enquanto dava seus pontos irregulares, respirando aquela mistura de perfumes baratos que subia pelo ar, Caterina começou a ver surgir no escuro de seus olhos retalhos de cores brilhantes, como pedaços reluzentes de seda ou vidrilhos multicor. De primeiro, assustou-se e empurrou a costura para o chão.

— Que foi, *figlia*? — perguntou Mamma.

— Nada. Nada não, senhora, o pano escorregou.

Mamma recolocou com cuidado a costura em seu colo, e Caterí retomou os pontos desencontrados. Mais alguns deles, e lá estavam de novo os clarões de cor a mostrar-lhe em agudos os tecidos. Dessa vez, só esfregou os olhos e, como aquelas pinceladas esquisitas de visão não parassem, resolveu costurar de olhos fechados. Arrabal, que a observava, sem que os outros percebessem, pelo reflexo do espelho, viu a cena e se alegrou. Ele pintava o próprio rosto com um tipo de pasta branca que dividira em potes para fazê-la um pouco colorida.

— O que está fazendo, Mestre? — perguntou Dottore.

— Uma máscara de pintura. Usei esta aqui o dia todo. Minha pele está muito irritada.

— Mas consertei a sua, conforme você pediu — falou Vincé.

— Obrigado, Vincé, mas esta noite prefiro me apresentar assim.

Gigi aguardava, de ceroula, a calça que Caterina costurava, e no meio-tempo pegou para experimentar a máscara que Arrabal usara durante o dia.

— Não sei como você consegue usar isto o dia todo. Usar durante a apresentação já é difícil. Imagine um dia inteiro! — observou, pondo e tirando a máscara do rosto.

— Mestre, *sei* um gênio! — gritou de súbito Dottore, também de roupas de baixo, olhando o trabalho de Arrabal por sobre o ombro. — Isso será uma revolução! Uma transformação radical na comédia! Máscaras feitas de pintura!

— Não sei se gosto... — disse Francesca, espichando o rosto na frente de Arrabal, impedindo que ele se visse no espelho. — É esquisito.

— É só para aliviar minha pele. Só vou usar hoje — justificou.

— Esse aí já acha que é uma obra de arte! — ironizou Vincé, referindo-se a Dottore.

Dottore mordeu o dedo indicador dobrado, num sinal característico de raiva reprimida.

— Bem, vamos saber o que o público vai achar dessa sua invenção pela quantidade de comida que nos derem, *figlio*. Se gostarem, vão nos convidar para jantar depois. Se não, vão jogar o jantar em nós! — Mamma finalizou.

Todos riram. Arrabal concluiu sua máscara e então colocou um chapéu de seda vermelha, de Vittoria, que ele mesmo reformara para si.

— Já que hoje Arlecchino não vai usar sua roupa tradicional, precisa de alguma coisa mais atraente. Do contrário, Pulcinella, que é o queridinho desta cidade, vai roubar-lhe todos os afetos.

— Você está lindo! — exclamou Francesca, beijando as costas de Arrabal, e prosseguiu, olhando para seus pés. — Ainda bem que restaram os sapatos!

— E vocês implicam porque uso as coisas de Arlecchino o tempo todo!

— Falei da máscara! — rebateu Gigi. — Essa você usa mesmo!

— Bem, acho melhor todos acabarem de se vestir depressa — disse Arrabal, e a trupe voltou aos seus afazeres.

Mamma fazia visível esforço para amarrar o apertado vestido de Francesca. Dottore tentava dobrar, sem sucesso, as mangas do paletó, que, compridas demais para seus braços, lhe cobriam as mãos. Vincé não conseguia acomodar a barriga falsa de Pantaleone na diminuta cintura de sua calça, e Gigi pulava, tentando enfiar a saia-calça de sua personagem, Isabella. Todos se acotovelavam, pisavam-se nos pés. Caterina sentiu a confusão e desabou em prantos.

— Perdão! Me perdoem! Fiz tudo errado!

A trupe imediatamente a cercou. Era deles aquela espontânea solidariedade. Francesca fez um esforço para se inclinar na direção de Caterina sem arrebentar o corpete que Mamma, após verdadeira luta, conseguira amarrar.

— Não, Caterina! Você consertou tudo tão bem!

— É, você quase não teve tempo — consolou Gigi.

— Claro, *ragazzina*, ninguém teria feito melhor! — emendou Vincé, revirando os olhos para Francesca.

— Parece até... — disse Mamma, respirando com dificuldade, empurrando os seios para dentro da blusa apertada — ... que as roupas foram feitas para nós!

Dottore alisou os cabelos de Caterina e lhe trouxe água.

— Beba, *figlia*, acalme-se — disse, mas então a manga do paletó se desdobrou e foi parar dentro do copo, que ele afastou num movimento rápido, deixando Caterina com os lábios no ar. — Vou buscar outra, este copo está rachado.

Arrabal saiu da carroça e se espreguiçou, olhando para a lua, que já começava a surgir. Mamma o seguiu.

— Gigi me falou da tal marquesa. Ele ficou impressionado com ela.

Arrabal, conhecendo-lhe as intenções, sorriu e respondeu:

— Eu também fiquei. É uma bela mulher, sim, Mamma! Mas é mais que isso. É adorável, sensível, culta, cheia de luz! Quando a vi ali frustrada, encarcerada pela brutalidade daquele marido, não pude evitar amá-la! Foi como pôr água em uma rosa por morrer.

— Espero que isso não lhe traga confusão.

— Por que traria?

— Não sei. Intuição, acho. Não se meta mais com essa marquesa.

— Fique tranquila. Infelizmente, é pouco provável que eu a veja de novo, pelo menos nas mesmas condições. Vamos, já está na hora!

Dentro da carroça, o clima era de festa. Não importava o desconforto das roupas nem o extremo calor. Iam apresentar o espetáculo como planejaram fazer e abrir o palco e encher de alegria a praça e toda aquela gente era divino, era religião.

Arrabal se aproveitou do burburinho para apanhar qualquer coisa no baú sem que notassem. Era a marionete *il Feroce Saladino*. Riu, moleque ajeitando as cordas entre os dedos longos. Então virou-se de súbito, suspendendo o boneco no ar e exclamando, na voz grave que o avô lhe ensinara:

— Todos prontos? Então, *signore e signori*, tenho a honra de lhes apresentar a *Compagnia di Teatro I Trovatori Del Re*! — E como todos batessem palmas e assoviassem, contagiados de emoção, acrescentou: — E façam um belo espetáculo, hein! Não me vão fazer vergonha!

Todos riram. Gigi acomodou-se em seu posto de condutor. Arrabal tomou o cavalo branco, presente de Vittoria, e foi trotando à frente. Era terça-feira, antes da Páscoa, lembrou.

Nápoles era mesmo linda naquela época do ano. Parecia que a natureza, num arroubo de fé, decidida a imitar Cristo e também ela ressurgiu. por essa razão poética, inventava de por cor em tudo à sua volta. Enchia as colinas de um verde doce de filhas tenras e derramava no céu o mesmo profundamente azul do mar. Olhar os campos na Páscoa era fazer uma prece silenciosa, pensou enquanto cavalgava de volta para a cidade, o vento frio lhe lambendo o rosto, seus olhos boiando na visão da cidade que crescia, como uma pintura, na proporção inversa da distância. De súbito, a consciência de sua figura errante sobre o cavalo branco o fez pensar que talvez tivesse sido mais apropriado voltar à cidade no domingo anterior.

O ranger das janelas enferrujadas da carroça interrompeu-lhe os pensamentos. Francesca as abriu num estrondo e se debruçou no parapeito corroído. Uma lufada de vento frio empurrou seus cabelos para dentro da boca. Tossiu, arrastou os cachos desalinhados para trás e praguejou, como Mamma costumava fazer por um qualquer sem porquê.

— *Cazzo*, Arrabal! Mamma está perguntando se vamos direto para a praça ou se vamos anunciar o espetáculo pela cidade antes — exclamou, pondo as mãos em cone sobre a boca para vencer o barulho do vento e dos cascos dos cavalos.

— Vamos direto. Já estamos atrasados.

— Então é melhor apressar o passo. Logo vai anoitecer — atalhou Gigi, estalando as rédeas.

A velha carroça gemeu no solavanco. Um despencar de coisas pequenas e barulhentas terminou inevitável, no estilhaçar de qualquer coisa de grande e de vidro. Arrabal fechou os olhos, esperando o grito que viria inevitável na sequência e o pobre Gigi repetiu o gesto. Foi Vincé quem surgiu, furioso, por trás do ombro de Francesca, alinhando seus poucos fios de cabelo para trás.

— Cretino! Demente! *Cosa vuoi? Spezzare tutto?*

— *Mi dispiace!* — disse Gigi, encolhendo a cabeça. E, antes que se pudesse articular qualquer outra palavra, a voz de Mamma, forte e meio rouca, soou de dentro da carroça, congelando a paisagem serena.

— Meu jarro! — gritou. — A única coisa que eu tinha, meu jarrinho que *io* amava tanto... *tutto spezzato...* — e desatou num pranto convulsivo.

— Ah, *va benne*, Mamma, deixa pra lá, não foi nada! — consolou Arrabal.

— Não foi nada?! O meu jarrinho! *Tutto spezzato*, e você diz que não foi nada? — gritou e voltou ao pranto teatral. — Ah, *Madonna Mia*!

Arrabal queria rir, mas não podia. Mamma era como uma criança mimada. Seus problemas, por menores que fossem, tinham de ser tratados como dilemas universais.

— *Va bene*, Mamma, compro para você um jarro novinho, hã? Melhor, compro-lhe um jarro de porcelana de Capodimonte.

Mamma parou instantaneamente de chorar e arregalou os olhos, numa felicidade de menina.

— È *vero, figlio mio*? De Capodimonte?

— Sì, de Capodimonte.

— De Capodimonte... — murmurou ela, e continuou sorrindo para o grupo. — ... *è di moda*!

— Então. Teu jarrinho quebrou porque era hora de ganhar um melhor! Gigi te fez um favor — emendou Arrabal, aproveitando-lhe a disposição.

Mamma sorriu e assoou o nariz num estrondo, debandando as gaivotas em revoada. Depois, atirou um beijo para Gigi e fechou a janela.

***

Luigia tinha as mãos geladas, mas estava contente. Até ali tudo dera certo. Conseguira sair do palácio sem ser vista e, graças a Maria, passara incógnita pelos portões. Mais uns minutos e estariam na cidade.

Maria esfregou-lhe as mãos e depois as apertou entre as suas.

— O que tem, *signora*? Não está feliz?

— Muito, muitíssimo feliz! Estou um pouco nervosa, só isso.

— Por quê?

— Não sei, estou com uma sensação estranha, como se alguma coisa estivesse prestes a acontecer. Deve ser tolice.

— Se é preocupação com Angelina, esqueça! A esta hora ela já se recolheu, porque aquela lá dorme com as galinhas! Vai dar tudo certo, a *signora* vai ver. Vamos voltar, e ninguém terá dado por nossa falta.

A praça estava cheia quando chegaram. O público se amontoava de pé, em torno do palco já aberto. Adultos, velhos, crianças, comerciantes, padeiros, meretrizes — todos sorriam de anunciada expectativa. Maria abria caminho entre a multidão para Luigia, que a seguia escondida sob o capuz da sobrecapa. Providência inútil. Pela roupa, pelo cheiro bom que vinha dela, logo se podia ver que era nobre. O povo a olhava com curiosidade, cochichava um pouco, mas a praça era de per si tão democrática que de nenhuma diferença se fazia muito caso.

Logo as cortinas da carroça se abriram, e Mamma e Dottore apareceram, para delírio da plateia. Mais que uma recepção calorosa à companhia, o público louvava a personagem característica de Nápoles. Mamma representava o amado Pulcinella. Máscara tipicamente napolitana, hilário e meio louco, Pulcinella era a representação do *dolce far niente*. Sua única preocupação na vida era conseguir um bom prato de comida e uma caneca de vinho. Seus movimentos desengonçados arrancavam gargalhadas da plateia. O chapéu branco e a máscara negra, de nariz adunco como o bico de um flamingo, despertavam imediata simpatia. Além disso, Pulcinella era uma espécie de porta-voz do povo de Nápoles. Zombava por ele dos poderosos, embora quase sempre acabasse espancado pelos problemas que criava.

Dottore representava *il Capitano*. Também usava máscara negra de nariz comprido e botas enormes, maiores agora porque o marquês Nicola calçava, certamente, uns dois números acima do seu.

A *commedia* era assim, um mundo de extremos. Não havia nuances nas características das personagens. Tudo era estereotipado para que as plateias pudessem rapidamente se identificar e compreender. E nisso ajudavam também as falas simples, curtas, elaboradas com a intenção de provocar o riso instantâneo.

Entretanto, embora o enredo fosse estruturado de forma simples, representar a *commedia* exigia dos atores grande especialização. Pelo conteúdo próximo e ao mesmo tempo distante do real, as máscaras demandavam a utilização de todo um arsenal técnico por parte dos intérpretes. A voz que lhes traduzia as emoções muitas vezes era projetada de modo diferente da natural. A postura em cena, em geral em posições artificiais, demandava constante trabalho corporal, flexibilidade e uso da mímica, além de criatividade e desenvolvimento da dança e da pantomima.

Arrabal fazia de seu espetáculo um *pot-pourri* de esquetes com várias personagens da *commedia* ligadas por um tema comum, como o casamento, o dinheiro ou a morte. Desejava dar ao público o prazer de ver suas máscaras preferidas, sem as restrições que o regionalismo impunha e que faziam determinadas cidades preferirem umas personagens a outras. Era a tradição de seu teatro, que se provava especialmente proveitoso para ele em Nápoles, onde Pulcinella era rei.

Luigia mantinha os olhos fixos no palco. Ria com as tolices que eram ditas, e Maria, de suas risadas. Arrabal e Francesca preparavam-se para entrar em cena. Era a vez de Arlecchino e Colombina alegrarem a praça. Esperaram Gigi e Vincé saírem de cena, beijaram-se as mãos e entraram.

— Meu caro amigo, diga-me a verdade: Ama-me? — pergunta a Colombina, interpretada por Francesca.

— Sim, claro que te amo! Amo-te muitíssimo! — respondeu Arlecchino, ajoelhado diante dela, com a voz gutural que Arrabal lhe emprestava. — Tanto quanto os médicos amam uma epidemia!

Colombina piscava os olhos, como se sensibilizada com a comparação.

— E eu te amo tanto quanto os dançarinos amam dançar.

— E eu, tanto quanto os músicos amam beber! — continuou Arlecchino, arrancando gargalhadas estrondosas da multidão.

— E eu te amo como as plantas amam o sol — emendou Colombina.

— E eu... Ah, chega, não consigo pensar em nada mais forte que isso!

O público continuava a chegar. Não havia mais espaço na praça. Luigia estava prensada entre Maria e uma mulher gorda e alta que suava aos borbotões, mas não se importava. Sentia-se paradoxalmente livre ali, no meio daquelas pessoas. Mais alguns esquetes, e a cortina novamente se abriu para Arrabal entrar para o monólogo de Arlecchino. Dottore espiava a cena por cima do ombro de Mamma.

— Eles gostaram da máscara dele — sussurrou para Mamma. — Boa plateia esta noite!

— Sí, boa plateia! Alguém, na certa, nos convida, *oggi* para jantar. *Grazie a Dio!* — sussurrou ela de volta.

— Oh, sou tão infeliz! — exclamou Arlecchino em cena. — Dottore vai casar Colombina com um fazendeiro e terei de viver sem ela! Não! Prefiro morrer!

A praça ficou instantaneamente quieta, muda de sua algazarra. Todos os olhos estavam fixos em Arrabal e em seu Arlecchino sofredor. As mulheres sentiam pena; os homens esperavam que, de repente, ele fizesse uma piada qualquer. Luigia, bem próxima ao palco, olhava-o de cima a baixo, maravilhada. Podia entrever, pela roupa fina, seu corpo definido, os cabelos de ouro que lhe caíam pelos ombros, as mãos finas, longas. Havia a maquiagem atrapalhando o desenho real do rosto, mas os olhos, de um azul translúcido, saltavam na penumbra da praça mal-iluminada. Não parecia humano. Assim, visto em cena, Arlecchino parecia encantado.

Arrabal abaixou levemente a cabeça numa breve pausa dramática e quando levantou de novo o rosto para prosseguir, seus olhos e os de Luigia casualmente se encontraram. Ele se distraiu, flutuou, perdeu-se na pausa e no rosto dela. O público se entreolhava iniciando um leve burburinho de inquietação.

— E que seja uma morte rápida! — Mamma sussurrou a fala para ele, por trás da cortina.

Mas Arrabal não a ouviu; fugira de novo para aquela dimensão além do real, onde parecia por vezes existir. Na posição em que estava, ajoelhado, continuou olhando apenas para Luigia, como se nada em torno houvesse, e na própria voz disse não a fala que cabia à sua personagem, mas um de seus poemas, o primeiro que lhe viera à mente, traduzindo e traindo o instante.

— *Deixei o meu olhar de amor antigo boiar no teu olhar de amor cortês. Senti a alma transbordar pelas pupilas e o corpo todo ficar frouxo e fraco.*

Na coxia, Francesca se desesperou.

— O que é isso? O que deu nele, Mamma? O que está dizendo?

Mamma se limitou a dar de ombros.

— *O amor vazou irremediável pela íris e interrompeu o ritmo do universo e nos deixou assim, num átimo, suspensos, no torpor do encontro cúmplice das órbitas. Até que um piscar de olhos sobreveio e pôs todas as coisas de novo a se moverem, e fez a vida, pequenina, voltar exatamente ao que era antes* — concluiu Arrabal.

A praça explodiu num aplauso quente e emocionado, que o tirou do transe poético, e também a Luigia, por extensão. Ela olhava para ele em êxtase, tocada por alguma coisa nova e delicada. Só então Arrabal tomou consciência novamente da plateia a sua volta e sentiu o rosto aquecer. Levantou-se de um salto e, recobrando a voz de Arlecchino, concluiu:

— Ficará escrito na história de todos os tempos que Arlecchino morreu de amor por Colombina!

❋ ❋ ❋

Luigia continuou parada em frente ao palco depois que a apresentação terminara e a multidão já se dispersara. Um cantor iniciou a *Cicerenella* na porta de uma *trattoria*. Maria a puxou pelo braço.

— Vamos, *signora*! Precisamos ir agora!

— Espere! Quero ficar um pouco mais! — respondeu Luigia, sem tirar os olhos do palco. — Queria vê-lo de novo.

Na carroça, a trupe acotovelava-se trocando de roupa, limpando a maquiagem. Apenas Arrabal continuava jogado a um canto, metido em seu Arlecchino arremedado, revirando *il feroce Saladino* entre as mãos. Francesca olhava para ele pelo espelho, furiosa. Algo naquela mulher que ele nunca vira o transtornara, e ela a odiava por isso.

— Arrabal! — gritou Vincé. — Domenico, o taverneiro, nos convidou para comer o *maccarune*!

Todos celebraram. Arrabal continuou quieto, com o quê de tristeza, mas então a música vinda da praça se fez ouvir.

— A *tarantella*! — murmurou ele. — A *tarantella*! — exclamou. — Que diabos estamos esperando? — Vincé perguntou e saiu.

A praça estava cheia novamente de uma mistura de riso, álcool e música que caracterizava a alegria da noite. Arrabal enlaçou Caterina pela cintura e começou a dançar com ela em volta da praça. Dottore puxou Mamma, e Gigi tomou Francesca. Talvez fosse o êxtase daquela folia desconhecida, talvez fosse uma espécie de milagre que o teatro em si trazia, o fato é que nos olhos de Caterina começaram a surgir flashes de partes da alegria difusa.

Luigia olhava para Arrabal, fascinada. Maria sorriu, percebendo-lhe o entusiasmo. Arrabal dançava trocando de par, tomando ora Mamma, ora Francesca, até rodopiar com Gigi pela praça e terminar em frente a Luigia, estendendo-lhe a mão. Maria não se conteve e saltitou de leve nas pontas dos pés. Luigia olhou para a mão dele, estendida, e pôde jurar que a viu levemente cintilar. Francesca ameaçou correr para impedir, mas Dottore a deteve.

— Não seja tola! — repreendeu.

— Me dá a honra desta dança? — Arrabal perguntou a Luigia, a mão iluminada estendida num convite.

— É perigoso, *signora*! — sussurrou Maria, torcendo para que a patroa não a ouvisse. — Podem reconhecê-la!

Arrabal sorriu e sacudiu as mãos no ar, preparando um passo. Luigia seguiu-lhe os movimentos numa excitação infantil, disposta a desvendar-lhe o truque. Num gesto rápido, ele entrelaçou as mãos, soprou entre elas e começou a abri-las devagar. Na palma, havia uma de suas flores de papel, uma rosa vermelha. Ele a beijou e colocou-a nas mãos de Luigia, que então se rendeu. Arrancou a capa, jogou-a para Maria e mergulhou com ele na praça.

Uma lufada de vento frio atravessou, como um pressentimento, o coração de Mamma ao ver a cena. Luigia sorria, perdida nos braços dele, a saia de tafetá de seda arrastando na lama da praça, num roçar que a cada volta reverberava nos ouvidos de Mamma como uma insuportável subversão. Sentiu medo, um medo avassalador, quase uma certeza de que por ela o perderia.

Arrabal parou de repente em frente à porta da carroça e convidou Luigia para entrar. Ela aceitou. Entrou pisando devagar, como num santuário. Havia ali em tudo uma desordem colorida. Arrabal correu, entre feliz e estranhamente tenso, empurrando o amontoado de roupas para dentro dos baús e procurando um pequeno banco para Luigia se sentar.

— Sente-se, por favor — convidou.

— É adorável! — disse ela, olhando ao redor.

— Não sou adorável, sou feroz! — disse Arrabal, em tom grave, puxando a marionete do baú e sacudindo-a no ar.

Luigia assustou-se e depois riu, jogando levemente a cabeça para trás. Arrabal enterneceu-se.

— E você, quem é? — Luigia perguntou.

— *Il feroce Saladino*! E você? — emendou com a própria voz: — Não sei o seu nome.

— Luigia. Luigia di Medinacelli. E o que o feroz Saladino faz aqui?

— Como meu mestre não me deixa ser mau, minha tarefa é dizer a verdade a cada um — exclamou Arrabal, novamente com voz forte.

— Sei. E que verdade você diria a mim?

— Que a *signorina* é muito refinada para estar aqui. Estou me perguntando por que veio nos ver esta noite.

— Bem, gosto de teatro. Estava entediada em casa e desejando um pouco de ar fresco. É o suficiente?

— Acho que não para ele — Arrabal disse, recolocando o boneco no baú —, mas é para mim.

— Você o fez?

— Não, meu avô. Ele fabricava marionetes e fazia apresentações com elas. Nonno era siciliano, daí a personagem árabe, as invasões dos mouros, as cruzadas... você sabe.

Luigia fez que sim com o movimento da cabeça e se instalou novo silêncio perturbador. Ela desviou o olhar e deu com a caixa, dourada e pequena, sobre um improviso de penteadeira.

— O que é isso?

— Meu tesouro — disse Arrabal, pegando a caixa e abrindo-a lentamente. — Veja.

Uma luz forte saia da caixa conforme ele a abria, Luigia podia jurar. Ela piscou, para afastar a impressão que se desfez.

— Este é o tesouro do poeta. Versos.

— Como aqueles que você recitou na apresentação?

— Sim, iguais àqueles.

— Há quanto tempo você faz teatro?

— Desde que nasci.

Luigia riu.

— Diga a verdade. Há quanto tempo?

— Tenho a sensação de que faço teatro a vida toda, honestamente. Não consigo me imaginar longe das plateias, sem sentir o cheiro do palco, a dor das máscaras...

— Dói? Dói usar? — perguntou ela, experimentando uma em frente ao espelho.

Arrabal fez que sim.

— Não acha entediante fazer a mesma coisa todas as noites?

— Não fazemos a mesma coisa todas as noites. Cada plateia, um espetáculo diferente. Se fizermos duas sessões, serão duas plateias, dois espetáculos diferentes.

— Como assim?

— São pessoas diferentes. Há plateias que riem com facilidade da mínima graça que se faz. Outras são mais exigentes e oferecem certa resistência, até conseguirmos seduzi-las. E há aquelas que não conseguimos seduzir, jamais, aí só nos resta correr no fim da apresentação. Felizmente, essas são mais raras! — Ambos riram, já mais à vontade. — Então, apesar de ser o mesmo *canovaccio*, nunca é igual — concluiu ele.

— Sempre amei o teatro, mas não sabia que era um trabalho tão peculiar.

— Para mim, é puro prazer, alegria, brincadeira!

— Machuca mesmo, hein? — exclamou Luigia, tirando a máscara. — É verdade que não se consegue enxergar direito com elas?

— Sì. È *vero*! O campo de visão fica limitado a essa abertura aqui, feita para os olhos, que, em geral, é bem pequena. — Arrabal mostrou na máscara que Luigia segurava nas mãos.

— Então, como vocês fazem para andar no palco? — questionou ela, pondo novamente a máscara.

— Nos guiamos pelo nariz. Coisas que se aprende com a prática. É complicado também piscar. Às vezes, não se consegue, os olhos ressecam, faz lacrimejar. — Como Luigia se espantasse, acrescentou: — Mas é tudo um prazer, até mesmo suar.

— Foi por isso que você fez essa máscara de pintura hoje?

— Ah, não. Estava testando uma inovação. Você gostou?

— É diferente. É bonita também... mas não sei. Acho que prefiro as tradicionais, de couro mesmo.

— Na verdade, não é preciso usar máscaras para atuar. É uma delícia representar Arlecchino, ver o povo rir com Pantaleone e até mesmo com Pulcinella, mas já sinto necessidade de outra coisa.

— Outra coisa?

— O teatro precisa contribuir para fazer o homem melhor, como dizia Molière. É por isso que venho trabalhando em algo diferente. Estou escrevendo uma peça que discute a vida real deste reino — disse e sorriu como se de uma lembrança qualquer.

— O que foi?

— Eu adoraria morrer como ele!

— Quem?

— Molière! Ele era tísico e já estava muito mal, mas continuava atuando. Encenava sua última peça, O *doente imaginário*. Ele era o doente e quando foi dizer sua fala, numa das cenas finais, teve uma hemoptise em cena aberta. — Luigia contorceu o rosto numa reação ligeira. Arrabal não percebeu, os olhos brilhando como se visualizasse a cena. — Mas a plateia pensou que se tratasse de um efeito da comédia e continuou a rir. Pensaram que aquilo fosse parte da interpretação e continuaram aos risos, mas era a vida real! Era a vida real, percebe? — concluiu, com olhar de encantamento. — Não é lindo?

Luigia sorriu e concordou, sem convicção. A história era pavorosamente triste, mas sem dúvida era lindo que ele pensasse assim.

— Preciso ir — disse ela, levantando-se.

— Desculpe, aborreci você.

— No, *nessun modo*! Adorei aprender sobre o teatro e sobre Molière! É que realmente preciso ir agora — disse, dirigindo-se para a porta.

— Espere! — pediu ele. — Estou partindo amanhã e...

— Partindo? — Ela retornou. — Pensei que sua trupe fosse ficar mais tempo na cidade!

— Sim, nós vamos! Quer dizer, eles vão, por ora. Apenas eu partirei amanhã. Preciso partir por causa da minha peça; preciso estar sozinho para escrever.

Percebendo que ela se desapontara, Arrabal tomou coragem e arriscou:

— Gostaria de me ver mais uma vez antes de minha partida?

Ela ia dizer que sim, de alma um pouco já amolecida pela proximidade, mas resistiu.

— Infelizmente, não posso. Não há como sair assim de novo.

— Vou até o seu palácio!

— *Impossibile*! Meu pai tem todas as entradas guardadas. Não lhe deixariam passar.

Ele se aproximou mais. E Luigia sentiu-lhe o calor do hálito.

— E se eu lhe disser que sou mágico? E se eu lhe disser que posso ficar invisível?

— Eu diria que meu palácio é perigoso até para um fantasma — disse ela, baixando os olhos e voltando-se para a saída.

Arrabal a segurou pelo pulso e gentilmente fez com que se virasse mais uma vez para ele.

— Diga que quer me ver de novo e eu passo por um exército!

Ela relutou ou fingiu hesitação, mas terminou por dizer o mais forte e claro que pôde:

— Quero!

Iam se beijar quando a voz de Maria os interrompeu:

— *Signora* Luigia! *Dove è lei*? Onde a senhora está?

— Estou indo! — respondeu Luigia, e então, num movimento rápido, ao mesmo tempo tímido e ousado, beijou o rosto de Arrabal e saiu.

CAPÍTULO VII

Giordano

Arrabal tirou a maquiagem e mergulhou o rosto na água fria da bacia. Precisava tirar Luigia do pensamento. Foi para cima da carroça e se deitou. O céu estava coalhado de estrelas, e, de fixá-las, sentiu-se por um segundo deitado entre elas. Quando baixou o olhar, assustou-se.

— Mestre! — exclamou, vendo Molière sentado à beira da carroça, flutuando um pouco acima da superfície. Estava pálido, com olheiras fundas e muito magro, com a aparência exata que Arrabal imaginava que ele deveria ter quando morreu. Não era a visão que o assustava. Estava acostumado às visitas do dramaturgo. Gostava de falar com ele e até mesmo lhe pedia conselhos, mas sentia-se de alguma forma em débito naquele momento, e o espectro parecia saber disso.

— Como foi a apresentação hoje?

— Boa, penso.

Molière suspirou profundamente.

— Quanto tempo você ainda acredita que o público vai achar isso... bom? — perguntou com sarcasmo.

— Tem razão, Mestre. Não acredito que isso vá agradar à plateia por muito mais tempo. Já não agrada a mim.

— Ah, não? Curioso. Você me parecia completamente satisfeito.

— Não, Mestre, asseguro-lhe que não estou. Sei que tenho sido um tanto relapso por causa das viagens, mas estou quase acabando de escrever a peça.

O fantasma suspirou, e o ruído do ar saindo-lhe dos pulmões inexistentes reverberou por alguns instantes.

— Ah, meu poeta, pergunto-me se sempre existirá gente como nós, que sinta esse amor pelas coxias, pelos palcos! Gente disposta a tudo para atuar!

— Mas quero escrever, Mestre, juro que quero! Quero fazer um teatro novo, mas quando vejo a folha em branco na minha frente sinto preguiça.

— É, eu sei. Medo e preguiça. — Como Arrabal se surpreendesse com a afirmação, Molière arrematou: — Por que escrever uma história que já está pronta, guardada em nossa cabeça, protegida, não é? Mas escrever é isso, *mon cher ami*! O prazer da inspiração, depois ver o sonho se tornar realidade, porém entre esses dois momentos há muito trabalho braçal. — Arrabal olhou para ele com um quê de indignação. O espectro então abanou a mão no ar e, com certo enfado, corrigiu: — *D'accord*! *Un peu de travail intellectuel aussi*! Mas é preciso fazê-lo! Temos de fazê-lo! — Depois de longa pausa, durante a qual ameaçou desvanecer, sentenciou: — Haverá um tempo tão cheio de inovações que os homens vão ficar menos... atentos. Quando esse tempo chegar, vamos precisar daqueles que amam o teatro como nós. — E concluiu, num lamento: — *Oh, mon Dieu*, minha alma precisa descansar!

Arrabal ia contra-argumentar, mas a figura se desfez.

❃ ❃ ❃

Já era madrugada quando a algazarra da praça terminou. Todos da trupe voltaram em silêncio ao acampamento. Depois, reuniram-se em torno da fogueira, para mais um pouco de prosa antes de dormir. Arrabal deitou a cabeça no colo de Mamma, com uma quietude que não lhe era habitual. Francesca despetalava uma pobre flor com a mesma fúria com que olhava para ele. Vincé adormecera, recostado a uma árvore, e dera início à sua sinfonia de roncos perturbadores. Gigi cantarolava baixinho, remexendo a pequena fogueira com um graveto.

— Foi tudo perfeito esta noite! — iniciou Dottore, caminhando imponente de um lado para o outro, fumando o charuto que o *tavernaro* lhe dera e que cheirava ao exagero durante todo o caminho de volta. — Você, Mestre, estava esplêndido! O público adorou sua máscara de pintura! E o que foi aquele poema improvisado? Um encanto! Acho que ele deveria ser incluído no *canovaccio*! Foi uma excelente ideia, Mestre, como aliás são todas as suas.

— Francesca jogou o botão de flor no fogo. Dottore continuou a falar, sem perceber: — Sem falar na comida! Tivemos jantar por dois dias consecutivos! Esta é verdadeiramente uma cidade abençoada! — E então, lembrando-se das diferenças de Arrabal com Pulcinella, emendou: — Desculpe, Mestre, mas você tem que admitir, tem sido uma recepção foi calorosa.

— Sinto um vazio quando a apresentação termina — lamentou Gigi, abandonando o graveto e enrolando-se no cobertor. — Vocês sentem isso? Não sei por quê, sempre tenho essa sensação.

Vincé puxou uma respiração mais profunda, e o barulho forte os assustou. Dottore deu um tapa nos pés dele, que acordou num resmungo.

— Vá dormir na cama! — ordenou. — *Anch'io me ne vado* — concluiu, entrando na carroça. — *Buonanotte a tutti.*

Gigi também se espreguiçou.

— Também vou. *Buonanotte.*

— *Buonanotte, figlio!* — respondeu Mamma.

— E você? Está na hora de ir para a cama, mocinha. É tarde — Arrabal disse a Francesca.

— Não preciso que você me diga o que fazer. Cuide da sua vida e já estará fazendo bastante! — respondeu ela, numa rispidez que ele não compreendeu, para então entrar na carroça batendo propositalmente a porta.

— *Cazzo!* — resmungou Vincé, já adormecido em sua cama.

— O que é que deu nela? — perguntou Arrabal.

— Ela está furiosa com você por causa do poema e da moça do poema — respondeu Mamma.

Arrabal sorriu e balançou a cabeça.

— Francesca...

— Giordano chega amanhã mesmo?

Arrabal fez que sim.

— *Figlio...*

— O quê?

— Desculpe, mas o poema... o que foi aquilo? O que deu em você?

— Não sei. Ela se distinguia da plateia toda, você viu? Era como se brilhasse. Fiquei encantado, capturado pelos olhos dela, pelo rosto. Ela é tão linda!

De uma beleza aristocrática. Aquela pele perfeita, os cabelos, os olhos cor de mel. E imaginar que estava ali por minha causa, por nossa causa... foi incontrolável! O poema saltou na minha mente e eu tive que dizê-lo. Tive! Mas depois...

— Depois... — incentivou Mamma.

— Depois, quando a trouxe para a carroça, não sei. Foi uma sensação muito estranha. Fiquei feito um garoto na frente dela, sem saber onde pôr as mãos, constrangido, inseguro. Nunca me senti assim antes.

— Ah, o amor... Sempre disposto a usar seus truques baixos para conseguir o que quer de nós — provocou Mamma.

— E o que ele quer de nós? Diga-me — perguntou Arrabal, caçoando daquele arremedo de filosofia.

— Fazer-nos de idiotas, é o que ele quer! Fazer-nos a todos de idiotas! — respondeu ela, desarrumando-lhe os cabelos num carinho bruto.

Arrabal sorriu, segurou a mão de Mamma e a beijou.

— Não é amor, Mamma. Acabei de conhecê-la! Como poderia? Encantei-me por ela, apenas isso. Não se preocupe. Amanhã deixo Nápoles, e quando voltar já terei esquecido essa história toda. É por isso que odeio esta cidade! Está vendo? Sempre me meto em encrenca quando venho aqui! — Então acaricio-lhe o rosto e mudando de tom, perguntou: — Vocês vão ficar bem, não vão?

— Claro que sim, *figlio*, não se preocupe. Sabemos nos virar. Mas vou sentir muito a sua falta! Sempre sinto.

Ficaram quietos novamente e quase adormeceram, mas então Arrabal recomeçou.

— Mamma, sabe quem vi em Capodimonte esses dias?

— Quem? — ela perguntou, sorrindo.

— Elvira.

A resposta fez Mamma arregalar ligeiramente os olhos. Aquele nome trazia consigo o passado que ela se esforçava todos os dias para esquecer. Arrabal percebeu o inapropriado da lembrança e quis remediar, mas Mamma já deixara o olhar se perder no nada à sua frente, repassando a cena última que lhe ficara na memória.

Estava de novo em sua taverna na estrada para Capodimonte. Havia sempre muito movimento e trabalho. Elvira estava de costas quando Mamma entrou. Limpava vigorosamente as mesas e punha louças limpas. Tinha trinta e oito anos. Era clara e forte, cabelos negros que lhe escapavam sob a touca e olhos grandes, igualmente negros, como os da mãe. Mamma olhou para ela com carinho por algum tempo sem que ela percebesse. Gostaria de abraçá-la; gostaria que tudo voltasse a ser como quando Elvira era criança e podia tê-la nos braços. Mas o tempo passara, e entre a menina e aquela mulher que via à sua frente havia agora um mundo de dificuldades, guerras, fome e tristeza que as tinha modificado de forma irreversível.

"A quem é bom o sofrimento melhora", dizia a mãe de Mamma, no ditado que ela guardara como lição, e sua Elvira, de certa forma, confirmava às avessas o dito popular. Era revoltada por ter de entregar sua vida ao trabalho daquelas mesas, ao comando da cozinha, aos cuidados do pai. Este em nada ajudara. Ao contrário, contribuíra, com sua omissão, a pôr lenha na fogueira do desentendimento entre mãe e filha, sempre deixando a Mamma a tarefa de pôr limites e dizer não. E ela muito teve que fazê-lo para que Elvira não se perdesse. O saldo era aquela animosidade contra a mãe e contra tudo o que dela partia.

Havia apenas alguns dias Giuseppe adquirira o codinome Arrabal e começara a fazer, ele próprio, os esquetes de improviso na pele de Arlecchino.

— Vem comigo, Mamma! — convidou, chamando-a pelo apelido que lhe dera e que viraria nome próprio a partir de então. — Vou criar uma companhia, *La Compagnia di Teatro I Trovatori Del Re*! Vai ser um sucesso, sinto isso!

— Que *Compagnia, Dio Santo*?! *Sei* somente tu!

— Mas logo virão outros! — e como Mamma revirasse os olhos num sinal de descrença, esclareceu, com convicção: — Eles estão por aí me esperando, eu sinto! Basta sair pelo mundo para encontrá-los. *Vieni con me*?

Mamma negou, sorrindo. *Una pazzia* deixar a família por uma aventura! Mas então, de curiosa, foi assistir a uma apresentação. Vai daí, quando Arrabal repetiu o convite, e ela já meneou a cabeça, deixando no ar a sensação de um talvez. Mas, arriscar-se no palco só mesmo depois daquele dia em que Elvira a esquecera.

Tinham ido à vila comprar mantimentos. A cidade era bem longe da taverna, e tinham muitas coisas pesadas por trazer, por isso usavam a carroça. Mamma quis ir primeiro à missa. Não havia igreja nas proximidades da taverna. Elvira não era muito afeita à religião, então se encarregou logo das compras e deixou a mãe na igreja, iria buscá-la depois. Quando a celebração terminou, chovia torrencialmente. Mamma esperou por mais de hora, à porta da capela, que a carroça aparecesse. O padre precisava fechar a porta e, penalizado, deixou-a ficar no santuário para esperar que a chuva passasse. Elvira só se dera conta do que fizera na hora do jantar, quando precisava de outros braços para servir as mesas. Mamma chorou muito durante toda a noite, aos pés da Virgem Maria, mas quando o dia amanheceu já havia tomado a sua decisão. Naquele mesmo fim de tarde subira no palco com Arrabal e não se preocupara em se esconder. Eram poucos em torno da cena improvisada, mas a aplaudiram. Olharam para ela, riram de sua interpretação e a aplaudiram. Não lhe tinham o ódio silencioso do marido nem a rejeitavam como a filha que a esquecera, como sobra sem serventia. Olharam para ela e a aclamaram, e, entre o cotidiano de sua segurança triste e o calor daquela alegria genuína, ela escolheu a última opção.

— Elvira, *io me ne vado*! — disse, segurando uma mala pequena nas mãos.

Elvira continuou arrumando as mesas. O pai berrou detrás do balcão.

— Elvira, *fa attenzione*! — disse, apontando para um cliente. — Ele está esperando a caneca de vinho!

— Elvira, *figlia mia*... — Mamma tentou novamente, aproximando-se da filha e estendendo a mão no intuito de afagar-lhe o rosto.

Elvira afastou-se sem perceber e vociferou para o pai:

— *Ma dove è* Fabrizio? Não posso fazer *tutto da sola, babbo*! Preciso de ajuda!

Mamma deixou a maleta e tentou mais uma vez aproximação.

— *Figlia*...

Só então Elvira se virou, apercebendo-se dela.

— Serve aquele lá, Mamma! — disse, empurrando a garrafa e a caneca que tinha nas mãos. — *Sbrigati, per favore*!

Mamma serviu o cliente, pegou a bagagem e saiu. Elvira não notou, nem o marido, nem os outros empregados da taverna. Mamma nunca soube se a procuraram depois, mas intuía que não. Entretanto, estava certa de que haviam procurado pela carroça, que depois da reforma que Arrabal fizera não reconheceriam jamais.

Arrabal remexeu-se e a resgatou de suas lembranças. Adormecera aconchegado em seu colo, seu filho de fato, o que sempre olhara por ela, o que ria de suas tolices e cuidava em silêncio de sua dor.

❄ ❄ ❄

Carlo procurou Gioconda por todo o palácio. Onde ela estaria?

— E então? — perguntou a Teresa, que entrava no quarto com a respiração ofegante. Ela gesticulou: Gioconda não estava no pátio nem no jardim, nem na estufa. — Deus do céu, onde ela está? — perguntou apreensivo.

Teresa o puxou pelo braço; tinha-se lembrado. O quarto de Giordano. Só lá não a procurara.

Encontram Gioconda ajoelhada defronte ao velho baú, rindo sozinha, enquanto remexia os guardados. Brincava com as marionetes, Orlando e Rinaldo.

— Ah, aí está você! — exclamou Carlo, carinhoso, aproximando-se dela. — Estávamos a procurá-la por toda a parte! O que está fazendo aqui, querida? Está com saudade de Giordano, não é?

— Estou brincando com Giuseppe. Ele quer que eu brinque com ele! — respondeu Gioconda, sem olhar para o marido.

Carlo suspirou.

— Você sabia que Giordano está chegando? — continuou Carlo, acariciando os cabelos dela.

— O cavaleiro está chegando! — disse ela, fazendo a marionete Orlando cavalgar no ar. — Ele vem lutar contra o anjo!

— Ele deve estar com saudade de casa, não acha? — Carlo prosseguiu, tentando distraí-la. — Tantos dias fora!

Gioconda não o ouviu ou fingiu que não. Apanhou a outra marionete, Rinaldo, e agitou ambas no ar.

— O anjo é o sol! O cavaleiro é o luar! Para que o dia nasça, eles jamais podem se encontrar — disse, riu da própria rima e continuou cantarolando o improvisado verso — Ela não esquece Giuseppe. Não consegue esquecer o infeliz! — Carlo deixou escapar.

Teresa resmungou, e Carlo arrependeu-se.

— Desculpe! Desculpe!

— A luz do sol e o luar... — disse Gioconda, pegando uma marionete em cada mão. — Para o dia nascer, um terá de se apagar! — E os bateu com força, um contra o outro.

❋ ❋ ❋

Luigia acordou com a agitação dos cavalos no pátio. Havia alguma coisa errada. Ouviu a movimentação da guarda e se preocupou. Pensou em ir até a varanda, mas então tudo se acalmou novamente e ela voltou a dormir. De súbito, sentiu uma mão quente cobrir-lhe a boca. Tentou gritar, e deu com olhos azuis rasgado sorrindo para ela por entre os furos da máscara.

— Sou eu! Sou eu!

— Que susto! O que está fazendo aqui? Como conseguiu entrar?

— Eu lhe disse, sou mágico! — respondeu Arrabal, ocultando a valiosa ajuda de Maria.

— Por que está de máscara? Tire-a! Quero ver seu rosto! Ontem não consegui vê-lo direito por causa da maquiagem.

— E o que eu ganho com isso?

— Como? — perguntou ela, rindo.

— O que eu ganho em troca se tirar a máscara?

— Nada, ora essa!

— Que tal um beijo? — disse ele, inclinando-se sobre ela.

Luigia levantou-se depressa, vestiu o penhoar e trancou a porta. Arrabal aproximou-se dela novamente e segurou-lhe a mão.

— Ouça! Tirar a máscara é realmente muito difícil para mim, você não faz ideia. — e como ela olhasse para ele incrédula, foi mais assertivo. — Talvez não nos vejamos nunca mais.

— Nunca mais? — ela se alarmou.

— Quem pode saber? — disse ele, dando de ombros.

— Tire a máscara primeiro — propôs ela.

— Tire-a você — disse ele, após um longo suspiro. — Eu não posso!

Luigia escorregou as mãos sobre o rosto dele até alcançar a máscara. A respiração de Arrabal acelerou-se. Luigia não conseguiu compreender, mas percebeu que ele sofria. Ia levantar a máscara quando o viu fechar os olhos, como se antecipasse uma dor, e não pôde continuar. Desceu as mãos para o peito dele e beijou-lhe suavemente o rosto todo, até que Arrabal a puxou para si e o beijo então se fez.

Ficaram assim, nos lábios um do outro, por um tempo que pareceu indefinido, até que Luigia, acariciando-lhe novamente o rosto, empurrou-lhe num rápido movimento a máscara para a testa. Arrabal não a impediu. Deixou que o desnudasse, que o conhecesse, que lhe enxergasse a alma toda. Ela abriu os olhos e o viu de perto. Beijou a marca que a máscara lhe deixara nas maçãs do rosto. Depois, escorregou os dedos sobre seus lábios, suas sobrancelhas e seus cílios dourados. Ele era lindo — e era seu. Iam se beijar mais uma vez, e talvez ir mais além, mas então Angelina tentou girar a maçaneta e, como não conseguisse abrir a porta, alarmou-se.

— Luigia! Luigia! O que está acontecendo? Luigia!

— É Angelina... — Luigia sussurrou para Arrabal. — Você precisa ir!

— Luigia! Abra essa porta! Ai, meu Deus! — gritou a ama, assustada com o alvoroço dos cavalos.

Apesar dos gritos, beijaram-se como se nada em torno houvesse.

— Eu o verei novamente? — perguntou ela.

— Não sei. Mas daqui em diante, onde quer que eu esteja, meu coração vai estar com você — disse, colocando de novo a máscara, pulando a mureta do balcão e desaparecendo.

❋ ❋ ❋

Francesca foi a última a acordar. A trupe tomava o *brodo* quando ela saiu da carroça, ainda tonta.

— Onde Arrabal está?

— Já foi. Partiu bem cedo — respondeu Mamma.

— Sem se despedir?

— O que você queria? — perguntou Gigi, ainda de olhos semicerrados.

Tinha extrema dificuldade para acordar. — Você o infernizou a noite toda!

— Às vezes, eu acho — sussurrou Dottore para Vincé e Gigi — que *il feroce Saladino* deveria ser o nome do... do negócio dele. Alguma coisa tem de explicar esse sucesso dele com as mulheres.

Explodiram os três na gargalhada. Mamma ouviu, mas fez que não.

— Qual é a graça, posso saber? Quero rir também! — perguntou, séria.

Dottore pigarreou. Gigi correu para dentro da carroça contendo o riso. Então Vincé avistou Caterina aproximando-se e aproveitou a distração para mudar de assunto.

— Caterina! — chamou.

— Vincé! — Ela reconheceu a voz. — *Buongiorno a tutti!*

— *Buongiorno!* — responderam.

— O que faz aqui tão cedo, *carina*? — perguntou Mamma, avistando-lhe uma pequena sacola nas mãos.

— Queria falar com Arrabal. Onde ele está?

— Partiu hoje cedo — respondeu Francesca. — Foi escrever.

— E quando ele volta?

— É difícil prever, *figlia mia*. *Ma perché*? O que você queria com ele? Talvez possamos ajudar — arriscou Mamma.

— Acho que não, Mamma — disse Caterina, sentando-se pesadamente sobre a trouxa que trazia. — Vim por causa do que aconteceu ontem.

Todos se entreolharam, sem compreender.

— E o que aconteceu ontem? — perguntou Dottore.

— Vocês não vão acreditar. Só ele. Só ele acreditaria.

— Tente — incentivou Dottore.

— Sei que parece, *ma noi non siamo* energúmenos — completou Vincé, em sua rude franqueza.

— Desculpe, não foi isso que eu quis dizer. Vou contar — disse ela, principiando a história, os olhinhos vagando naquele lugar suspenso de onde pareciam poder tirar luz. — Ontem, durante a apresentação, aconteceu uma coisa extraordinária! Não sei se foi por causa das roupas de vocês que costurei, mas, enquanto estavam lá no palco, representando, eu vi! — exclamou.

— Viu? — indagou Mamma.

— Viu o quê? — emendou Cesca.

— *Dài*! Fala, menina! — interpelou Vincé, já nervoso.

— Foi *come magia*! Vi partes do espetáculo, cores; cheguei a ver um pouco da praça!

Todos se entreolharam, incrédulos.

— Bem que Arrabal falou quando nos conhecemos cedo na praça — murmurou ela, e parou, relembrando a cena. Ele disse: "Estou certo de que você pode fazer mais, Caterí"! E não é que aconteceu?

— Não entendi nada — resmungou Vincé para Dottore.

— Grande novidade! — desdenhou Dottore.

— Então compreendi. Meu lugar é aqui com vocês! — exclamou Caterí. Mamma arregalou os olhos para Dottore, sem saber o que fazer.

— *Caspita*! — exclamou Vincé.

— Eu posso ajudá-los com os figurinos! — e como sentisse que a oferta não era em si exatamente tentadora, emendou: — Posso lavar roupa e cozinhar...

Mamma puxou Dottore a um canto.

— O que fazemos agora? — perguntou.

— Bem, está cada vez mais difícil termos o Mestre conosco. Desta vez, por exemplo, ele se ficou uns poucos dias. Até terminar de escrever a peça, vai ser assim. Então, acho melhor decidirmos por nós mesmos. — E concluiu, vendo que ainda não a convencera: — Depois, ele certamente diria que sim. Você tem alguma dúvida?

Mamma não tinha, mas olhou para Francesca, Gigi e Vincé buscando aceitação. Eles fizeram um animado sim com o movimento da cabeça.

— Bem, então você pode ficar, *figlia*! *Siamo tutti d'accordo* — disse a Caterina, que a abraçou, emocionada.

— Venha, Caterina, eu a ajudo a se acomodar. Você vai ter de dormir comigo, porque não temos muito espaço, mas no fim tudo se ajeita. — disse Francesca, animada por ter uma amiga com idade próxima à sua, para ter com quem conversar.

— Está ótimo! Qualquer lugar para mim está bom! — assegurou Caterina.

— Vincé, você vem comigo anunciar o espetáculo? — perguntou Gigi.

— Anunciar espetáculo *oggi*? Esqueceu?! — perguntou Vincé.

— *Cosa*? — perguntou Gigi.

— *Capitano* Giordano chega hoje com as tropas — respondeu Caterina. — Todos estão à espera dele desde cedo.

— *Capitano* Giordano Romanelli? — perguntou Francesca, entusiasmada.

— Que *capitano*, o quê! Estou falando do *Struscio*! — irritou-se Vincé. — Esqueceu? *Oggi è Giovedì Santo*! Não tem espetáculo!

Gigi lembrou e sorriu animado. O Struscio era uma das tradições da Quinta-feira Santa. Um passeio noturno que a população fazia a pé para visitar os túmulos das igrejas e que deveria ser feito em números ímpares delas, num mínimo de três. Era assim conhecido como o *giro dei sepolcri*. Mas o ritual, na verdade, servia de oportunidade a todos de divertimento. As mulheres exibiam suas roupas novas, conversavam, bisbilhotavam a vida alheia. Os solteiros viam no passeio a chance de flertar e conhecer pessoas diferentes, embora de algum modo todos os habitantes da cidade se conhecessem.

O nome *struscio*, de *strusciare*, esfregar, vinha de uma proibição que teve início na Espanha e depois foi incorporada a Nápoles, de se transitar, na noite da Quinta-feira santa, a cavalo ou de carroça pela cidade, especialmente pela via Toledo. Os fiéis, em grande número, eram assim obrigados a percorrer o caminho à pé e, pelo aglomerado de pessoas que se formava, tinham que andar lentamente, o que os fazia arrastar os pés na calçada. Daí numa onomatopeia, o *struscio*, que também era atribuído ao barulho do roçar das saias umas nas outras, na passagem abarrotada de gente.

— Ah, quero ver o capitão! Vamos comigo, Caterina?!

— Que história é essa, Cesca? Ninguém vai a lugar nenhum! — exclamou Mamma, impaciente. — Era só o que faltava!

— Deixa, Mamma, que mal pode haver? Elas são jovens, é coisa de menina! — argumentou Dottore.

— Quer que falem mal de nós? — gritou ela de um jeito histérico, assustando a todos. — Quer dar motivo para confundirem as meninas com prostitutas? Arrabal não está aqui! A responsabilidade é minha e eu digo não! — concluiu num novo grito, evitando qualquer contra-argumentação.

Francesca não podia ver o rosto do *capitano*, ou todo o segredo dos gêmeos estaria terminado. Mamma tinha que evitar.

A trupe entendeu, mas acreditou o destempero ao gênio forte de Mamma e à rigidez de sua moral cristã, mas Dottore lhe conhecia as reações de cor. Havia alguma razão oculta ali, uma causa misteriosa que a enchera de pânico e que a ele escapava. Um motivo obscuro que ele iria descobrir.

❋ ❋ ❋

Quando Giordano cruzou a Piazza Mercato, passava um pouco do meio-dia. Vinha à frente da tropa, ladeado por dois tenentes. Trazia no rosto certo ar de cansaço, mas que não lhe obliterava a altivez. Era alto, forte e elegante. Embora sua expressão fosse grave a maior parte do tempo, seus olhos, talvez pelo azul intenso, transmitiam um certo tipo de ternura. Tinha os cabelos como os de Arrabal: compridos, alourados, que mantinha presos à nuca.

Atrás dele vinha parte do esquadrão da Guarda de Corpo do Rei, ali representada por cinquenta homens, além de um grupo menor, a pé. A viagem fora de inspeção preparatória para a guerra que se aproximava.

Carlo di Borbone tentou se manter o mais afastado possível da Guerra da Sucessão Austríaca, deflagrada em 1740 com a morte do rei Carlos VI, dos Habsburgo, que tinha como protagonista sua filha, Maria Teresa da Áustria, na defesa de seus direitos dinásticos. Sem filhos homens e querendo garantir o trono à sua descendência, Carlos VI promulgou, em 1713, a Pragmática Sanção, documento público que garantia o direito de sucessão ao trono à sua filha mais velha, Maria Teresa. Ele acreditava ter convencido a maioria dos reinos da Europa a concordar com o documento e chegara a obter, em 1734, alguma aceitação concreta, em troca de reinos: o de Nápoles e Sicília, cedido a Carlo di Borbone; o do oeste de Milão, cedido aos Saboia; e o de Lorena, cedida à França. Tudo indicava que Maria Teresa fora aceita como governante, mas a morte de Carlos VI mudou radicalmente esse cenário.

A reação teve início quando, em 1741, o rei da Prússia, Frederico II, invadiu, sem nenhuma declaração prévia formal de guerra, a Silésia. Diante das grandes potências europeias, a Prússia era relativamente pequena, com pouco mais de dois milhões de habitantes e sem vasta extensão territorial. Ironicamente, foi a conquista da Silésia pela Prússia que deu início à Guerra da Sucessão Austríaca, porque a bem-sucedida iniciativa prussiana fez ressurgir na França uma atitude hostil em relação a Maria Teresa, resultando numa nova aliança com a Baviera, dos Wittelsbach. Juntas, França e Baviera ocuparam Linz e Praga, também sem nenhuma declaração de guerra. Assim, a vitória de Frederico II fez com que França, Baviera, Espanha, Saxônia e Sardenha unissem forças para atacar a imperatriz.

Carlo di Borbone declarou-se neutro. Em 1734, o reino de Nápoles obtivera a independência em relação à Áustria, portanto Carlo não tinha interesse em entrar na guerra, mas foi obrigado a abrir mão dessa neutralidade quando a Espanha invadiu a Lombardia, em 1742. Por ordem dos pais, a quem, além de respeito filial, devia a coroa, viu-se obrigado a enviar à Itália central um contingente de doze mil homens, sob o comando do duque de Castropignano, para colocar no trono o irmão, Filippo. A Espanha acreditava que, por ter tropas napolitanas sob seu comando, poderia usufruir da neutralidade do reino das Duas Sicílias, mas a reação do inimigo não lhe correspondeu à expectativa. Carlo foi forçado a bater em retirada quando o britânico Martin Commodore, no comando de um esquadrão, entrou na baía de Nápoles ameaçando bombardear a cidade caso as tropas não fossem retiradas do conflito.

Jorge II, da Grã-Bretanha, apoiava Maria Teresa com sua temível frota do Mediterrâneo, o que conferia à Áustria um aliado dominador dos mares, enquanto a marinha napolitana se resumia a umas poucas unidades, todas construídas no governo borbônico. Desde então, Carlo voltou a se manter afastado do conflito, atitude que revoltava Giordano, partidário de uma postura mais agressiva na defesa de Nápoles contra o domínio austríaco. O secretário de Estado de Carlo, duque de Montalegre, defendia essa neutralidade, e seus temores, na opinião de Giordano, levavam o rei àquela apatia e incapacidade de decisão. Mas então, em 1744, Áustria, Grã-Bretanha e o reino da Sardenha novamente se uniram para depor Carlo di Borbone do trono, e o rei se viu obrigado a enfrentar Lobkowitz para evitar que os exércitos inimigos alcançassem as fronteiras de Nápoles.

A passagem da guarda real era sempre um acontecimento. Para aquele povo sofrido, que via no exército napolitano sua salvação, o desfile tinha contornos de festa popular. Maria não resistira e, aproveitando-se da desculpa das compras, imiscuíra-se no burburinho da praça para ver o capitão de perto. Era lindo, *mamma mia*, pensou — ela e as demais mulheres que disputavam o espaço exíguo da rua.

Logo o aglomerado de gente irritou os cavalos, que começaram a empinar, e Giordano ordenou que o batalhão que vinha a pé afastasse os populares. Mas então, a visão daqueles rostos humildes sorrindo para ele o invadiu com uma espécie inesperada de ternura. Era a praça e sua alegria prosaica; era aquele sol morno de primavera a pôr cor em tudo. Era o sino da igreja levantando suas notas ao céu e anunciando o início dos serviços da Páscoa. Giordano fez novo sinal à tropa, revertendo a ordem, e acenou, discreto, para o povo, que se acotovelava para vê-lo passar. Voltar para casa podia ser muito bom afinal, pensou.

❀ ❀ ❀

Carlo recebeu o filho com um abraço forte e barulhento.

— *Figlio mio*... — murmurou, enquanto o tinha nos braços.

Giordano se deixou ficar num tipo de reserva respeitosa nos braços do pai. Não sabia traduzir exatamente o que sentia. Havia no reencontro alguma ternura, havia uma alegria de menino no aconchegar-se naquele peito que o protegera e onde tantas vezes adormecera depois de uma farra qualquer. Mas também havia uma barreira intransponível de coisas por dizer, de mágoas, de gritos travados na garganta, e, como tudo o que é da alma e não se põe à luz, uma espécie de repulsa repentina o fez se bruscamente afastar.

— Entre, tenente! — disse Giordano ao jovem Pietro, que o aguardava em posição de sentido na soleira da porta.

— Não, obrigado, capitão. Vim só acompanhá-lo. Preciso ir agora.

— Certo. Você também deve estar com saudade de casa. Está dispensado, tenente.

— Esperamos você e o tenente Stefano mais tarde, para jantar! — convidou Carlo.

— Aproveitamos para conversar um pouco sobre a próxima viagem e ver de que maneira poderemos controlar Diego Merlo com seus cozinheiros e suas arrumadeiras e todos aqueles cuidados que só servem para atrapalhar a segurança — acrescentou Giordano. — Aquele lá me dá nos nervos!

Pietro riu. Diego Merlo era o *real posentatore*, encarregado, em primeiro lugar, de escolher e distribuir os aposentos nas viagens reais. Era sua a tarefa de supervisionar alojamentos para assegurar que o rei tivesse sua costumeira e teria dose de conforto, mas avantajado era também pessoalmente responsável por sua alimentação, o que explicava a *entourage* que o seguia. Não satisfeito, planejava a diversão do casal real, agendando passeios entre os compromissos, bailes noturnos e banquetes. Giordano não gostava dele — mais exatamente do que representava: o luxo demasiado da corte. A existência de Merlo funcionava como uma espécie de garantia de todo o excesso, de todo o desperdício, de todos os requintes da futilidade.

Pietro ficou ainda um tempo no pátio, vendo Giordano adentrar a casa no abraço compulsório de pai. Tinha uma admiração juvenil pelo *capitano*, como a que os caçulas nutrem pelo irmão mais velho ou pelo pai. Esse era, aliás, um dos motivos pelos quais lhe seguia os passos. Não tivera seu próprio modelo. Era filho único de um pai distante. A mãe, beata preconceituosa, não tinha outro assunto senão a missa e as penitências. Quando entrou para a Academia, por ordem paterna, Pietro viu na obrigação a oportunidade de ser finalmente livre, de viver uma vida de homem, longe do rosário de pecados que a mãe vivia a desfiar. Vislumbrou a chance de perder aquela timidez que o torturava e de ganhar da coragem um mínimo que fosse. Mas, sair de debaixo das asas paternas para a liberdade não vinha sendo um voo tão fácil como imaginara. Desenvolvera habilidades, por certo. Logo na primeira turma, fora o melhor no manejo da espada e das armas de fogo. Mas era já tenente, e a maldita timidez ainda o atormentava.

O exército era feito de homens duros, calejados, implacáveis nos mais das vezes. A guerra costumava eliminar pudores e escrúpulos, e Pietro ainda os tinha, muitos. Não se acostumara ao linguajar vulgar dos soldados e às suas conversas grosseiras e não suportava os hábitos de higiene duvidosos da caserna. Isso, aliado à franca idolatria por Giordano, provocava comentários maldosos acerca de sua sexualidade.

Pietro sofreu calado por meses as humilhações e o escárnio da tropa, até que, numa viagem, Giordano o surpreendeu chutando e quebrando todos os móveis e objetos do quarto.

— Eu já fiz isso, capitão, já tentei falar com eles! Fui firme! Falei que não admitia esse tipo de comportamento! Mas eles não me respeitam! *Non mi rispettano*! Se eu falar de novo e eles continuarem, ficarei mais desmoralizado ainda. Então, prefiro não falar mais nada e fingir que não ouço. Mas eu ouço tudo, capitão, e eles sabem disso.

Giordano estendeu-lhe uma caneca de vinho e um pano embebido em conhaque para que enrolasse a mão, roxa das pancadas.

— Esse não é um assunto para conversa, tenente. Esse é o problema — iniciou Giordano. — Com esses homens, é preciso aplicar o método certo na hora certa.

— E qual é o método certo nesse caso, capitão?

— Um soco na cara!

Pietro olhou, incrédulo, imaginando que Giordano estivesse fazendo graça. Não estava. Continuou sorvendo calmamente seu vinho enquanto Pietro argumentava:

— Capitão, sou um oficial! Sou o superior deles! Se fizer isso, poderei ser suspenso ou até preso!

— Quando nenhum de vocês estiver em serviço, quando todos estiverem bebendo em uma taverna qualquer, quando forem apenas homens comuns e um deles lhe chamar de *finocchio*, não converse, tenente. Parta-lhe a cara. Garanto que ninguém mais vai lhe importunar. — E pressentindo o que Pietro temia, continuou: — Se houver queixa, será feita a mim, e vou considerar que o tenente agiu em defesa de sua honra. — E, apontando para a mão ferida de Pietro, concluiu: — E, convenhamos, se é para arrebentar as mãos, que seja assim. É mais honroso que socando móveis.

Na primeira oportunidade, Pietro seguiu o conselho com tamanho entusiasmo que quebrou, com o murro, os dois dentes da frente e o canino do soldado Guerrida, além de abrir a cabeça do sargento Tiziano, que, no impacto, caiu para trás sobre a bancada da taverna. A surpresa daquela reação favoreceu Pietro em todos os sentidos. O grupo ficara imóvel, boquiaberto. Pietro, ao contrário, for tomado por uma alegria única, quase uma euforia, quando se percebeu finalmente no controle do grupo. Nem reparou no corte que o impacto abrira em sua mão e no inchaço, quase imediato, que se seguira. Ninguém mais ousou debochar dele desde então. E as piadas, feitas agora apenas entre os soldados, passaram a girar apenas em torno de sua timidez.

Giordano sabia que funcionaria, e Pietro se perguntava de onde vinha aquela certeza sobre a eficácia de seus métodos. O capitão sabia dosar disciplina e camaradagem. Conhecia o momento de intervir com energia e de partilhar a mesa com eles. Tinha o controle daqueles homens e seu respeito inequívoco, sem que exercesse sobre eles qualquer tipo de tirania. Deviam-lhe obediência pelo impositivo da hierarquia, mas o fariam voluntariamente, de qualquer modo, porque, como Pietro, o admiravam.

Por tudo, o episódio dera a Pietro uma certeza: jamais conseguiria ser como Giordano. Aquela autoridade não era coisa que se pudesse aprender. Giordano era como um herói lendário, a um só tempo forte e justo. Era semelhante a Aquiles, a quem o centauro alimentara com as vísceras dos leões, mas ensinara a prática da virtude para torná-lo capaz tanto da violência quanto da ternura.

Pietro sorriu de si para si, ao encontrar de Giordano a perfeita definição, mas, então, de súbito, estancou. A analogia trouxera embutida a fatalidade que lhe invadira o peito de apreensão, porque Aquiles, o mais belo e bravo dos heróis, tornado em todo o corpo invulnerável pelo fogo, até mesmo Aquiles tinha um ponto fraco: o calcanhar.

* * *

Teresa esperava Giordano enrodilhando os dedos no avental, os olhos miúdos agitados de emoção. Mal adentrou a sala, ele a abraçou e suspendeu no colo, num rodopio.

— Como você está? Falando pelos cotovelos como sempre? — gracejou.

Ela sorriu, segurou o rosto dele entre as mãos e beijou-lhe as bochechas. Depois pegou-lhe a capa, a espada, o chapéu e fez sinal para que se sentasse, para tirar-lhe as botas.

— Não precisa, querida! — disse ele e, olhando para o topo da escada, perguntou o que realmente o preocupava: — E minha mãe?

Teresa gesticulou que Gioconda o esperava e que continuava sentindo muito a falta dele.

Carlo serviu vinho nas taças e brindou com o filho:

— Que tal esse vinho?

— Bom — respondeu Giordano, saboreando.

— Presente da rainha! Vinho de Borgonha!

— Estranho... — iniciou Giordano, girando a taça entre os dedos. — Costumávamos produzir vinho de tão boa qualidade que era exportado! Os padres conseguiram até mesmo isenção de taxas para exportação. E agora a rainha importa vinhos da Borgonha?!

Carlo engasgou-se ligeiramente.

— Giordano! Esse não é um comentário que um oficial faça!

— Pai, pelo amor de Deus, estou em casa! Além do mais, estou dizendo a verdade. Essas pessoas vivem cercadas por uma pompa que custa muito caro. Gasta quantias absurdas para se vestir para as ocasiões mais triviais. E essa paixão do rei Carlo e da rainha pela caça vai levar esse reino à falência.

— Você está cansado — disse o pai, com um riso nervoso. — Preocupado com a guerra da sucessão.

— É, estou realmente ficando muito cansado de tudo isso — Carlo franziu o cenho e, de um gole, encheu a boca de vinho para, propositalmente, não poder falar. Giordano percebeu-lhe a contrariedade. — Sou um soldado, pai! Acredito em ações! Não suporto esse tipo de gente cuja única ocupação consiste em manter seus assentos aquecidos. E a corte está repleta disso.

— O que está havendo com você, pelo amor de Deus? Isso é maneira de falar? — bradou o pai, entredentes. — Você é o capitão da Guarda de Corpo do Rei! Ele o estima, confia em você, e é assim que você resume o reino de Nápoles e da Sicília? Um bando de interesseiros e aproveitadores?

— Há exceções, claro! Bernardo Tanucci é um exemplo. É um homem do governo que realmente trabalha e se mantém afastado das conspirações da corte. E há outros iguais a ele — Giordano completou, sorvendo o que restava de vinho na taça.

Carlo o olhou, por um momento atônito, sem saber o que dizer, até que vigorosamente argumentou:

— O rei tem grande capacidade de realização, Giordano. É dinâmico, tem-se dedicado de corpo e alma ao progresso do reino e das Forças Armadas, e isso você não pode negar! Está reformando o exército, inserindo os cidadãos da península nas tropas em detrimento de outros de vários Estados. Está formando um exército italiano. Ele tem coragem! Olhe os bairros inteiros que ele reconstruiu, os hospitais, as igrejas, os jardins, os magníficos palácios. Devemos à sua ação enérgica e ao mesmo tempo refinada todo o crescimento e desenvolvimento da região. Ele é um precursor! Veja a fábrica de porcelana de Capodimonte, a Real Arazzeria, o Palácio di Portici, o Teatro San Carlo!

— Ah, aí começam as dificuldades — atalhou Giordano.

— Não entendi.

— Entendeu, sim, meu pai. Veja bem, sei que para um rei jovem, de apenas vinte e oito anos, ele realiza muita coisa. Podemos dizer mesmo que ele seja brilhante, em certa medida, e vejo que tem amor pela cidade. Mas construir hospitais e igrejas não pode ser justificativa para sustentar privilégios. Depois, tudo é muito relativo. Há quem diga que ele criou fábricas somente para produzir ouropel para suas residências e as da nobreza e que quer construir estradas para servir à sua paixão pela caça.

— Você acredita nisso?

— Não.

— *Grazie a Dio*, porque é um completo *assordo*!

— Não totalmente, pelo menos.

— Carlo di Borbone utilizou de maneira muito eficaz o dinheiro público em obras que criaram empregos e aumento das demandas que movimentaram as finanças do Estado. Mais que tudo, colocou o reino de Nápoles entre os primeiros do mundo justamente por esse dinamismo, por essa transformação, pela riqueza e variedade de arte e cultura. Estou errado?

— Não, pai, mas nada disso exclui o fato de haver, sim, desperdício, excesso de luxo e ostentação nos palácios reais, muita pompa dispendiosa, muita gente inútil cultuando aparências, cujo preço é pago pelo povo, que na maioria continua miserável! Você sabia que, dos quase trezentos mil habitantes de Nápoles, aproximadamente dez por cento são mendigos?

— Mas você quer a perfeição, meu Deus! — gritou Carlo, batendo as mãos nos braços da cadeira.

Giordano ia argumentar, mas se limitou a murmurar:

— Perfeição?

Carlo se arrependeu. Aproximou-se mais do filho e disse, com a mão espalmada num carinho sobre seu ombro:

— Sabe do que você precisa agora? Descansar. — E como se a frase de efeito tivesse posto tudo novamente em seu lugar, continuou: — A propósito, temos um compromisso segunda à noite, com o duque di Medinacelli. Vamos jantar com ele...

Giordano não deixou que o pai terminasse a frase.

— Escute, pai, estou exausto desse tipo de evento social. Venho participando de uma série deles. Se você não se importa...

Foi a vez de Carlo interromper:

— Me importo, realmente me importo! O marquês della Fontana me disse que Di Medinacelli pretende apresentar sua filha, Luigia, a você. Ela é muito bonita, muito bem-criada. Ficou viúva há pouco e, melhor, não tem filhos! — Giordano não acreditou no que ouvia. Carlo, sem perceber, continuou: — O interesse do duque é político, mas o meu é estritamente familiar. Quero esta casa cheia de crianças correndo entre as minhas pernas. — Riu e então, percebendo o olhar de fúria de Giordano, concluiu: — Você já está passando da idade de se casar. Além do mais, um oficial do seu nível precisa ter uma família e...

— Pai! — Giordano interrompeu, elevando a voz. — Deixe-me ver se entendi: você está escolhendo uma esposa para mim?

— Não faça isso parecer uma coisa tão terrível assim. É para o seu bem!

— Prefiro que você me deixe escolher a mulher que eu quiser, na hora em que eu quiser! Até porque não pretendo me casar.

— E por que não? Posso saber? Um oficial do seu nível...

— Um oficial do meu nível nunca sabe se vai voltar para casa — interrompeu Giordano, alterado, pondo-se de pé. — E, se voltar, pode voltar aleijado ou louco. Você considerou essas coisas quando planejou tudo isso para mim? Porque não acho que seja destino adequado para um menino viver com medo de ver o pai voltar para casa num caixão.

— Ah, Giordano, não seja dramático! *Per l'amor di Dio!* — rebateu Carlo.

Giordano sentou-se novamente. Ambos ficaram em silêncio, digerindo a raiva mútua.

— Você sempre vai voltar para casa, *figlio mio* — recomeçou Carlo, com a voz já terna. — E, quando conhecer Luigia di Medinacelli, a ideia do casamento vai lhe soar perfeita. Confie em seu velho pai. Sei o que é melhor para você! Sempre sei!

Carlo ia dizer ainda qualquer coisa de persuadir mas a voz de Gioconda entrou suave na sala, cantarolando uma cantiga de ninar. Giordano se afastou como autômato e começou a subir as escadas em direção ao quarto da mãe, e conforme, subia, via as lembranças da infância escorrerem pelos degraus. Ele e Giuseppe descendo na corrida, Teresa atrás deles, ralhando com seus grunhidos agudos, temendo que caíssem; a luz difusa do sol colorindo o vitral.

Chegou ao corredor, e sentiu o coração disparar. Era assim sempre que ia vê-la, aquela mistura de alegria e preocupação, aquele medo terrível do que iria encontrar na visita. Espalmou a mão na porta e começou, temeroso, a abrir.

Gioconda estava de costas quando entrou. Giordano não podia ver, mas ela mantinha os olhos fechados e sorria. Ele deu alguns passos na direção dela e parou. Ela suspirou profundo, e sorriu mais largo ainda. Ele estendeu a mão, num ímpeto de acariciar, mas teve medo de assustá-la e arremeteu.

— Sei quando você está chegando pelo som dos seus passos — Gioconda iniciou, sem se virar. — São regulares, elegantes como você. Os de Giuseppe são completamente diferentes. Às vezes rápidos; às vezes, arrastados, preguiçosos. Nunca se sabe se ele vai saltar ou correr.

— E quem você prefere?

Gioconda virou-se para o filho, e a emoção de ver a mãe novamente fez o olhos de Giordano encherem-se de lágrimas. Estava lá toda a doçura intacta. Estavam lá os traços do que um dia fora a extrema beleza de seu rosto.

— Aquele que estiver perto de mim. Quando ele está, eu o amo demais; mas, quando você está longe, morro de saudade!

Giordano deu consentimento às lágrimas para rolarem sem cerimônia. Estava só com ela e por isso ajoelhou-se e deitou a cabeça em seu colo de mãe. Ela afagou-lhe os cabelos e reiniciou a cantiga. Giordano se deixou ficar no aconchego, respirando a calma daquela tarde, como se fosse a infância novamente, como se a vida estivesse toda no lugar. Gioconda puxou o vaso de flores do criado-mudo e começou a enfeitar os cabelos do filho com as miúdas marias-sem-vergonha.

— Por que você não dá um passeio? Está um dia tão bonito! — perguntou Giordano.

— Não gosto de sair. E você? Por que está tão triste? O que seu pai fez desta vez?

— Está muito esperta, hein? — disse, fazendo cócegas em sua cintura. E, depois de um suspiro pesado, murmurou: — Ele me arranjou uma noiva.

— E isso é ruim?

— Não quero me casar. Se algum dia quiser, eu mesmo me encarrego de escolher com quem. E certamente não seria com essa tal Luigia.

— Por quê? Você a conhece? O que tem ela?

— Não conheço, mas nem preciso. Ela deve ser fútil e mimada como a maioria das mulheres da corte. Eu não suporto o tipo!

— Então não se case com ela! — disse ela, olhando para a porta, como criança preparando uma arte qualquer e prosseguiu em tom de cochicho para ele: — Eu sei que ele lhe ensinou a obedecer, mas eu descobri que você não precisa! Isso é uma invenção dele! Você é livre! É! Pode decidir sua vida! Não precisa fazer o que ele quer. Não é maravilhoso? Não precisa, não precisa!

O entusiasmo provocou em Gioconda um riso descontrolado, que logo se transformou em choro ressentido. Giordano a trouxe para junto do peito, a envolveu num abraço largo e beijou seus cabelos. Aos poucos, ela se acalmou e se deixou ficar quieta no abraço. Ficaram assim, em silêncio, mergulhados na paz daquele instante sem palavras, até que Giordano perguntou:

— Você queria que eu fosse igual a ele, não é?

Gioconda negou, balançando a cabeça.

— Sei que sim, e eu adoraria ser como Giuseppe para você o tempo todo, mãe, mas eu não sou; perdoe-me, mas não sou. Sou capaz de matar um exército se for preciso, mas não consigo dizer "não". Esse é o nosso segredo. Todos pensam que sou o mais bravo dos guerreiros, mas você sabe que não passo de um covarde desprezível.

* * *

Não era definitivamente essa a forma como a cidade e a corte viam. Sua coragem e honradez eram incensadas, e todos, em especial aqueles que buscavam um lugar próximo ao trono, rendiam-lhe homenagens. Com Filippo di Medinacelli não era diferente. O pai de Luigia era em tudo como as aves de rapina. Rápido na acurada visão de longo alcance, ardiloso na arte de identificar suas presas e subtraí-las. Convidara o marquês della Fontana para um vinho, o que garantira a Vittoria algumas horas de sossego e se trancara com ele na biblioteca.

— Coisa boa não há de ser! — resmungou Angelina, respondendo a Maria, que se espichava sobre seu ombro para ver o interior da sala.

— Gostaria de saber... — murmurou Maria, ainda na ponta dos pés, quando Angelina fechou a pesada porta.

— Como se isso fosse novidade. Vá cuidar da sua vida, porque ainda há muitos quartos para arrumar!

Maria não foi. Esperou que Angelina se afastasse e voltou, pé ante pé, a abrir uma fresta da porta para escutar a conversa.

— Falei com o duque, pai de Giordano. Ele pareceu animado com a ideia. — iniciou Della Fontana.

— Esse capitão Giordano é investimento certo. O rei o tem em alta conta — emendou Di Medinacelli.

— É verdade. Eu mesmo estou pensando em oferecer-lhe uma recepção — disse o marquês. — Você está certo. Luigia é uma joia da corte. — Depois acrescentou, em tom melancólico: — Nessas horas é que sinto não ter tido uma filha. Afortunadamente, tenho Vittoria. A rainha a adora; para ser sincero, não sei bem por quê.

Riram na sua inferioridade. A simpatia de Maria Amalia di Sassonia por Vittoria era compreensível. A rainha era culta, amava as artes e tencionava, como Vittoria, ser mecenas de artistas. Coisas que lhes fugiam ao domínio e que não lhes interessavam, senão com o propósito de impressionar o rei.

— Vou recebê-los na segunda-feira — prosseguiu Filippo. — Seria amanhã, mas por causa do *Struscio* transferimos para segunda. *Se faccio festa no Giovedì Santo*, o padre me amaldiçoa. Talvez contrate a trupe que está na cidade para uma apresentação. Essa gente sempre diverte, não é verdade? Você e a marquesa, claro, estão convidados.

— Por certo que sim! Bem, acho que isso merece um brinde!

Filippo e Nicola brindaram, e Maria disparou com a novidade direto para o quarto de Luigia. Um erro, como avaliou logo depois. Luigia era mesmo muito estranha.

— Calma, *signora*! *Per l'amore di Dio*! A senhora vai machucar as mãos desse jeito!

Luigia parecia não ouvir. Extravasava sua revolta e indignação batendo com força as palmas das mãos contra a parede de pedra. Não importava que doesse; não fazia caso que se abrissem em cortes. Preferia aquela dor à outra, a de se sentir usada, negociada num escambo qualquer.

— Não outra vez! — gritou em prantos. — Ele não pode fazer isso comigo de novo!

— Perdoe minha ignorância, *signora*, mas por que está tão desesperada? Eu lhe disse que vai se casar com o capitão Giordano Romanelli! Giordano Romanelli, *capisce*? Qualquer mulher daria o braço direito para estar no seu lugar. Ele é forte, corajoso e tão, tão lindo! *Dio Santo*! — disse, abanando-se. — A senhora tinha que tê-lo visto entrando hoje na cidade. — E concluiu, depois de um gemido cômico: — Que homem!

— Pare com isso, sua estúpida! — Luigia gritou, atirando um travesseiro em Maria. — Em quê essa beleza vai ajudar? Ele é como os outros!

— Que outros?

— Como todos os homens da corte! Todos, qualquer um! Ele é capitão, não é? Então! Deve ser rude, egoísta, inescrupuloso! E vou ter de viver do lado desse homem o resto da vida! — gritou e voltou a socar a parede. — O resto da vida!

Maria segurou-lhe os pulsos e fez com que parasse. Luigia sentou-se na cama e desabou num pranto convulsivo. Maria ajoelhou-se em frente a ela e acariciou-lhe os cabelos.

— É o poeta, não é?

Luigia assustou-se com a pergunta e interrompeu o choro.

— Eu não devia tê-lo ajudado a entrar aqui, mas só queria que a senhora fosse um pouco feliz. Por que tem de levar tudo sempre tão a sério? O poeta se foi, *signora*! Foi apenas uma aventura, uma alegria! É o que deve ter sido para ele, e é como tem de ser. Precisa esquecê-lo agora e se preparar para conhecer seu noivo.

Luigia suspirou e jogou o corpo para trás, deitando-se pesadamente na cama. Maria respeitou seu silêncio por um segundo. Depois, engatinhou sobre a cama até ficar bem perto de Luigia e arriscou:

— Pensando bem, seu pai até que foi camarada desta vez.

Luigia jogou o travesseiro sobre ela novamente, e Maria correu, às gargalhadas, saindo do quarto e fechando a porta atrás de si.

CAPÍTULO VIII

Do Struscio, do grano e de como cada qual chegou para ficar

Caterina experimentou pela primeira vez a paz do acampamento na mesma manhã em que chegara. Era Quinta-feira Santa e também por isso, teve certeza de que ali iria renascer. Mamma distribuíra a cada um seus afazeres diários, e coube a ela limpar ervilhas para a sopa. Sentou-se, bacia em punho, ao pé de uma árvore próxima à beira do riacho em que Mamma lavava a roupa. Havia um sol morno de início de dia lhe esquentando os pés que quando em vez, dava lugar a uma lufada de vento mais frio. O cheiro da terra vinha com ele para dentro dos pulmões. Gigi e Vincé consertavam uma roda da carroça. Dottore escovava o figurino e o estendia ao sol. Francesca punha as roupas recém-lavadas no varal improvisado entre as árvores. Era tudo bucolicamente calmo e feliz.

Mamma cantarolava *Michelemmà*, uma antiga *tarantella*. Sua voz se misturava ao escorrer cristalino da água, a cada vez que ela torcia ou batia a roupa. Ninguém conhecia o autor da música antiga e muitas eram as hipóteses de seu significado, mas a Mamma gostava de pensar na fábula da garota da ilha de Ischia que nascera em um navio sarraceno e que quando cresceu, tornou-se uma jovem tão que todos os homens se apaixonavam por ela e desejavam tê-la.

— Mas ela não queria ninguém, e de tanta frustração eles acabavam por *suicidarsi tutti*! — explicava Mamma, numa breve pausa da cantoria.

— *È nata 'miez'a o maré, Michelemmá, Michelemmá, è nata 'miez'a o maré, Michelemmá, Michelemmá*! — Francesca fez o coro e, então, Dottore e, depois,

Vincé e Gigi, e de repente, eram todos, incluindo Caterina, cantando juntos, no compasso das marteladas de Vincé na roda, do barulho seco dos lençóis sacudidos no vento e das batidas de roupa molhada nas pedras.

Era uma sinfonia! Caterí sorriu, depois chorou, sem que os outros vissem de desconhecida felicidade e provavelmente por conta dela, viu novamente surgir os flashes de luz, agora refletidos no riacho a revelarem detalhes da paisagem. Não teve tempo de contar aos outros. De súbito, a música parou. Uma carruagem se aproximava.

— Temos companhia — disse Mamma, jogando as roupas torcidas na bacia.

Dottore também deixou o figurino de lado e preparou-se para receber os visitantes. Havia certa tensão no ar, Caterina pôde sentir. Em se tratando de atores, visitas inesperadas sempre podiam significar problemas à vista.

A carruagem parou. O cocheiro abriu a porta e estendeu a mão. Dottore viu surgir a ponta de um vestido.

— Gente da corte — sussurrou.

— *Ecco!* — murmurou Mamma.

A mão enluvada, fina, que se apoiara na do cocheiro, confirmou a impressão. Logo a mulher se deixou ver por inteiro. Era Vittoria. Ela olhou ao redor, inspirou e expirou profundamente. Depois sorriu. O cocheiro tirou um baú da carruagem e o colocou aos pés dela. Vittoria tirou do dedo o anel, onde uma safira oval reluzia, entregou-o a ele e disse num tom em que os demais não puderam ouvir.

— Obrigada, Francesco. Faça como combinamos. Nem uma palavra a ninguém!

O cocheiro curvou-se numa reverência. A carruagem afastou-se, e Vittoria aproximou-se do grupo com um sorriso.

— *Buongiorno!*

— *Buongiorno!* — Mamma respondeu, reticente.

A trupe também se aproximou, igualmente surpresa.

— Em que posso ajudá-la, *signora*...

— Vittoria! — exclamou Gigi para Mamma. — É a marquesa della Fontana! Ela foi o anjo que nos arranjou o figurino.

— *Marchesa!* — chamou Caterina, abrindo caminho com as mãos estendidas.

— Caterina! Que bom ver você, *carina*!

— Na verdade, foi Caterina quem falou a Arrabal sobre a senhora — esclareceu Francesca.

— Eu sei, minha querida amiga! — disse Vittoria, segurando as mãos de Caterina. — E vou lhe agradecer eternamente por isso.

A frase fez com que todos se entreolhassem, ainda mais apreensivos.

— Então, o que podemos fazer pela *signora* marquesa? — insistiu Mamma.

— Se a senhora não se importar, gostaria de falar com Arrabal.

— Ah, claro, Arrabal! — ironizou Mamma. — Infelizmente, ele não está. Na realidade, partiu faz pouco tempo.

— Ah, não! — exclamou Vittoria.

— Ele está escrevendo uma peça e precisa ficar sozinho para trabalhar — explicou Vincé, aproximando-se da marquesa, penteando os poucos cabelos que tinha e forjando um ar sedutor. — Posso lhe ajudar?

— Isso não podia ter acontecido! Não podia! — desesperou-se Vittoria.

Todos a cercaram, curiosos, menos Dottore. Ele a observava de longe, com ar de insólita tristeza.

— Mas o que está acontecendo, minha senhora? — perguntou Mamma.

— Deixei minha casa, meu marido, abandonei tudo para segui-lo!

— Para quê? — berrou Francesca.

— Para seguir Arrabal! — explicou Gigi, inocente, irritando Francesca ainda mais.

— É... Estou começando a achar que Dottore tem razão sobre *il feroce Saladino* dele — sussurrou Vincé para Gigi.

Vittoria desabou em prantos. Não havia como retroceder.

— Mas... como foi isso? A senhora decidiu sair assim de sua casa, para ficar... — balbuciou Mamma, perplexa — aqui?

Vittoria fez que sim. Decidira tudo num impulso, na noite anterior. Esperara que Nicola partisse na manhã seguinte, e tão logo os cavalos atravessaram os portões apressou-se.

— É uma ideia maluca, *madame*! — ponderara a dama de companhia, apreensiva. — A senhora vai se arrepender!

— Não, Sophie, com certeza não vou. — respondera ela, colocando alguns vestidos em um baú. — Pela primeira vez na vida estou fazendo a coisa certa.

— E o que eu digo para o marquês?

— Diga que desapareci no ar!

— Isso não tem graça, *madame*! *Il sera furieux*!

— Diga que não sabe de nada, que eu saí sem dizer para onde ia. Não importa o que ele faça, sustente que não sabe! — afirmou Vittoria, fechando a tampa do baú, mas então, lembrou de suas joias, dispostas sobre a cama. Foi até elas, pôs no dedo o anel com a grande safira ovalada, cercada de diamantes, depois, tomou um par de brincos de rubi e colocou na palma da mão de Sophie.

— Estes são para você.

— *Pas du tout*! — exclamara Sophie, devolvendo os brincos a Vittoria. — Não posso aceitar!

— Aceite, Sophie, *s'il te plaît*! É um carinho pela amizade que sempre teve por mim.

Sophie deixou que Vittoria lhe colocasse os brincos, entre soluços.

— Se alguma coisa acontecer à *madame*, não vou me perdoar.

— Vai ficar tudo bem! — disse Vittoria, segurando o rosto de Sophie entre as mãos. — Não vai acontecer nada. Vai dar tudo certo, você vai ver. Agora chame Francesco para me levar até lá.

Vittoria partiu sem olhar para trás, deixando Sophie em prantos. Agora, entretanto, era ela quem chorava.

— Por favor, marquesa, fique calma! — disse Mamma, penalizada, disfarçando a vontade de igualmente cair em prantos, dando firmes tapinhas nas costas de Vittoria. — Tenho certeza de que seu marido vai recebê-la de volta de braços abertos.

— A senhora não conhece meu marido. Ele vai me matar.

— A carroça é pequena. Menor ainda agora que Caterina está conosco. — resmungou Francesca.

— Esta vida não é para a senhora! Não vê? Não vai se adaptar aqui! — argumentou Mamma, mostrando o derredor com as mãos abertas.

— Por favor, eu lhe imploro! — disse Vittoria, caindo de joelhos. — Por favor!

— Ela pode dormir na minha cama! — gritou Gigi.

— Você não tem cama! Você dorme no teto da carroça! — atalhou Vincé.

— *Marchesa*, a senhora não pode retroceder, mas eu posso! Volto para casa e a senhora fica! — concluiu Caterina.

A solução inesperada deixou a todos, por um momento, sem saber o que dizer, para logo depois desatarem a falar ao mesmo tempo, num turbilhão. Foi Dottore, que se mantinha todo o tempo à parte, quem pôs fim à confusão.

— Basta! Basta!

Todos pararam de falar. Vittoria enxugou as lágrimas e, com a ajuda de Mamma, levantou-se.

— A *signora marchesa* fica! Eu me responsabilizo por ela!

— Mas, Dottore, não temos espaço — iniciou Francesca.

— Onde dorme um dormem todos! — interrompeu Dottore. — Não podemos ser ingratos com quem nos estendeu a mão.

Gigi sorriu. Francesca afastou-se, irritada, chutando as folhas secas.

— Obrigada! Muito obrigada, *signore*... — iniciou Vittoria, segurando as mãos de Dottore.

— Dottore! Somente Dottore!

— Bem, se a senhora vai ficar, é melhor que se acomode... — interrompeu Mamma, com uma pontada de ciúme — ... se é que isso é possível — resmungou e prosseguiu, em voz baixa, para Dottore. — Só o vestido dela precisa de um metro de cada lado para passar pela porta. Isso não vai entrar na carroça!

Dottore não fez caso. Afastou-se, com o mesmo ar de tristeza que tomara conta dele desde que Vittoria chegara, e ficou observando de longe a movimentação de todos.

Mamma mordeu, com raiva, a junta do indicador. Estava mortificada. Era a primeira vez que via Dottore impressionado com alguém. E era também a primeira vez que ele não lhe prestava atenção. Um sentimento estranho a invadiu e incomodou. Quis afastar a sensação, mas não conseguiu. Pensou em armar uma cena qualquer para lhe atrair a atenção, mas percebeu que seria inútil. Dottore continuava com os olhos presos em Vittoria, cheios de uma espécie de nostálgica amargura. Foi Gigi quem lhe interrompeu os pensamentos e a fez reagir.

— Eu levo o baú! — exclamou, numa animação adolescente.

E, como tudo entre eles, a partir de então todos se concentraram em Vittoria, e ajudá-la passou a ser a prioridade daquele fim de manhã.

❊ ❊ ❊

Sophie tentou se esconder da fúria do marquês. Tomado pelo ódio, Nicola destruiu, com as próprias mãos, o quarto-de-sonhar. Atirou pela janela do aposento o grande espelho de pé, que se espatifou no pátio, assustando os cavalos. Rasgou cortinas e quebrou com o golpe de uma cadeira o velho cravo, acabando por ferir as mãos.

— *Putana*! — berrou, salivando como um animal alucinado. — *Putana*... — sussurrou, arfando, descendo como autômato as escadas. — Eu quero essa vagabunda aqui! Eu quero matar essa desgraçada com as minhas próprias mãos! — disse e se deparou com Sophie, encolhida no canto do corredor, tremendo como um rato. Nicola correu até ela e a sacudiu com violência. — Você sabe onde ela está, não sabe? Você sabe tudo sobre ela! Estavam sempre cochichando pelos cantos da casa, nessa língua nojenta de vocês! Você sabe onde ela está e vai me dizer agora, ou arranco a sua língua, maldita! — gritou, puxando os cabelos de Sophie.

— *Je ne sais rien, monsieur Marquis*! Eu juro, não sei de nada, nada!

Nicola a atirou no chão e puxou-lhe com força os cabelos.

— Eu vou descobrir onde ela está! — vociferou, falando perto do rosto de Sophie e cobrindo-o da saliva que lhe escorria, descontrolada, da boca. — Vou vasculhar todos os cantos desta cidade e vou descobrir! E quando isso acontecer vou acabar com ela! Com ela e com você!

Sophie ficou caída no chão, a cabeça latejando, o corpo sacudindo no choro convulsivo. *Madame* estava perdida.

* * *

Vittoria, no entanto, experimentava uma sensação de todo oposta. Sentia-se em casa ali, entre aquelas pessoas gratuitamente afetuosas. Era como se, num passe de mágica, tivesse deixado todo o seu sofrimento para trás. Magia era, aliás, uma palavra bem adequada para descrever o encantamento que a envolvera quando entrou na carroça. Fora como mergulhar nas páginas de um conto de fadas — as roupas coloridas que cobriam as paredes; os espelhos, de tamanhos variados, enfeitados com fitas e flores de pano; a maquiagem brilhante que enchia potes sobre a bancada e que parecia capaz de produzir, num sopro, um feitiço qualquer; e as máscaras! Sim, as máscaras eram, sem dúvida, um capítulo à parte. Quanto mistério escondiam com seus olhos vazados e narizes estranhos. Estavam penduradas um pouco acima dos espelhos, num ordenamento que ela não conseguira decifrar. Recendia por toda a parte um cheiro de madeira e flor que dava àquele minúsculo espaço um aconchego de lar. Havia cuidado na simplicidade. Havia asseio e, em tudo, um esmero delicado. As pranchas nas quais dormiam eram como beliches estreitos que ocupavam mais da metade da carroça quando abertas. Mamma as cobria com colchas de retalhos que, mais tarde Vittoria soube, haviam sido feitas por ela mesma. O crochê, Mamma também fazia. Tentou ensinar a Francesca, mas ela não quis aprender. Já bastava o tricô que era obrigada a fazer se quisessem ter cobertas de dormir.

Próximo à porta de trás da carroça, Mamma improvisava sua cozinha. As caçarolas de ferro encaixavam-se umas nas outras no chão, embaixo de pequenas prateleiras em que canecas, pratos e copos de diferentes tamanhos e motivos também se organizavam em pilhas. Dois garfos, três facas e três colheres acomodavam-se no que parecia ter sido uma sopeira. Para impedir que tudo tombasse com o movimento da carroça, as prateleiras eram fechadas na frente e nas laterais por placas de madeira. Pendurados no teto, sobre esse arremedo de estante, estavam molhos de ervas secas que Mamma usava para preparar toda espécie de chá e que dispunha amarrados com fitas de seda, um para cada ingrisia.

— È *una strega*! — disse Francesca ante o encantamento de Vittoria com os ramos secos. — U*na vera* bruxa, Mamma! Dessas ervas faz remédio para nós, sabão para a roupa e para o banho e até perfume! C*redi*?

Vittoria acreditava. Não só pelos amarrados de ervas que acabavam por enfeitar a cozinha improvisada ou pelos vidros cheios de outras, trituradas, cujas etiquetas, em letra vacilante, evidenciavam um conhecimento quase atávico da terra e de seus benefícios; não apenas pelos vasinhos em que ela cultiva versões frescas, pendurados numa grade de ferro pelo lado de fora da carroça, mas porque ela própria, a Mamma, se encarregara de lhe apresentar tudo com ares de especialista.

— Aqui você tem *pungitopo* — disse, apontando para um dos vidros. — Bom para *un sacco de cose*! Hemorroida, frieira, até para fazer creme para proteger a pele do vento. E *può fare anche* incenso, porque o *pungitopo* traz vida longa, prosperidade! Então, é bom para queimar na casa.

— Não digo que é bruxa? — sussurrou Francesca, já esquecida de seu ciúme inicial, agora apreciando a companhia de uma dama da corte.

— Neste aqui tem *mortella*. Dessa se faz *profumo*, mas, além disso, uma tintura excelente para desinflamar o pulmão. Para a pele, serve para tudo: espinha, alergia, queimadura. Também é um tempero bom na cozinha, no peixe, nos assados. Não que se tenha disso por aqui. *Magari*! — riu e continuou: — Vincé usa a madeira da planta para fazer *piccoli* enfeite. Tem uns por aí, pela carroça. — Vittoria ia perguntar qualquer coisa, mas Mamma continuou, sem perceber. — Essa é *rosmarina*. Também chamam *rosmarino*. Representa a imortalidade. Tem até a história daquele... como é o nome, Dottore? Aquela história que você conta.

— Carlos Magno.

— Sì, *proprio questo*. Conta, Dottore.

Dottore suspirou contrariado, para então resumir tudo numa frase.

— Carlos Magno obrigava o povo a cultivar *rosmarina* nas hortas porque acreditava que ela guardasse *l'anima* da terra.

— Conta a lenda da Virgem Maria, Dottore! É tão bonita! — pediu Francesca. Ele ia negar, mas Vittoria fez um olhar de pedido e ele aquiesceu.

— É uma lenda da Andaluzia. A *Vergine Maria* e *Gesù bambino* esconderam-se num arbusto de *rosmarina* e a planta impediu que fossem capturados pelos soldados de Herodes. Como Maria colocou o próprio manto na planta, as flores dela, que eram brancas, ficaram azuis.

As mulheres suspiraram de ternura.

— Diz-se que ela faz o coração feliz. Se você puser as flores junto da pele, perto do coração, recebe felicidade. — continuou Mamma. — Dando de presente um ramo, se quer dizer...

— Sou feliz quando te vejo! — exclamaram todos juntos, e riram depois.

— São muitas histórias — concluiu Dottore.

— Mas é certo que reforça a memória. É bom *studiare* com um ramo *accanto*. Sempre dou um a Arrabal quando ele vai escrever. E, se você colocar as folhas no travesseiro, afasta os pesadelos. Os ramos também são usados para queimar na casa dos doentes, para purificar o ar.

— Onde você aprendeu tudo isso, Mamma? — perguntou Vittoria.

— Com a minha *mamma*, que aprendeu com a *mamma* dela, que por sua vez aprendeu com a dela *mamma*, e assim foi até a mulher mais antiga.

Iam saindo do compartimento quando Vittoria entreviu qualquer coisa por detrás da cortina improvisada que protegia as panelas.

— Desculpe, o que é?

— Ah, é o *grano del sepolcro*, não conhece?

— Sim. A senhora faz? Sempre quis saber como se fazia — entusiasmou-se Vittoria.

O "trigo do sepulcro" era mais uma tradição da Quinta-feira Santa. Nada mais era do que as sementes germinadas antes da data, de modo que no dia já tivessem florescido. Os jarros de trigo eram colocados sobre os túmulos das igrejas visitadas, representando a ressurreição. O efeito era o de um jardim, e era também esse o conceito de fecundidade, reminiscência dos cultos pagãos a Adônis, deus da fertilidade. O *grano del sepolcro* era uma espécie de releitura do Jardim de Adônis, deus jovem, belíssimo e cheio de vida, mas destinado a sucumbir ao calor do verão. Na Grécia antiga, era ma função religiosa. Encenava a morte de Adônis entre os lamentos e prantos das mulheres que haviam preparado o jardim como Mamma fazia agora.

— Precisa começar uns vinte *giorni* antes da Semana Santa para dar certo. Põe-se um punhado de sementes num pedaço de pano molhado e bem torcido e dobra-se o pano por cima delas. Daí se coloca numa bacia e se guarda no escuro. Depois de três ou quatro dias, se as sementes germinaram, pode-se retirá-las com cuidado e colocá-las num vaso sobre uma camada fina de terra. O vaso volta para o escuro para fazê-las crescer. São esses que você vê ali. Na Quinta-feira Santa, *ecco*, está lindo, cheio de fios finos de palha cor de grama.

— O meu está lindo! — exclamou Francesca, puxando a cortina.

Mamma deu-lhe um tapa na mão.

— Deixe no escuro! À noite pegamos.

— Por falar em trigo, vamos almoçar alguma coisa hoje? — perguntou Gigi.

— Sì, sopa de ervilha. *Dai*, Vincé, *sbrigati*! — disse Mamma, empurrando-o para fora. — Dottore, Gigi, *via*! Deixem a marquesa terminar de arrumar as coisas dela aí com as meninas.

Depois que eles saíram, Vittoria fechou a porta e tirou as anáguas.

— Ai, que alívio! — exclamou. — Ia ser difícil me mexer aqui dentro. Acho melhor não tirar tudo do baú, não vai ter lugar.

— Na verdade, melhor não tirar nada — disse Francesca. — Olhe as nossas roupas! — disse, apontando para os baús debaixo das camas. — Está certo que são poucas, mas ficam aqui.

Vittoria ia trancar o seu, mas então Francesca avistou na superfície dos guardados um vestido de seda azul, reluzente, de bordados delicados no espartilho.

— Espere, marquesa! Posso ver? — perguntou, apontando o vestido.

Vittoria consentiu, e Francesca, num puxão rápido, tirou o vestido do baú e rodopiou com ele colado ao corpo.

— Gostou?

— Gostei! É lindo, marquesa! Lindo! Todos os seus vestidos são lindos!

— Então fique com este para você!

— Verdade? — perguntou Francesca, arregalando os olhos.

— Claro, fique com ele para você. E este é para você, Caterina.

— Marquesa! — exclamou ela, percorrendo o vestido com a ponta dos dedos. — Obrigada!

— Ah, *signora* marquesa, nem sei o que dizer! — continuou Francesca.

— Pois não diga *signora* marquesa. Não me chamem mais de marquesa. Nem de senhora. A partir de agora, sou Vittoria, só Vittoria, nada mais.

Francesca fez que sim e tornou a olhar-se no espelho, o rosto iluminado de vaidade de moça. Caterina também apalpava o seu, tentando descobrir fitas e bordados, mas era outro o seu jeito de sorrir. Era um pouco de encanto de costureira, de gosto pela roupa bem-feita, fina, misturado a um quê de redenção, como se a vida lhe estivesse finalmente sendo justa.

— E a vista, Caterina? Melhor?

— Sim. Estou vendo uns clarões, marquesa, desde que costurei o figurino para a trupe! Por isso decidi vir.

Francesca fez cara de descrente, mas Vittoria sabia. Havia alguma coisa mágica naquele contato com Arlecchino. Alguma coisa que despertava, libertava, permitia. Não se passava por ele impunemente; não se permanecia, após o encontro, igual.

— Fez bem, *carina*, fez bem! — Voltando-se para a alegria esfuziante de Francesca, perguntou: — E você? Soube que está na trupe desde pequena.

— Sim, desde os doze anos. Arrabal me tirou da estrada. Eu pedia esmolas.

— Ah... e seus pais?

— Morreram os dois, da peste. Mas não gosto de lembrar.

— Os meus também — disse Vittoria, num tom triste.

Francesca ficou tão surpresa que deixou o vestido cair das mãos. Ajoelhou-se devagar na frente de Vittoria, cujo olhar de saudade atravessara a pequena janela da carroça para se perder no céu.

— Então a senhora sabe como dói?

Vittoria fez que sim e, tomando as mãos de Francesca, completou:

— Está vendo? Somos parecidas! A vida iguala a todos na dor. — Depois, respirou fundo e concluiu: — Mais uma razão para não me chamarem de senhora nem de marquesa. Se não vou ter de chamar você de *Signorina* Francesca e você de *Signorina* Caterina.

— E *io*, *Signore* Vincé! — gritou Vincé, que espiava pela janela.

— Ai, que susto! — exclamou Vittoria.

— Desculpe! Não quis assustar a *sign*... quer dizer, não quis assustar você!

— Vincé! — berrou Mamma, numa reprimenda.

— *Caspita*! — resmungou ele, fechando a janela novamente.

— Queria tanto ter visto a chegada da Guarda hoje. Sou louca para conhecer o capitão Giordano — disse Francesca.

— Dizem que ele é tão bonito! — emendou Caterina. — A senhora... Ai, meu Deus, vai ser difícil me acostumar, marquesa. Você conhece o capitão?

— Eu o vi uma vez num baile, cinco anos atrás, talvez. Mas não chegamos a ser apresentados.

— A senhora se casou muito cedo, não? — A voz de Vincé surgiu de novo, agora vinda da janela lateral.

Francesca e Caterina não contiveram o riso. Vincé se irritou.

— Desculpe, é que é *difficile* me acostumar! — frisou, olhando para as duas. — Nunca tivemos uma pessoa *così* tão importante aqui conosco.

— É... tão importante que está fazendo Vincé ser gentil!

— *Va, va*! *Stai zitta*! Calada!

— Ela está brincando, não é, Francesca? — Vittoria tentou contemporizar.

— Não, não estou, não! Ele mudou desde que você chegou. Em geral, grita e xinga o tempo todo, principalmente o Dottore, e eu não ouvi nem sequer um palavrão hoje! Por que será?

— Posso te xingar agora mesmo se quiser, mas talvez seja melhor perguntar se a *signora marchesa* conhece algum remédio para fazer uma *ragazza* de dezoito anos deixar de chupar o dedo para dormir — rebateu Vincé.

O rosto branco de Francesca ficou instantaneamente vermelho na frase. Ela arregalou os olhos, embaçados de lágrimas, sem saber o que fazer. Então, gritou:

— Eu odeio você! Odeio! — e saiu da carroça aos prantos.

— Vincé, por que fez isso? — perguntou Caterina e, tateando, saiu atrás da amiga, não sem antes tropeçar em uma ou duas coisas no caminho. — Francesca, espere!

— Cuidado, Caterina! — disse Vittoria, auxiliando-a até a saída.

— Desculpe! — pediu Vincé, envergonhado. — Mas *questa ragazza* me chateia o tempo todo! Ela e o Dottore. Como ele está quieto hoje, ela decidiu tomar o lugar dele e me apoquentar!

Vittoria olhou para ele com um sorriso doce de condescendência.

— Vocês são todos muito interessantes! — e prosseguiu, após uma pausa: — Como você veio parar aqui na trupe, Vincé?

— Foi tudo culpa de Arrabal! — iniciou, sorrindo.

— Culpa? — Vittoria riu.

— É. Eu era oleiro, mas tinha o vício da bebida. Estava na sarjeta, minha família já havia me abandonado.

A frase pôs as cenas novamente diante de seus olhos: era uma tarde de inverno. Vincé estava sentado, na calçada da praça, em frente ao torno, tentando fazer um vaso. Estava sujo, fraco, desnutrido. Tentava manter a concentração, mas a cabeça rodava e sobrevinha aquela onda de náusea que o fazia vomitar. As mãos tremiam, desperdiçando a cerâmica, que escorria pelo chão.

— De repente, ele apareceu na minha frente, sorrindo, vestido de Arlecchino, com essa máscara que ele não tira da cara! Era tão bonito, tão colorido, que pensei que estava tendo mais uma alucinação. Esfreguei os olhos e, quando os abri, ele havia sumido. Achei que já estava ficando maluco! — Riu, mergulhando de novo no passado da cena.

Vincé bebeu mais um gole, na tentativa de fazer com que as mãos parassem de tremer para poder trabalhar, mas foi em vão. O barro escorria pelo torno, e as mãos tremiam ainda mais, na mesma intensidade do desespero de contê-las, até que outras mãos se sobrepuseram a elas e fizeram com que sossegassem. Era de novo o Arlecchino que lhe sorria, como um anjo penalizado por sua agonia.

— Ele tentou me convencer a consertar a máscara para ele. Eu recusei, mas a *signora* o conhece. Ele me olhou, com aquela cara de súplica, e me disse que eu era o único que poderia ajudá-lo. Fazia muito tempo que ninguém precisava de mim para nada. Ele me convenceu de que, se parasse de beber naquela hora, tremeria menos e conseguiria consertar a máscara antes da apresentação começar, à noite.

— E você? Parou de beber?

— Parei. Parei naquela hora e, à tarde, mesmo ainda tonto e trêmulo, tinha conseguido arrumar a tal máscara para ele.

Vincé se viu novamente caminhando para a carroça naquela tarde de outono, sem saber que logo aquela seria sua casa. Estava iluminada e, vista de longe contra o escuro da noite, parecia-lhe um brinquedo. Ele chegou, entregou a máscara e, enquanto guardava as moedas no bolso, preparando-se para sair, Arrabal perguntou:

— Espere, Vincé! Posso lhe chamar assim, não? *Guarda*, estou precisando de alguém para interpretar Pantaleone. O ator que o interpreta está doente. Então, pensei que talvez você pudesse entrar no lugar dele.

— *Io*? *Per nulla al mondo*! *Per l'amore di Dio*! Sou oleiro, não sou ator! — falei.

— E você foi embora?

— *Certo che no*! E alguém consegue não fazer o que ele pede? Quando dei por mim, estava lá no palco com Gigi. Não tinha ator doente coisa nenhuma. Nunca mais pus uma gota de álcool na boca desde aquele dia. Em compensação, não posso passar nem um dia mais sem representar meu Pantaleone.

— É uma bela história, Vincé! — disse Vittoria, e depois, olhando para Dottore, que remexia as cinzas da fogueira com um graveto, perguntou: — E ele? Parece tão triste!

— Ele não é triste coisa nenhuma! É insuportável, isso, sim! É pretensioso, gosta de falar *difficile* só porque sabe que a gente não entende nada do que ele diz.

— Deve ser por causa da personagem que ele interpreta, o Dottore.

— Ele não interpreta o Dottore; interpreta o capitão Matamoros. É Dottore porque é médico de verdade. Mas não me pergunte a história da vida dele, porque não sei nada sobre isso. Ninguém sabe, a não ser Arrabal, e ele não conta.

— A sopa está pronta! — anunciou Mamma, batendo a colher de pau no caldeirão de ferro fumegante. — Vincé, traga as cumbucas!

Logo estavam em torno do fogo, Mamma servindo um a um. Vittoria segurou o pote entre as mãos, constrangida em perguntar pela colher. Logo, o sorver barulhento do grupo a fez entender como proceder.

— Ah! — gritou Mamma, assustando novamente Vittoria, ainda não acostumada aos seus decibéis. — Ainda tem pão de ontem! Peguei bastante na cantina! — disse, levantando-se e voltando em seguida com três bisnagas no avental.

Rapidamente as dividiu entre todos. O gesto e talvez a proximidade da Páscoa fizeram Vittoria pensar na Santa Ceia. Era a primeira vez, desde que perdera os pais, que Vittoria conversava durante uma refeição. Nicola costumava enfiar o rosto no prato e comer em silêncio. O único som da sala era uma espécie de grunhido que ele emitia enquanto devorava um pedaço de assado qualquer entre as mãos. Ali podia falar. Por isso, sentia-se à vontade embora da balbúrdia daquela refeição sem regras de etiqueta, onde a única caneca de vinho circulava de boca em boca, selando uma espécie de pacto familiar.

Depois da sopa, o chá de Mamma, quente e perfumado, disfarçava o muito que ainda sobrara de fome no estômago e servia como sobremesa. Sorveram-no vagarosos, e uma preguiça morna, como a de quem tivesse degustado um banquete, sobreveio. Ficaram quietos, embalados pelo vento que varria as folhas secas do chão naquele torpor de início de tarde, até que Mamma se levantou de um salto.

— *Andiamo*! Temos que arrumar *tutto* para sair na hora para a procissão! Cesca e Caterina, se quiserem dormir um pouco, melhor agora.

Vincé levantou-se, resmungando, e foi até o rio lavar o rosto.

— E a louça, Mamma? — perguntou Francesca, bocejando.

— Eu lavo — respondeu Mamma.

— E eu ajudo você, Mamma — prontificou-se Vittoria.

Mamma surpreendeu-se, mas gostou do gesto de boa vontade da marquesa, embora tenha sido uma luta para Vittoria conseguir fazer qualquer coisa. Mal começara a empilhar as cumbucas para levá-las para perto do rio, Mamma apressou-se, encaixando-as umas nas outras.

— Deixe, marquesa, eu levo isso.

— Então, vou pegar o sabão.

— Não! Quer dizer, não precisa. Eu pego porque vou mais rápido.

— Então me dê as cumbucas que as levo para a beira do rio.

Mamma viu-se sem saída ou desculpa e teve de entregar, reticente, a pilha de louças nas mãos de Vittoria. Estava acostumada a cuidar deles, a servir-lhes as parcas refeições. Depois lavava a louça e arrumava tudo com esmero em seu arremedo de cozinha. Era sua tarefa! Não queria mãos estranhas nela! Mas então Vittoria, vendo que as roupas estavam secas no varal, tomou a cesta e aproximou-se para retirá-las. A visão da marquesa desfilando sua majestade pela beira do rio, os cabelos desalinhados presos à nuca, o vestido fino, murcho de anáguas, o rosto delicado e pacificado pela tarefa corriqueira, fizeram com que se envergonhasse de sua vaidade.

— Eu tiro do varal, você dobra e põe na cesta — disse Mamma.

Vittoria aproveitou o momento de tranquilidade para saber mais sobre a matriarca do grupo. Como chegara à trupe? A resposta? Arrabal, sempre ele, seduzindo a todos pelo teatro. Mas Mamma dissera ter uma filha. Vittoria não pôde deixar de pensar que talvez não tivesse tido coragem de abandonar o marquês se houvesse um filho de quem cuidar.

— Eu os deixei chorando muito! — iniciou Mamma, na versão que desejava tivesse sido a real da história. — Você precisava ver! Minha filha, então, *poverina*, não se conformava. Gritava feito louca, agarrada nos meus tornozelos: "Mamma, você não pode ir!". "Nós não podemos viver sem você, Mamma, *carina*!" — interpretava. — Tudo isso agarrada na minha perna. Tive de arrastar a menina por quilômetros assim, até ela aceitar e me deixar ir. Muito apegada a mim, *una cosa terribile*!

— E você acha que valeu a pena?

— Claro! Nunca na vida tinha sido tão feliz como na primeira vez em que pisei num palco! — disse Mamma, os olhos parando em algum ponto do passado que virara presente na imaginação. — Quando entrei em cena naquela tarde, parecia que meu coração ia saltar pela boca! Pensei: meu Deus, sou louca! O que estou fazendo aqui? Sou uma dona de casa! Foi isso que fui a vida toda! Não vou conseguir dizer uma palavra! Mas aí Arrabal deu a deixa e alguma coisa mágica aconteceu. Não sei se me entende, mas quando você diz sua fala, a personagem toma conta de você. E se o público ri ou se emociona com sua cena você enlouquece! É um vaivém de sentimentos fortes que...

A visão de uma carruagem que se aproximava interrompeu a conversa.

— Meu Deus! Meu marido! — exclamou Vittoria, deixando cair as roupas limpas no chão.

— Corra! Entre por trás da carroça e fique lá! Não saia de jeito nenhum! — disse Mamma, caminhando na direção de Dottore.

Vincé e Gigi também se prepararam quando viram o coche se aproximar.

— Quem será? — perguntou Mamma.

— Parece gente da corte! — respondeu Gigi.

— Sinto cheiro de encrenca! — sussurrou Dottore, indo ao encontro da carruagem.

— O que aconteceu? — perguntou Francesca, acordando e se deparando com Vittoria ajoelhada no chão da carroça.

— Uma carruagem chegou. Se for meu marido, estou perdida!

— Não há de ser! — exclamou Caterina, já acordada também.

— Vamos espiar pela fresta da janela! — disse Cesca, e as três se ajoelharam, quase abraçadas, tentando avistar o que acontecia do lado de fora.

Dottore falava com o homem a média distância deles. Não conseguiam ouvir uma palavra do que diziam, e isso impacientava Vincé.

— Esse energúmeno não podia falar mais perto de nós?

— Calma, Vincé, *per favore*, briga agora não! — ralhou Mamma.

O homem despediu-se de Dottore, que caminhou em direção a eles.

— E então? O que ele queria? — perguntou Mamma, ansiosa, depois que o coche se afastou.

— Ele estava procurando Vittoria? — perguntou Cesca, abrindo a janela com força.

— Fala, Dottore! — impacientou-se Caterina.

— Não — respondeu Dottore, após longo suspiro.

— O que ele queria, então? — perguntou Mamma.

— Fala, *caspita*! — gritou Vincé.

— Ele veio nos oferecer... — e prosseguiu num sorriso, depois de uma pausa teatral — ... trabalho! Temos trabalho para segunda-feira à noite!

Vittoria não compreendeu bem a euforia geral, mas participou dela batendo palmas.

— Ele veio a mando de um certo duque di Medinacelli, que dará uma recepção de boas-vindas, na segunda-feira, para o tal capitão Giordano.

— *Madonna Mia*! *Capitano* Giordano Romanelli? Vou conhecer Giordano Romanelli? — gritou Francesca.

— Parece que sim — disse Dottore e, voltando-se para o grupo, continuou: — Não é esplêndido?

— Amo representar em palácios! — disse Francesca, girando nos calcanhares.

Mamma enregelou na frase. Estava tudo perdido, irremediavelmente perdido. Quando todos vissem Giordano, a semelhança denunciaria Arrabal. E ao pensamento, seus grandes olhos se esbugalharam ainda mais. Precisava impedir que aquilo acontecesse! Precisava proteger Arrabal!

— Pois eu detesto! Detesto representar em palácios! — rebateu.

— Por quê, Mamma? — perguntou Caterina, sem compreender.

— Uma gente esnobe, que ri fora de hora, que olha para nós com medo, como se fôssemos um bando de ladrões e prostitutas! É isso que eles pensam que somos!

— Ah, Mamma, *per amore di Dio*! — retorquiu Francesca.

— Mas Arrabal não está aqui! — preocupou-se Gigi. — Quem vai fazer o Arlecchino?

— Estamos em Nápoles, *porca miseria*! Esta é a cidade de Pulcinella! É só aumentar a parte de Pulcinella e pronto! — resolveu Vincé.

— Imagine! Eles vão sentir falta de Arrabal e do Arlecchino! — atalhou Francesca.

— Especialmente depois do poema — acresceu Gigi.

— Que poema? — perguntou Vittoria.

— Um belo poema que ele recitou a uma moça na plateia, durante a apresentação de ontem — explicou Caterina, inocente. — Não se falava noutra coisa na praça quando a apresentação terminou. Foi lindíssimo!

— Também não exagere, Caterina! — reclamou Francesca.

Vittoria suspirou, desapontada.

— Você disse ao mensageiro que Arrabal não está na cidade? — perguntou Mamma.

— Claro que não! — respondeu Dottore, enfático.

— E por que não? — perguntou Vincé.

— Adivinha, inteligência — debochou Dottore, em resposta a Vincé. — Porque quero *almeno* jantar na segunda-feira! Claro! Eram capazes de desistir se soubessem.

Sobreveio o silêncio das ideias em desordem, cada qual buscando organizar as suas para ajuizar a questão. E, como se tivessem combinado, começaram, a um só tempo, a falar:

— Tive uma ideia! — Vittoria tentou falar e, como ninguém lhe ouvisse, insistiu: — Um instante... um instante só! Tive uma ideia!

Continuou tentando mais algumas vezes, até que Dottore gritou:

— Silêncio! A marquesa quer falar, vocês não estão vendo?

Vittoria achou graça. Era muito curiosa a forma que utilizavam para atrair a atenção.

— Pois fale, marquesa. Quer dizer, Vittoria — tentou Mamma.

— E se eu representasse Arlecchino?

— O quê?! — berraram em uníssono.

— O que tem de tão absurdo? Mamma é Pulcinella, não é? Por que não posso ser Arlecchino por uma noite?

— *Mamma mia*! — murmurou Mamma.

— Acho que é uma ótima ideia! — opinou Caterina.

— A senhora já fez teatro alguma vez? — perguntou Vincé.

— Não, nunca! Da mesma forma que nenhum de vocês fizera até conhecer Arrabal.

— Não é assim tão simples. Trabalhamos juntos há muito tempo, nos entendemos apenas pelo olhar. Você vai se atrapalhar e nos atrapalhar também! — desaprovou Francesca, e concluiu: — Além do mais, Arrabal é insubstituível!

— Não quero substituí-lo. Só quero ter a chance de subir no palco — argumentou Vittoria, e prosseguiu, após uma pausa triste: — Depois, essa é a única forma de poder acompanhar vocês sem ser reconhecida. E você não precisa me dizer que Arrabal é insubstituível, Francesca. Sei disso melhor que ninguém!

Trocaram um olhar de enfrentamento tácito que Vittoria logo desfez. Sentiu-se subitamente ridícula por medir forças com uma menina. Balançou a cabeça, materializando o pensamento. O que uma paixão podia fazer?, pensou, um tanto assustada.

— Melhor deixar essa estreia para o futuro, marquesa. Quanto a nós, o que temos a fazer é desistir dessa apresentação — concluiu Mamma, reacendendo o burburinho.

— O que está acontecendo com você? Você nunca foi medrosa! — indagou Dottore. — Se Arrabal estivesse aqui, o que acha que ele diria?

— Se alguma coisa sair errada, ainda teremos nossas pernas para correr! — repetiram todos juntos, rindo em seguida.

— Exato! Se alguma coisa sair errada, ainda teremos nossas pernas para correr! Por isso, vamos ensaiar! — gritou Dottore, e todos o aplaudiram. — *Non sarà facile, Vittoria!* — Dottore continuou, olhando para ela. — Há todo um trabalho de corpo e voz para representar Arlecchino. Arrabal faz isso há anos. São posições difíceis, que exigem flexibilidade etc. E há ainda a voz que ele criou para a máscara. Vamos ter de ensaiar uma ou duas poses e um jeito de andar ao menos parecido. Já a voz...

— Diminuímos as falas! — sugeriu Gigi. — Com menos falas, podemos disfarçar melhor!

— É, é uma boa ideia — disse Dottore, e prosseguiu para o grupo: — Parvos como os nobres são, na maioria. Eles nem vão perceber! Então, vamos ensaiar!

— Vou consertar as roupas! — gritou Caterina, e saiu tateando para a carroça, diante do olhar de pânico de todos.

* * *

O dia passou depressa. A tarde começou a perder sua luz para o brilho da noite, quando todos se preparavam para o *Struscio*. Foi quando Mamma se deparou com Dottore sozinho, diante da pequena fogueira, remexendo com um graveto as brasas que se esforçavam para apagar.

— Que mulher, hein? *Mamma mia*! — iniciou ela, assustando-o. — Ela realmente impressionou você.

— De que diabos você está falando?

— Não finja que não sabe! Olhe para você! Não consegue nem disfarçar! Desde que essa marquesa chegou aqui esta manhã, você está assim, distante, pensativo.

Dottore ia argumentar, quando de repente percebeu. Um sorriso se lhe abriu no rosto. Desejara tanto e por tanto tempo aquela confirmação, e agora ela estava ali, diante de seus olhos.

— *Dio Santo*! Você reparou! Você prestou atenção em mim! — exultou, num tom de ironia cômica.

— Claro! Vivemos juntos, é impossível não notar!

— Confesse! Você está com ciúme de mim!

— Ciúme, eu? Está louco!

— Está, sim, Mamma! Está, sim! Você está com ciúme de mim! Você me ama! — gritou.

— Psiu! Fale baixo! Quer que *tutto il mondo* escute essa besteira?

— É *un miracolo*! *Un miracolo da San Gennaro*! E *io* que não punha fé nele, hã?

— *Va! Va! Smetti di bestemmiare*!

Mas então, antes que Mamma pudesse fugir, Dottore ajoelhou-se a seus pés, tomou-lhe as mãos e disse, num tom intenso:

— *Fala de novo, anjo brilhante, que surges assim glorioso na noite, acima da minha cabeça, como um alado mensageiro dos céus, obrigando a nós mortais e recuar maravilhados para fitar-te, ultrapassando o passo preguiçoso das nuvens e navegando sobre o seio do ar*!

E, como Mamma olhasse para ele esperando a tradicional explicação, adicionou:

— *Romeu e Julieta, carina*. Ato II, Cena II.

Mamma riu e empurrou a mão dele para longe. Ele caiu sentado, rindo também, mas depois de um breve silêncio disse:

— Ela me lembra alguém que perdi. Alguém a quem muito amei, sim, mas não foi uma amante. Um dia conto a você — suspirou, olhou para ela e prosseguiu: — Nunca me apaixonei, Mamma. Creia! Se isso acontecesse um dia, seria por você!

Ela ruborizou, enrodilhou os dedos no avental, sem poder encará-lo, e num impulso bateu forte com a colher de pau no caldeirão, sobre a fogueira.

— *La zuppa*! Venham tomar a sopa que temos de ir para a cidade!

Dottore não tinha mais dúvidas. Suspirou e sorriu.

❋ ❋ ❋

Era o primeiro ano, desde que viera para Nápoles, que Vittoria não ia ao *Struscio*. Uma pena, mas não podia arriscar ser vista. Àquela altura, Nicola na certa espalhara homens por toda parte, dispostos a encontrá-la. Ficara com Dottore, que resmungava sem parar, reclamando dos festejos da semana.

— Por causa dessas carolices não podemos trabalhar esta semana! Não vamos comer nada até segunda?! Não sei como vai ser!

— Comemos hoje, não comemos? — indignou-se Mamma.

— Se você chama isso de comer... eu não aguento mais ver folhas na minha frente. Qualquer *giorno* vou acordar virado num camaleão! — reclamou.

— Sossegue, Dottore, tenho algum dinheiro que trouxe. É pouco, mas dá para alguns dias de refeição — consolou Vittoria.

❋ ❋ ❋

Giordano também não fora para a cidade. Carlo di Borbone seguia, no palácio real, a tradição antiga do lava-pés, como Jesus fizera aos apóstolos. Assim, na Quinta-feira Santa, o rei Carlo e a rainha Maria Amália lavavam, em duas salas diferentes do castelo, os pés de doze velhinhos e doze monjas, respectivamente.

A nobreza napolitana comparecia ao festejo em trajes cerimoniais: vestidos de veludo preto com cauda e véu para as mulheres e trajes e uniformes escuros e devidas condecorações para os homens. O pregador quaresmal proferia o sermão na Sala do Trono, encerrando a cerimônia assistida por todo o restante da corte.

Giordano apreciava a tradição do lava-pés porque era um dos poucos eventos a que Carlo, seu pai, consentia em levar Gioconda. Ela gostava da prédica, dos cantos — parecia embalada num êxtase divino. Mais que tudo, adorava poder estar de braços dados com o filho, e talvez por isso se mantivesse calma e sorridente todo o tempo.

A Via Toledo estava apinhada de gente bonita e elegante. A trupe, com suas melhores roupas, caminhava de braços dados em meio à multidão. O *Giovedì Santo* era uma celebração democrática. Todos, jovens e velhos, pobres e abastados, caminhavam no passo lento que levava às igrejas.

— Passamos primeiro na Basilica dello Spirito Santo — determinou Mamma. — Depois vamos na Chiesa di San Nicola alla Carità e...

— ... na Chiesa di Santa Maria delle Grazie — completou Vincé. — Sabemos *già* de cor, Mamma! Você disse isso *oggi un sacco di volte*.

Francesca, Gigi e Vincé traziam seus vasos com o *grano del sepulcro* nas mãos. Mamma trazia o dela e o de Arrabal. Ele germinara os grãos, que era o que gostava de fazer, e Mamma encarregava-se do restante.

Caterina perguntou qualquer coisa, mas Francesca não ouviu. Deixava-se levar no entrelaçar dos braços, o olhar rodopiando pela cidade iluminada de tochas e velas, percorrendo os vestidos e seus bordados, os broches e o penteado das moças, respirando o misto de perfumes que subia o ar.

O tenente Pietro seguia com os pais, um pouco mais à frente, porém foi apenas quando depositavam os *granos* no sepulcro da Chiesa di Santa Maria delle Grazie que seus olhos e os de Francesca se cruzaram. Foi depois de quase tocarem as mãos, tentando acomodar seus vasos entre tantos.

Francesca sentiu um arrepio. Não, não foi bem isso, avaliara depois, contando a Caterina. Fora uma espécie de tremor que provocara uma vontade incontrolável de rir. Pietro riu também e corou depois.

— *Scusi*! — pediu ele.

— *Per niente*! — respondeu Cesca, sem conseguir conter o riso nervoso.

Era linda, ele pensou. U*na principessa*.

Era belo, ela pensou. Nunca vira cabelos assim tão negros, lisos e brilhantes. E os olhos, então? Azuis como os de Arrabal. Estava de farda — era oficial. Quis contar a patente, mas não era muito rápida na tarefa e não conseguira terminar antes que Vincé a puxasse pelo braço e mergulhasse com ela no burburinho da igreja. Pietro tentou segui-la, mas num piscar de olhos já a havia perdido em meio à multidão que se aglomerava perto do altar.

❁ ❁ ❁

Francesca e os companheiros foram dormir cedo na Sexta-feira Santa. Mamma só permitiu que ensaiassem no Sábado de Aleluia a partir do meio-dia, respeitando a tradição. E assim fizeram por toda a tarde, até o anoitecer. Vittoria esforçara-se ao máximo e, para quem pouco conhecia a *commedia*, saíra-se um Arlecchino bem razoável, como Vincé observou.

Jantaram leite quente, pão e *formaggio* que Vittoria comprara com seus tostões e que, para eles, era mais que um banquete. Gigi a olhava com pena enquanto ela se ajeitava com humilde disposição no que seria sua cama. Como ela iria dormir naquele frio em cima da carroça? Vincé oferecera seu leito. Ela recusara, e agora Gigi imaginava como fazê-la mudar de ideia.

— A senhora devia ter aceitado. É frio aqui. Tem o sereno e é duro para dormir também. Se quiser, posso falar com Vincé! Ele troca de lugar na hora com a senhora.

— Não, obrigada, Gigi. Sabe o que quero mesmo?

— O quê?

— Que pare de me chamar de senhora.

Gigi riu.

— Desculpe. É difícil me acostumar.

— Eu sei. Onde se dorme quando chove? — perguntou ela, puxando a coberta para cima do pescoço.

— Dentro da carroça.

— Como? — Vittoria perguntou, pensando no espaço exíguo.

— A gente se aperta, e todos acabam por caber. Estamos acostumados.

E como ao ouvir a própria frase Gigi tenha franzido o cenho numa preocupação, ela acrescentou:

— Também vou me acostumar! — Fez-se um silêncio constrangedor, que Vittoria afortunadamente logo rompeu. — Então, você ia ser padre?

Gigi arregalou os olhos. Não esperava que ela já soubesse e limitou-se a assentir com a cabeça.

— Aí conheceu Arrabal e desistiu?

— Não. Eu é que fui atrás dele — iniciou, tímido. Aquele era de fato um assunto do qual não gostava de falar. — Eu era noviço no Convento de Sant'Eframo Vecchio. — E como imaginasse que Vittoria se perguntasse por quê, explicou: — Ninguém me forçou, não! *Nessun*! Eu queria ser como Francisco de Assis. Enquanto meus irmãos e outros da minha idade sonhavam em ser heróis de guerra, eu queria ser igual a ele. Ter aquela liberdade! Não precisar de nada material para viver, ter a natureza como lar, aquela bondade no coração.

Os olhos negros de Gigi escaparam para aquele tempo de Natal, em que tudo ao redor se tornava branco e frio, e ele pôde mesmo sentir o cheiro de musgo que exalava dos encontros de pedra da construção antiga lhe adentrar as narinas. Vittoria percebeu que sorria de uma lembrança qualquer e esperou que voltasse por vontade própria à conversa ou a encerrasse de vez.

— *Fra* Giarolamo, que era meu superior, fazia representar todo ano, no Natal, a *Cantata dei Pastori*, lá no mosteiro — prosseguiu.

A cantata, ópera pastoral com contornos de ópera bufa, tinha como enredo a viagem de Maria e José a Belém e as armadilhas que o demônio Belfegor lhes preparava no percurso para impedir o nascimento de Jesus, até ser, por fim, derrotado pelo arcanjo Gabriel. Contudo, entre os pastores tradicionais do presépio a cantata incluía gente do povo, como Cidonio, o caçador, e Ruscellino, o pescador, além de Razzullo, um escrivão, dono de um apetite ancestral, chamado a Belém para colaborar no recenseamento. A comicidade da personagem tinha a função de atrair as massas populares e lhes transmitir a mensagem cristã.

— O *Fra* sempre chamava uma companhia de teatro para fazer a encenação, e nós fazíamos o coro dos anjos. Naquele ano, chamou Arrabal, que passara com a trupe pela cidade no verão anterior. Ele, é claro, não podia passar sem inventar alguma coisa e atormentou o *Fra* com a ideia de colocar mais um *personaggio* na ópera, o Sarchiapone.

— Sarchiapone? — perguntou Vittoria, intrigada — Mas não é o barbeiro anão e homicida?

— Esse mesmo. Foi por causa do Mezzo Pollice. — e como Vittoria não compreendesse, explicou: — Mezzo era um anão que trabalhava fazendo pequenos consertos de toda sorte. Quando soube que a companhia ia apresentar a cantata, implorou a Arrabal que o deixasse fazer um papel. Mas, quando Arrabal sugeriu que o anão fizesse o anjo, *Fra* não permitiu. Achou mais adequado que ele fizesse o demônio Belfegor. Arrabal se indignou, como você pode imaginar, e foi aí que teve a ideia, que só podia mesmo lhe ter saído da cabeça. Trouxe a máscara do Sarchiapone para a Natividade. Ele continuava sendo o barbeiro assassino e, por ter matado duas pessoas, fugira para Belém.

Vittoria deu uma risada gorda e jogou a cabeça para trás. Gigi sentiu um arrepio de felicidade ante a visão de sua boca entreaberta e do pescoço branco e longilíneo.

— E o frade? Permitiu? — perguntou ela, na frase ainda entrecortada pelo riso.

— Sim, permitiu. Precisava da cantata. Não teria, àquela altura, outra companhia para contratar, e Arrabal sabia como persuadir um cristão. Citou o Evangelho, lembrou que Jesus tratava como iguais todas as criaturas e como golpe de misericórdia argumentou a euforia que provocaria na cidade quando o povo soubesse da presença da máscara popular.

Mas a verdadeira razão para aquela invencionice era, de fato, mais profunda. Arrabal achara dramaticamente bela a ideia de introduzir aquele aspecto dionisíaco da vida na pureza da cena santa. Sarchiapone, carregando suas deformidades e pecados, caminhava por instinto em direção ao que era Bom. Era movido por essa força, às vezes, cruel, às vezes, criativa, às vezes, cômica. Não tinha visto a estrela, nem conhecia os personagens principais. Fugia de seus delitos seguindo um impulso desconhecido da razão. Apesar deles, faria parte da Natividade, seria aceito na cena, desmitificando e ao mesmo tempo, revelando a Divindade em toda a sua pujança. Como se a face apolínea de Deus, a da clareza, da nitidez, da pacificação, reconhecesse e abençoasse a sua mortal e necessária descendência.

— Os atores ensaiavam no pátio do convento, e eu e Cimbelino, que também era noviço, ficávamos escondidos olhando, até o *Fra* aparecer e nos arrastar pelas orelhas para as lidas que tínhamos deixado para trás. Eu já ouvira falar de Arrabal, claro! O poeta Arrabal e sua *Compagnia di Teatro I Trovatori Del*

Re. Quem não ouvira? Mas agora eles estavam ali, na minha frente. E eles eram tão diferentes de nós! Barulhentos, cheios daquela liberdade toda de não pensar no amanhã! Não pareciam gente do dia a dia, que faz coisas banais de ser humano. Eu olhava para eles e tinha a sensação de que eram encantados! — Vittoria sorriu, e Gigi também. Sentia-se já à vontade com ela; já lhe voltara o calor das mãos e já conseguia olhá-la nos olhos sem perder o raciocínio. Vittoria enrolou-se mais na coberta e continuou atenta à narrativa. — Uma noite, fazia um frio tremendo, a neve estava alta, a carroça atolou, o *Fra* ficou com pena deles e os deixou dormir no convento. Pôs Mamma e Francesca no andar de cima e os homens no dormitório conosco.

❋ ❋ ❋

Gigi lembrava-se bem daquela noite que mudara para sempre sua vida. Sua cama era a última do dormitório, e isso lhe trazia inúmeras desvantagens. O quarto terminava em L, e não havia nada além de paredes e muito frio ou um calor insuportável na estação inversa. Ele era sempre o último a chegar à mesa do café da manhã, o leite já lhe vinha meio frio para a caneca e não podia escapar à noite sem ser visto, como faziam muitas vezes os outros noviços. Porém, seu posto no dormitório lhe conferia uma vantagem singular, que compensava todas as agruras: privacidade. Todas as noites, mesmo que exausto pela lida do dia, Gigi esperava que os outros dormissem, acendia uma vela já muito chorosa e pequena no castiçal de ferro, cobria a cabeça e sua luz com o cobertor e... compunha. Sim, as partituras ficavam escondidas sob o colchão, protegidas de olhares curiosos, já que era ele mesmo quem fazia sua cama. Naquela noite, não fora diferente. Mal se certificou de que todos dormiam, fez o ritual e, tamborilando os dedos sobre o soalho como num cravo imaginário, escrevia compulsivamente, até que os pés de alguém, parados a seu lado, o tiraram do transe. Era Arrabal. Quis apagar a vela, tentou empurrar as partituras para debaixo da cama, mas Arrabal o impediu.

— *Calmati*! — disse, sentando-se ao lado de Gigi. — Está tudo bem. — Tomando as partituras nas mãos, iniciou a conversa sussurrada. — Você compõe?

— Tento qualquer coisa. Mas o *Fra* não pode saber, hã! *Per l'amore di Dio*, que ele *m'ammazza*!

— Te mata por quê?

— Não é música religiosa, é profana. É *una* ópera!

— Ah, que beleza! Mas a música é coisa de Deus! O *Fra* não sabe?

— Sabe. Quer dizer, não sei. Acho que para ele só a música sacra é de Deus, o resto é perversão. Ele não gosta. Além do mais, não posso compor nada. Tenho de me concentrar nos estudos e nos trabalhos se quiser ser ordenado.

— E você quer?

A reação na resposta foi desproporcional à pergunta.

— *Ma* é claro que quero! Que pergunta! *Se io sono qui*, é o que quero, não é?

— Se você está dizendo... — respondeu Arrabal, sem se ressentir pela rispidez. — Mas e a música? Como vai fazer?

— Como, o que eu vou fazer?

— Pelo que vejo você quer muito a música também, senão, não estaria aqui, a essa altura da madrugada, compondo. Parece que você não ia conseguir dormir se não fizesse isso.

— E não ia mesmo! As ideias ficam aqui, cutucando minha cabeça — disse, fincando o indicador na têmpora. — Ao mesmo tempo, não consigo ir em frente. Tem qualquer coisa que atrapalha. É como se a ideia boa, completa, não conseguisse sair de mim.

E domo se Arrabal tivesse perguntado, Gigi começou a enunciar, mais para si próprio, os motivos de sua escolha.

— Eu quero servir a Deus, quero amar ao próximo. Gosto de viver com simplicidade porque quando não se precisa de nada, ou de muito pouco, para viver, você é livre. Quando estudamos Sócrates, na Filosofia, foi das coisas que mais me impressionou, o Passeio Socrático. Francisco de Assis sempre foi o meu modelo, tudo o que eu queria ser.

— E você acha que só pode servir a Deus, amar o próximo e viver com simplicidade se for ordenado?

— Claro! O mundo tem muitos apelos, muitas coisas para nos distrair, encantar. *Qui* estamos protegidos! Você não entende porque não acredita em Deus!

— Quem disse?

— Acredita?

— Claro que sim! Só que num Deus diferente do seu. O meu Deus é a natureza, a inteligência que há nela, o ar que respiro, meu corpo, meu espírito, as ideias que me fazem criar, o amor que dou e que recebo. É um Deus amoroso o meu, pacificador. Ele não me faz sentir culpado nem escolher entre duas coisas que amo. Ele me diz que posso ter as duas. — Gigi ficou envergonhado. Era como se ele devesse ensinar todas aquelas coisas. De repente, sentira-se despreparado para o caminho que escolhera. Arrabal percebeu e completou, em seu socorro.

— Muita gente pensa como você. Meu irmão, por exemplo, também é assim. Confunde as regras dos homens com a ordem do Universo. Obedece as regras, pensando que assim é fiel à lei. Ele não é feliz, Gigi!

— E você é? — Gigi perguntou de supetão.

Alguém no quarto se remexeu, e Gigi, instintivamente, apagou a vela. A pergunta ficara sem resposta, mas Arrabal ainda sussurrou, antes de voltar para sua cama.

— Pode ser que as regras dos homens te obriguem a escolher.

— E o que eu faço, então? — perguntou Gigi, em aflição.

— Só você pode saber. Mas estou certo de uma coisa: você sempre estará onde estiver seu coração.

❊ ❊ ❊

— Fiquei só mais uma semana no seminário depois que eles partiram — disse Gigi a Vittoria. — Alcancei a trupe em Capodimonte. O *Fra* me amaldiçoou, eu soube, mas nunca mais voltei lá.

— Quantos anos você tinha?

— Vinte e quatro. Cheguei aqui logo depois de Francesca e Dottore.

— E a ópera?

— Ainda não consegui compô-la. — Temendo o desenrolar da conversa, Gigi interrompeu: — Vamos tentar dormir agora, marquesa. Temos de acordar cedo amanhã.

CAPÍTULO IX

Da magia do palco e das armadilhas do amor

Dentro da carroça, todos se preparavam para dormir. Vincé calçava meias de pares diferentes nos pés. Nunca encontrava os seus. Francesca e Caterina dividiam o diminuto leito, mas não pareciam se importar com isso. Brincavam às risadas, como meninas, puxando cada qual para seu lado o cobertor. Mamma fechou as janelas da carroça num estrondo. A inquietação de Dottore por causa de Vittoria a estava deixando furiosa.

— Isso não está certo! — disse Dottore, já deitado, braços cruzados sobre a coberta, sacudindo nervosamente os pés.

— O quê? — perguntou Mamma, irritada.

— A marquesa dormindo com Gigi lá em cima!

— *Ma* você é o quê, *Dio Santo*? — perguntou Vincé. — *Un fiscale di fiche*? Se fosse Arrabal eu compreendia, *ma* Gigi! Aquele pode dormir *con tutto un bordello* que não acontece nada!

— Dottore está com ciúme! — disse Caterina, rindo com Francesca debaixo do cobertor.

— Para quem chegou hoje você está muito engraçadinha! — rebateu ele, irritado.

— Ai, Dottore, não seja rude! Ela só está feliz, *poverina*! — defendeu Francesca.

— Vamos dormir, por favor! — atalhou Mamma, depois de soprar as velas com força desnecessária. — Vamos calar a boca e dormir! Temos de ensaiar o dia todo amanhã, esqueceram? Além do mais, que eu saiba não estamos cuidando *di una fanciulla qui*. É *una donna* casada, adulta. Foi ela quem escolheu dormir lá em cima. Vincé ofereceu a cama dele. Ela não quis! — disse para Dottore, em gestos largos que quase lhe pegavam o rosto, sentada que estava na cama improvisada ao lado da dele, no chão. E como Dottore não respondesse, acrescentou mais alto ainda, fazendo cômico seu drama: — Ela está adorando sofrer! Você ainda não percebeu isso? Ela nunca viu tanta miséria junta e não quer perder nenhum detalhe!

— Agora é Mamma que está com ciúme! — disse Francesca, descobrindo a cabeça rapidamente e voltando a cobri-la logo depois.

— Basta, vocês duas! — gritou Mamma. — Basta de gracinhas por hoje!

Todos ficaram quietos, e o silêncio trouxe os sons da noite para dentro da carroça. Contudo, mal adormeceram, o ronco alto de Vincé os despertou como um solavanco. Resmungaram em uníssono. Ele xingou, Dottore o xingou de volta. Mamma atirou travesseiros nos dois. Vittoria riu sozinha da balbúrdia, coberta até as orelhas para se proteger do orvalho frio da noite.

— Mamma não gosta mesmo de mim, não é? — perguntou, sem ter certeza de que Gigi a ouviria.

— Claro que gosta! Não pense assim! É o jeito dela. Ela finge ser durona, mas é uma manteiga derretida. Quando você a conhecer melhor, vai perceber — consolou Gigi.

Vittoria assentiu, sem se virar para ele. Não podia correr o risco de perder o calor que já conseguira.

— Está com frio?

Ela fez que sim.

— Está com fome?

— Não.

Quando tiver, deite de bruços, Esquenta o estômago e ajuda a disfarçar.

— Obrigada pelo conselho.

— A senhora... você vai se acostumar. No início é mais difícil, mas com o tempo... — Gigi continuou falando e só então percebeu que ela dormira. Espichou o nariz na direção de seus cabelos ruivos, de onde vinha aquele perfume de dama, de deusa, de majestade. Depois, escorregou os dedos por debaixo do cobertor e os esgueirou para lhe tocar os cachos. Vittoria se mexeu, e ele encolheu rapidamente a mão. Apertou os olhos para esconder de si mesmo o embaraço e acabou por dormir.

O sono trouxe o sonho que prolongou o enredo, sem inibições. Nele, Gigi entrelaçava os dedos nos cachos macios dos cabelos de Vittoria e os trazia para perto do rosto, sentindo seu perfume. Ela se voltava para ele, que, aturdido, recuava.

— Vittoria, *perdonami*! Não pude evitar. Desde o primeiro dia em que a vi...

No sonho, Vittoria não deixou que ele concluísse a frase. Calou-a colocando os dedos sobre os lábios de Gigi, sussurrando perto de sua boca:

— Não fale! Não diga nada!

Gigi entregou-se ao beijo quente, úmido, apaixonado, até que um chute no traseiro o fez parar. Em volta deles havia frades, muitos deles, todos com o dedo em riste e o olhar ameaçador, que gritavam em eco:

— Pecador!

— Infiel!

— Pecador!

— É o pecado da carne!

— Era para você compor música sacra!

— Sacra!

— E você está compondo uma ópera!

— Uma ópera!

— Que sacrilégio!

— Que abominação!

— É um pecador!

— Pecador!

— Beijando essa mulher!

— Desejando uma mulher!

— Pecador!

— Pecador!

— Pecador!

Gigi apertou os olhos e gritou, acordando com o grito toda a trupe. Não era a primeira vez que um pesadelo o atormentava, mas nunca antes acordara ao lado da personagem principal. A realidade trouxe o medo, a febre e uma diarreia imediata, que só fez aumentar durante a madrugada.

***

O dia amanheceu com o coro de sinos das igrejas anunciando a chegada do domingo de Páscoa e dando a cada um a esperança de renascer. Mamma fez o sinal da cruz, mas, em vez da alegria habitual que todos os anos a invadia, sua prece foi de aflição. Gigi ardia em febre, e a diarreia não cessara desde que acordara do pesadelo noturno.

Dottore escovava calmamente seu sobretudo quando Vincé se aproximou, vindo da mata, de onde Gigi não saíra desde a madrugada.

— Ele está lá se esvaindo! — disse Vincé, num tom preocupado, tentando persuadir Dottore a medicá-lo.

— Dottore! *Sbrigati*! — gritou Mamma, surgindo em meio às árvores. — O *poverino* está que não se aguenta!

Dottore continuou escovando a peça, como se nada tivesse ouvido.

— *Caspita*! Você precisa fazer alguma coisa! — argumentou Vincé, sem o tom hostil de sempre.

— Por que eu?

— Deixe-me ver... — emendou Vincé, irônico. — Porque você é o único médico *qui*, talvez?

— Errado! Não sou médico de verdade. Sou uma personagem fugida do palco, só isso!

Vittoria surgiu da mata, correndo na direção deles.

— Você tem que fazer alguma coisa! — exclamou, assertiva, a Dottore. — Ele está sofrendo! Precisa de um remédio urgente!

Dottore deu-lhe as costas e caminhou em direção à carroça.

— Mamma conhece chás. Fale com ela! Ela sempre tratou de todos nós com eles.

Vittoria o seguiu, indignada.

— Ela já deu litros de chás a ele! Não funcionou! Comemos pouco ontem, e ele está se esvaindo! Por mais água que beba, conforme você mandou, não é suficiente! Ele precisa de um medicamento!

Dottore subiu na carroça, sem lhe dar atenção.

— Por favor! — disse ela, entrando atrás dele. — Não podemos ensaiar assim! — argumentou, tentando persuadi-lo. E vendo que não lhe ouvia, apelou para o que acreditava ser um último e infalível recurso. — Se ele não melhorar, não faremos o espetáculo, e você vai perder o seu jantar!

O Dottore permaneceu de costas, rindo de sua astúcia. Depois deu um suspirou profundo, como para demonstrar que o fazia contragosto, pegou a pequena maleta que escondia no baú de guardados de Mamma e seguiu para a mata.

Na manhã seguinte, quando partiram para o palácio, a situação já estava sob controle. A febre tinha cedido e a diarreia quase cessara. Estavam quase prontos para o espetáculo, alguns até maquiados. Gigi descansava a cabeça no colo de Caterina, que, vestida como Isabella, tinha as mãos geladas na expectativa de substituir Gigi na apresentação. Dottore tirou ainda mais uma vez a temperatura de Gigi, examinou-lhe os olhos e a língua.

— *Ecco*! Está pronto para outra! Só precisa descansar agora, beber bastante água e comer alguma coisa leve, quando isso for possível — afirmou, batendo com a mão larga no rosto de Gigi, no que tencionara fosse um carinho.

— *Grazie*, Dottore! — disse Gigi, com a voz fraca.

— Agradeça a essas mulheres choronas e à sua sorte! — finalizou, sacudindo o frasco de remédio nas mãos. — Felizmente, eu ainda tinha um!

— Como você está se sentindo? — Caterina perguntou a Gigi.

— Melhor.

— Pelo menos só paramos uma vez desde o acampamento — gritou Vincé, do alto do coche, onde conduzia a carroça.

— Obrigado por me substituir — disse Gigi, segurando as mãos frias de Caterina.

— Será que vai dar certo? Quase não ensaiei — disse ela, aflita.

— Está nervosa? — perguntou Francesca.

— Estou. Mas acho que deveria estar em pânico, não é?

— Não se preocupe! Você vai entrar em pânico quando abrirem as cortinas! — gritou Vincé, na sua psicologia às avessas, e chicoteou os cavalos, acelerando a velocidade.

* * *

Giordano estava pronto e estava lindo, Teresa assegurou com seus sinais. Ele sorriu e fez uma reverência.

— *Grazie, signora*!

Teresa se afastou, como para vê-lo todo no reflexo do espelho, apoiou o queixo na palma da mão aberta e ficou assim, feito boba, olhando para ele.

Gostava tanto de Teresa, daquele carinho de avó que lhe tinha, do cuidado maternal com que agora lhe alisava as costas, como para garantir que nenhum fiapo intruso comprometesse a lisura do tecido de seu uniforme imponente. Ela ajeitou-lhe os cabelos de pontas douradas, que agora caíam soltos contra o escuro da farda, e ajudou-o a vestir a capa. Depois, ficou diante dele, passou as mãos suavemente sobre a gola rufo, sobre o lírio encravado na meia-lua de prata que o arrematava como um colar, sobre as condecorações que luziam em seu peito largo. Então, tomou-lhe o rosto entre as mãos e o beijou com devoção.

— O quê? — indagou ele e concluiu, depois de compreender o que diziam seus sinais. — Ah, claro! Luigia di Medinacelli vai se apaixonar por mim. Vai, sim! Especialmente se tiver puxado ao pai!

— Está pronto, *figlio*? — perguntou Carlo, surgindo na porta.

— Estou. E minha mãe?

Carlo suspirou e disse, após uma pausa.

— Sua mãe não vai, Giordano.

— Por que não?

— Você sabe perfeitamente a razão.

— Não, não sei, não. O senhor fala como se ela atacasse as pessoas!

— Ela não ataca as pessoas. Ela diz bobagens!

— Ela fala de Giuseppe, o senhor quer dizer. É esse o seu medo, não?

Carlo suspirou novamente, buscando temperança.

— Não é medo, *figlio mio*, é preocupação. Não quero que ela sofra. Ela sempre se descontrola quando se lembra dele. É para o bem dela e para o seu! Você vai conhecer sua noiva esta noite, é um oficial do rei! — Giordano continuava a encará-lo com explícita revolta. Carlo suspirou mais uma vez e concluiu: — Você não vê que tudo o que faço...

— É para o meu bem. Como eu poderia me esquecer? Estou esperando-o no pátio. — Giordano disse e saiu.

* * *

Luigia estava tensa, as mãos geladas, o olhar assustado diante do espelho enquanto Angelina puxava e amarrava as cordas de seu corpete. Quem seria Giordano Romanelli? Outro canalha como seu finado marido? Um homem duro, provavelmente. Capitão-chefe da Guarda do Rei... Certamente, rude! Mas era jovem e bonito, Maria assegurara. Podia ter novas ideias, quem sabe? Podia pensar como ela... Talvez pudesse mesmo ser feliz. O medo, que lhe apertava o estômago mais que o espartilho, cedeu lugar a uma angústia de doce expectativa.

Maria entrou no quarto deslizando nos calcanhares. Angelina bateu as mãos nas ancas, numa irritação.

— Quantas vezes tenho de lhe dizer? — e continuou, mais alto e pausado: — Não entre aqui correndo desse jeito!

— Desculpe, Angelina, mas acabei de ver uma miragem! — disse Maria, segurando a cabeça entre as mãos e revirando os olhos de maneira cômica.

— De que diabos você está falando?

— Do homem que acabou de chegar! Que homem!

— Quem? Pierino? — perguntou Angelina, incrédula.

— Claro que não!

— É Giordano Romanelli — completou Luigia.

— O quê? Você está falando do capitão Giordano? — perguntou Angelina, com olhar de fúria.

— Quem mais? — respondeu Maria, num voz baixa, que se pretendia sensual.

— Mas o que é isso? *Sei pazza*? Que falta de respeito é essa com Luigia?

— Angelina, por favor! — atalhou Luigia. — Vou ter um colapso nervoso! Deixe-me um pouco sozinha com Maria. Preciso de alguém que me faça rir para não chorar! Preciso me acalmar antes de conhecer esse senhor.

Angelina saiu. Era melhor não contrariar a menina, coitada. Ela já estava fazendo muito em aturar aquela apresentação. Parou no corredor, fez o sinal da cruz em frente à imagem da Madonna e pediu, com todo o fervor, que um milagre acontecesse e que Luigia gostasse, ao menos um pouco, da sorte que a esperava no salão principal.

No quarto, Luigia e Maria deixaram-se ficar num súbito e cúmplice silêncio. Maria pôs o colar de ametista da mãe de Luigia em seu pescoço longo e branco. As pedras roxas faiscaram nos olhos deslumbrados da arrumadeira. Eram seis, mediadas por uma maior, mais escura no centro, todas em formato de gota. Minúsculos brilhantes em torno delas faziam o arremate do desenho, todo o conjunto preso à corrente de ouro branco maciço, trabalhada aos detalhes. Luigia sentiu o peso da joia no peito e o frio contato das pedras, que normalmente a incomodava. Naquela noite, não se importou. Eram de sua mãe. Haveriam de protegê-la de alguma forma.

Maria escovou-lhe as pontas dos cabelos, que pendiam do penteado semipreso, entregou a ela o pote de pó de arroz e borrifou o ar acima de sua cabeça com perfume, que lhe desceu em nuvem lenta sobre o corpo. Depois, inclinou-se e sussurrou, com ar de travessa:

— *Oggi* se apaixona perdidamente por ele! Pode apostar!

❄ ❄ ❄

A trupe terminava de se arrumar num aposento próximo ao palco do palácio, infinitamente maior que a carroça apertada. E talvez pela falta de costume com qualquer tipo de conforto caminhasse num ziguezaguear inexplicável, esbarrando-se sem necessidade. Dottore e Vincé, quase por tradição, disputavam na pressão dos cotovelos um espelho de pé, como se não houvesse mais três pela sala. Vittoria, vestida de Arlecchino, tentava as posturas do personagem em outro, e Francesca abotoava, com dificuldade, pelo suor excessivo das mãos, o vestido de Caterina.

— Você está uma linda Isabella, Caterí! Pantaleone não vai querer Gigi nunca mais!

— Não se esqueça, Caterí, siga minha voz, conforme ensaiamos. Ninguém vai notar que você não enxerga — incentivou Vincé.

Gigi, num esforço, levantou-se do canapé de onde, deitado, observava o grupo, aproximou-se de Caterina e tomou-lhe as mãos.

— Não se preocupe, vou estar pertinho, na coxia. Se porventura se esquecer do *canovaccio*, estarei lá e soprarei a fala para você.

Caterina assentiu. Estava algo entorpecida. Tinha posto a si mesma, voluntariamente, à beira do precipício e agora não tinha alternativa senão pular. E, quando assim pensava, a imagem de Arrabal, que ela nunca vira mas intuía, saltou no escuro de seus olhos para lembrar a máxima que ele não se cansava de repetir: "alguma coisa deve acontecer para ajudar". E Caterí confiou que sim.

Vittoria pôs a máscara e imediatamente a tirou. Sentiu-se sufocada. Fechou os olhos e tentou de novo, abrindo-os aos poucos. A sensação era terrível. A máscara, colada à pele fina, a esquentou no mesmo instante. Tentou olhar em volta, mas não conseguia, a menos que virasse a cabeça. Tentou acomodar a visão ao orifício dos olhos. Não via os próprios pés, não via o chão. Tirou. Dottore, que a observava, aproximou-se.

— O que foi?

— A máscara. Não sei como vou usar isso! É um horror! E machuca um pouco o rosto!

— É, a máscara tem uma composição mágica, sabe? Se não for sua, machuca mais. O segredo é amaciar o couro com o próprio suor até que ela se torne uma segunda pele do seu rosto.

Vittoria ia aprofundar a explicação quando alguém bateu à porta. Mamma olhou para Dottore, apreensiva. Vittoria colocou a máscara. Todos prenderam, instintivamente, a respiração.

— Sim? — disse Dottore, abrindo a porta.

Era Angelina. Ela olhou para ele com desdém de cima a baixo, espichou um pouco o pescoço tentando esmiuçar o restante do grupo, mas Dottore colocou a mão no batente da porta e a impediu.

— Posso falar com o poeta Arrabal? — perguntou ela.

— Ele está terminando de se vestir.

Angelina fez um muxoxo. Depois, empertigou-se numa indignação e disse, num tom quase ameaçador, contrário à intenção da frase:

— O duque di Medinacelli dá boas-vindas a ele e à sua trupe e pede para avisá-lo de que o capitão Giordano Romanelli, o homenageado desta noite, acaba de chegar.

Dottore voltou-se para o interior da sala, para se certificar de que todos estavam prontos, e Angelina se lhe aproveitou a distração para literalmente pôr o nariz onde não fora chamada. Todos sorriram para ela, que se manteve séria, e, empertigando-se novamente concluiu:

— Estejam prontos!

Dottore fez a ela uma reverência teatral e debochada.

— *Signora*!

Antes que Angelina pudesse responder, Mamma bateu a porta num estrondo.

— O que é isso? Ficou maluca? Quer que nos ponham na rua? — perguntou ele.

Mamma estava lívida. Segurou o braço de Dottore com força e disse, quase num sussurro:

— Preciso lhe dizer uma coisa. Não posso mais suportar isso!

— O que foi? Está se sentindo mal? — perguntou Francesca, aproximando-se.

— Ela está falando comigo, menina! — repreendeu Dottore.

— Deixe, Dottore. O que tenho a falar diz respeito a todos.

— Fale logo, Mamma. *Per l'amor di Dio*! — pediu Francesca.

— Você, que estava tão animada para ver Giordano Romanelli, vai ter uma grande surpresa. Todos vocês terão! — disse, sentando-se pesadamente numa espécie de pufe central. — Era um segredo, um segredo de Arrabal. Mas agora tenho de contar a vocês.

Mamma contou e, ao contrário da histeria com que ela mentalmente colorira sobre a reação do grupo, nada aconteceu. Ficaram em silêncio, digerindo a surpresa aquela informação surpreendente.

— Não vão dizer nada? — perguntou ela, frustrada.

— Dizer o quê? O que é que se tem para dizer? Ele tem um *fratello gemello* e nós não sabíamos — disse Vincé. — *Va bene*, isso é coisa dele. Ele não é obrigado a nos dizer *tutto*. A *me, se me ne frega*!

— Acho que Vincé tem razão — afirmou Dottore. — Que importância isso pode ter?

— Arrabal é nobre? É isso? Ele, nobre *comme* Vitty? — perguntou Francesca.

— É, parece que sim — respondeu Vittoria.

— Que *bellezza*! — exclamou Francesca, batendo as pontas dos dedos. — Ele é um príncipe! Eu sempre soube!

— Vamos repassar o *canovaccio*, que é o melhor que temos a fazer — disse Dottore.

❋ ❋ ❋

O salão principal estava repleto de gente perfumada e elegante. As conversas, as risadas, o tilintar das taças, o roçar barulhento das saias enchiam o ar de uma atmosfera de alegre frivolidade. Di Medinacelli era conhecido como um dos grandes anfitriões da corte. Suas festas, sempre planejadas com um intuito político qualquer, sem nenhum vínculo genuíno de comemoração, eram muito prestigiadas.

Luigia parou no topo da escada, o coração aos pulos, olhando a sala e seu aglomerado de gente. Tentava adivinhar Giordano em meio à multidão. Desceu alguns degraus. A música cresceu na medida inversa. Olhou novamente para o topo, de onde Maria a incentivava. Desceu mais. Agora podia ver o pai, ao fundo, conversando com um grupo de pessoas. Não conseguia definir quem fossem, à exceção do marquês della Fontana, que identificaria em qualquer lugar. Não era tanto o familiar da figura, era mais sua postura algo encurvada, lembrando uma sombra escura.

Enfim, desceu toda a escada e assim, no nível do chão, pôde ver o homem, de costas para sua perspectiva, que integrava o grupo. Um leve tremor perpassou seu corpo. Devia ser ele. Era jovem, alto, de ombros largos. Luigia deu mais alguns passos. Di Medinacelli olhava para o topo da escada, procurando por ela. Então, disse qualquer coisa a Giordano e olhou de novo em torno. Procurava-a. Luigia respirou fundo, pediu licença à condessa di Casandrino, que se abanava com um leque desproporcional que por pouco não lhe atingiu o rosto, e avançou por entre os convidados. Quando estava praticamente a meio metro de Giordano, Di Medinacelli a viu.

— Ah, aqui está ela! *Capitano*, deixe-me apresentar minha filha, Luigia!

Giordano demorou um segundo para se voltar, o que num momento de apresentação soou deselegante eternidade. Carlo percebeu quando cerrou as mãos, e então se voltou para ela. Foi como se o mundo tivesse girado ao revés7 . Luigia não compreendeu. Pensamentos desordenados e discordantes cruzaram sua mente num átimo de segundo. Era Arrabal, disfarçado para vê-la! Os olhos de Giordano brilharam quando cruzaram com os dela, confirmando o pensamento. Ele fez uma reverência, beijou-lhe a mão e, então, todo o encanto se desfez. Não era a voz, mas todo ele no conjunto. A postura do corpo, o jeito de olhar que trazia em si uma altivez algo invasiva, o toque mesmo da mão na sua, que segurava com firmeza, com um sentido implícito de posse ou do desejo de tê-la ou da certeza de que a teria um dia. Devia rejeitá-lo, mas uma parte dentro dela fez amolecer a mão no cumprimento e ligeiramente sorrir.

— *Io sono lieto di fare la vostra conoscenza*! — disse ele, o mais formal que pôde, demorando-se no largar de sua mão, os olhos agudos de encantamento, vasculhando os dela.

— *Molto lieta*! — respondeu ela, o formal da frase dissonante com a intenção do olhar que sutilmente intumesceu.

— Melhor do que eu esperava! — sussurrou Di Medinacelli para Nicola. Depois, prosseguiu, num tom mais alto, para Giordano: — Aprecia o teatro, capitão?

— Sim — respondeu Giordano, sem desviar os olhos de Luigia. — Meu avô era *marionettaio*. Cresci brincando com marionetes. — Então, voltando-se para Di Medinacelli, completou: — Minha mãe também adora teatro. Ela costumava...

Carlo interrompeu, simulando uma tosse súbita.

— Pergunto porque contratei uma trupe que está na cidade. É de um tal poeta Arrabal. Ele parece bom! Espero que goste.

O rosto de Giordano contraiu-se, mas ninguém em volta percebeu. Ele sorriu de ironia íntima e assegurou:

— Vou gostar, com certeza.

Medinacelli continuou a falar, mas Giordano não ouviu. Tinha toda a atenção em Luigia, em cada detalhe de seu rosto, nos cabelos castanhos vivos, no colo de pele clara, no qual a joia parecia pesar. Gostaria de poder arrancá-la para vê-lo todo no prolongamento do pescoço, no desenho insinuante dos ossos, no início adivinhado dos seios. Desconcertado, desviou o olhar e temeu ter enrubescido. Ela o impressionara mais que o devido. Não era a atração normal por uma mulher — era algo mais. Era a certeza de sabê-la destinada a ele e, portanto, já seguramente sua. Era uma espécie de prazer de estar à mercê do compromisso, um regozijo pela agradável surpresa do destino. Mas não queria amá-la! Não, isso não podia!

Di Medinacelli estalou os dedos, fazendo sinal aos músicos para que iniciassem o baile. Giordano estendeu a mão, contrariando o que dizia para si mesmo, e a convidou para dançar.

— Me concede a honra?

Luigia sorriu e aceitou o convite. Ele a enlaçou pela cintura. Ela arrepiou com o calor que vinha dele e vasculhou seu rosto e a boca desenhada, os olhos daquele rasgado azul igual e, ao mesmo tempo, tão diverso. Era alto, o peito largo, as pernas desenhadas, fortes como colunas gregas. Ela o abraçaria ali mesmo se pudesse, talvez se deixasse mesmo beijar. O pensamento a assustou. Estava louca, louca! Não podia pensar aquelas coisas! O que havia nele? Que tipo estranho de carisma provocara nela aquele fremir?

Giordano não desviava dela os olhos, podia sentir. E então Luigia, desistiu de recuar. Desejava também ela olhar os olhos e foi o que ela simplesmente fez

— Desculpe-me — Luigia iniciou, sorrindo —, mas preciso lhe fazer uma pergunta.

— Se eu puder responder.

— Conheci um homem na semana passada... — Decidindo ir direto à questão, perguntou: — O senhor tem um irmão gêmeo?

Giordano estacou. Luigia não compreendeu quando ele começou a rir de forma sarcástica. Ele novamente, ele pensou. Não adiantara permitir que ele vivesse a vida que desejava; não bastara protegê-lo com seu silêncio dos olhos do pai. Lá estava ele novamente se interpondo entre Giordano e o que de sincero pudesse desejar.

— O que foi? — perguntou Luigia.

— Ele chegou primeiro, não foi?

— Não entendi.

— Arrabal, o poeta! — disse em tom de deboche, um pouco alto demais, chamando a atenção dos que dançavam ao redor. — Sim, ele obviamente é meu irmão gêmeo. Giuseppe Romanelli é seu verdadeiro nome.

— Mas isso é realmente surpreendente! — disse ela, sorrindo.

Num movimento brusco, Giordano a puxou para junto de si e recomeçou a dança. Ela o afastou um pouco, temerosa.

— Onde você o conheceu?

E Luigia, ainda não compreendendo a complexidade da relação entre os dois, inocentemente contou.

— Na Piazza Mercato, na semana passada. — Olhando para os lados, disse em voz baixa: — Fui assistir à apresentação da trupe.

— É mesmo? E meu pobre pai pensa que a senhora é uma jovem bem-criada, perfeita para ser a mãe dos netos dele. — Luigia tentou se afastar, mas Giordano a segurou com firmeza nos braços. — Mas o que temos aqui? Uma mulher que foge à noite para conhecer homens na cidade?

Luigia levantou a mão, fazendo menção de o esbofetear. Ele segurou-lhe o pulso e o abaixou, rodopiando com ela para disfarçar.

— Quem o senhor pensa que é para falar comigo dessa maneira?

— Perdoe-me! Peço que me perdoe! — disse Giordano, recuperando o bom senso e interrompendo a dança. — Eu me excedi terrivelmente! Nós mal nos conhecemos. Comportei-me como um cafajeste. Me perdoe!

Luigia aquiesceu. Esfregava o pulso, ainda vermelho.

— Eu acho que a apresentação vai começar. Vou procurar meu pai, com licença — disse ele e, numa reverência, afastou-se.

* * *

O espaço destinado à apresentação era uma rotunda, que simulava um pequeno auditório. A plateia era composta por cadeiras entalhadas em madeira dourada, forradas de veludo carmim, dispostas em fileiras sucessivas. Em frente a elas, no centro, a cortina escondia o palco italiano. Circundava esse piso uma espécie de balcão contínuo, onde desembocavam salões e demais aposentos do andar superior. Encimando tudo, a claraboia de vitrais coloridos, entrepostos na estrutura de ferro batido, com trabalho em mármore ao centro.

Os convidados acomodavam-se nas cadeiras da plateia e nos balcões superiores, em cujos parapeitos deviam se debruçar para assistir ao espetáculo.

A ocupação se dava na relação direta da posição de cada um na elite da corte: duques e marqueses nas primeiras cadeiras, seguidos pelos condes, viscondes e barões, com as respectivas famílias.

Di Medinacelli ocupava a cadeira da direita da primeira fileira, porque era o anfitrião. Carlo Romanelli sentava-se a seu lado, como pai do homenageado. O lugar no centro, à esquerda, estava reservado a Giordano. Ao lado dele, Luigia. O marquês della Fontana tinha assento na segunda fileira, mas permanecia de pé, entre os dois, como se temesse perder uma oportunidade qualquer.

— A marquesa Vittoria não veio, marquês? — perguntou Carlo. — Logo ela, que tanto aprecia o teatro?

— Ela foi a Benevento esta manhã ver uma tia — contornou Nicola.

— Nada sério, espero.

— Creio que não. Problemas da velhice — respondeu, tentando ocultar o que em breve todos saberiam, e para que o assunto não se prolongasse, perguntou a Carlo: — E a duquesa Gioconda, como está?

— Como sempre, meu caro, como sempre — respondeu ele, num longo e profundo suspiro.

Giordano bem conhecia seu lugar junto a Luigia, mas não fez caso e sentou-se no meio da plateia, ao lado da condessa di Casandrino, que — agora Luigia podia bem notar —, ostentava, além do avantajado leque, um também ousado decote, do qual os olhos de Giordano pareciam não poder se desprender. Falta de respeito, Luigia pensou um pouco alto demais!

A condessa era conhecida na corte por seus casos amorosos. Não era bem-vista, mas também não era discriminada. A razão? Era dona de uma expressiva fortuna em terras e patrimônio familiar e pródiga nos donativos paroquiais, o que parecia, de certa forma, lhe aliviar os pecados da carne. Tinha por volta de quarenta anos e compleição voluptuosa, como se saída de uma pintura renascentista. O marido, o conde di Casandrino, tinha noventa anos e estava, havia dez, preso a uma cama. Pecado mortal para toda aquela efervescente sensualidade.

— Posso? — perguntou Giordano, apontando a cadeira.

— *Prego, capitano*! — respondeu ela, exagerando no "r", batendo às piscadelas os longos cílios negros.

Luigia enfureceu. Procurou seu pai com o olhar, reclamando uma providência, mas foi Carlo quem percebeu e fez a Pietro um sinal discreto. Logo o tenente caminhava apressado na direção de Giordano.

— Capitão! Há um lugar reservado para o senhor à frente. Seu pai pede que se dirija para lá — disse, tentando soar o mais natural possível diante do constrangimento.

Giordano captou Luigia no periférico do olhar e simulou contrariedade para provocar. Só então, levantou-se.

— *Perdonatemi, signora*! — disse e, depois de beijar um tanto demorado a mão da fogosa Condessa, dirigiu-se ao seu lugar.

Di Medinacelli fez sinal para que Luigia se aproximasse. A contragosto, ela assentiu.

— E meu pai pensa que o senhor é um cavalheiro. O marido perfeito para mim! — disse entredentes para Giordano assim que se sentou, devolvendo a provocação que ele lhe fizera antes. — Mas o que temos aqui? Um reles conquistador!

Giordano conteve o riso. Não lhe era indiferente. Não, não era. Por orgulho que fosse, também ela já o acreditava seu. Teria ficado lisonjeado e até feliz. De certo, aproveitaria a distração do espetáculo para tocar-lhe a mão. Mas não podia! De fato, não queria amar ninguém!

Um som suave de flauta, vindo detrás das cortinas, venceu lentamente o burburinho da sala, anunciando o início da apresentação. Gigi a tocava com alguma dificuldade na coxia improvisada, ainda debilitado que estava. Porém, era o único que sabia fazê-lo e, portanto, pelo espetáculo, era necessário o sacrifício. Francesca, vestida de Colombina, os olhos exageradamente pintados, as mãos postas, executava uma prece que, de tão aflita, fazia chacoalhar o tamborim preso em seu pulso.

— Calma, *figlia*! — pediu Mamma.

— Agora que a apresentação vai começar, estou com medo de cair dura quando a cortina abrir e eu der de cara com esse homem!

— E *perché*? — impacientou-se Gigi. — É a mesma cara que você conhece, só que em outra pessoa!

— Por isso mesmo!

Quando a cortina se abriu, Francesca já estava de Colombina, pronta, no centro do palco. Pietro a reconheceu, apesar da maquiagem pesada, e sorriu. Era artista! Era artista sua *principessa*!

— Homens — inicia a Colombina — são sempre cruéis conosco, uns mais, outros menos.

Luigia não conseguiu conter um leve aceno afirmativo de cabeça.

— Exigem-nos a mais absoluta fidelidade e, à menor suspeita, intimidam-nos, maltratam-nos e são até capazes de nos matar!

Luigia buscou Giordano com um olhar de través. Viu que seus olhos brilhavam e pareciam algo mais rasgados, como se controlassem um sorriso. Estava realmente gostando do espetáculo. Talvez não fosse tão mau.

Giordano juntou retos os indicadores e os colocou sobre os lábios. Era um subterfúgio para esconder que sorria. Luigia percebeu e se enterneceu ainda mais. Talvez não fosse como os outros. Talvez pudesse amá-lo. Assustou-se com o pensamento e instintivamente cruzou os braços

Na coxia, Vittoria preparava-se para entrar em cena. Esperava a deixa de Vincé com a ponta do pé no palco. Com a ponta do pé na beira do precipício, pensou. Já não tremia nem tinha frias as mãos. Estava toda morna, meio morta, tomada de uma dormência de entrega, de aceitação de qualquer que fosse o que a esperava no próximo passo. Não era só o palco e sua ousadia de pisá-lo. Não era só o atrevimento de substituir o poeta. Era Nicola! Era o medo de que ele a reconhecesse apesar da máscara e do figurino. Pavor que a arrastasse ali mesmo na frente de todos e a sacrificasse como uma oferenda no resgate de sua honra perdida. Sentiu os olhos lacrimejarem, não sabia se de medo ou da estranheza da máscara que lhe provocava a combustão da face. Levantou o rosto para divisar o chão e avistou Giordano na primeira fileira, imponente como um deus. Diferente de Arrabal! Como era diferente! Seu movimento atraiu o olhar de Giordano e ele, ao contrário do que fizera até ali, abertamente lhe sorriu. Um riso assumidamente largo, como Luigia reparou, um riso de incentivo, como Vittoria o recebeu. Fosse como fosse, aquele apoio tácito ou imaginário fez com que Vittoria estufasse o peito e, sem titubear, caminhasse na postura ensaiada quando Vincé sinalizou.

Quando ela entrou, já se tinha transformado. Não era mais Vittoria e seus temores. Não era mais a dama do quarto-de-sonhar. Era de Vittoria um Arlecchino próprio, que tinha algo dela, mas que lhe ia além. Eram a máscara e sua força dominando a cena; era toda a história de um povo, sua origem agrária e suas lendas. Era uma entidade!

Giordano, por sua vez, emocionou-se. Estava novamente à sua frente, a infância. Ele, Giuseppe e o pequeno palco de madeira. O Arlecchino colorido, que falava grosso e tinha no rosto sempre o pintado sorriso, saltava e se encolhia nos movimentos destros dos dedos do avô.

— Ele é o Hellequin, *uno* diabrete de astúcia! É o palhaço da corte que vive para fazer rir, mas é também *quello che dice senza paura* ao rei as coisas que precisam ser ditas. É o mendigo, o *vagabondo*, o ingênuo, o *bon vivant, tutto insieme. Porta in se una* loucura santa, um pouco de infância. *Porta anche la magia*, e, por isso, pode ser quem quiser! — dizia Nonno com aquele olhar febril que o encantava e assustava ao mesmo tempo.

— Pode ser quem ele quiser? — perguntava Giuseppe, intrigado, lembrava-se bem. Ao que Nonno respondia, sem titubear:

— *Sì, figlio mio*. Arlecchino é o curinga do *gioco di carte*, e o curinga pode substituir qualquer outra carta do jogo. Ele é a sorte! Pode aparecer e desaparecer a qualquer momento! Pode estar onde quiser!

A frase última pairou ainda um pouco sobre a cabeça de Giordano, até que se desmanchou no ar, devolvendo-lhe os olhos à cena real.

— Um homem nunca é tão velho quanto parece! — disse Vincé, na pele de Pantaleone. — O boticário mesmo me disse esta manhã, quando passei para aviar uma receita, que não pareço ter nem um dia a mais que sessenta... e cinco!

— Isso porque ele é doente dos olhos, *signore*! Não enxerga um palmo diante do nariz! — rebateu Arlecchino, fazendo a plateia rir.

Caterina já estava em cena como Isabella e não tinha medo. Sentia-se acolhida pelas risadas do público. Vincé balançava vez por outra o braço, para que ela soubesse que estava perto, mas não era mais necessário. Seguia o som das vozes como combinado e, respeitando a deixa, prosseguiu:

— Outra filha que não soubesse como proceder diria a seu pai...

Ela parou subitamente, e a plateia toda em suspenso junto. No escuro que a circundava, abriu-se um clarão, mais demorado que os flashes que lhe surgiam nos últimos tempos. Uma clareira que lhe exibiu quase toda a plateia. Na coxia, Gigi desesperou-se.

— ... que ele está correndo um sério risco...! — soprou o texto, aflito. Caterina piscou, mas a plateia continuava lá, algo embaçada, um tanto difusa, mas lá. Olhou para a frente e viu a sombra de Vincé e Vittoria, que a olhavam sem compreender. Um ligeiro murmúrio, seguido de um remexer de cadeiras na plateia, se fez ouvir. Havia algo errado com a moça, Luigia notou-lhe a angústia.

— ... que ele está correndo um sério risco...! — repetiu Gigi, pausadamente, como se ela não o tivesse ouvido da primeira vez.

Caterina se voltou para ele e foi quando aconteceu. A nuvem que lhe comprometia a nitidez desapareceu por completo. O rosto de Gigi, magro, de olheiras fundas, cabelos de cachos negros caindo sobre a testa, apareceu claro diante de seus olhos. Caterí riu e chorou, deixando todo o grupo perplexo. Dottore afundou o rosto nas mãos, e Mamma já chorava em profusão, antecipando o fiasco da noite, quando Caterina, soluçando e rindo, concluiu a fala, num tom de euforia:

— ... que ele está correndo um sério risco em se casar! Mas, ciente do respeito que lhe devo e sabendo que goza de perfeita saúde, digo que está certo! Aprovo seu casamento, meu pai!

Pressentindo que ela não suportaria dizer mais nenhuma palavra sequer, Giordano levantou-se e começou a aplaudir. Luigia o acompanhou, e logo toda a corte fazia o mesmo, embora sem entender a razão.

Todos voltaram ao palco para receber os aplausos da plateia e só então Francesca o viu. No se aproximar do proscênio e se curvar para agradecer, seus olhos e os de Giordano se cruzaram e, na razão inversa do milagre de Caterina, tudo escureceu e ela caiu. Vincé a segurou. Dottore correu, fechando as cortinas.

— O que aconteceu? — perguntou Vittoria.

— Eu estou vendo, Vittoria! Eu estou vendo! — disse Caterí, ainda entre soluços.

— Como isso é possível? — disse Vittoria, segurando-lhe o rosto.

— É um milagre! É *un miracolo di San Gennaro*! — gritou Mamma, abraçando Vittoria, que tossiu com o baque.

— Ela desmaiou! — gritava Vincé, dando ligeiros tapas no rosto de Francesca.

O grupo não o ouvia, maravilhado que estava com o ocorrido. Dottore abraçou Caterina e, no entusiasmo, também Vittoria.

— É o encantamento do palco! — Depois, adicionou, em seu caricato tom habitual: — Que as bênçãos do céu estejam contigo e com aqueles que tiram o Bem do Mal e amigos de inimigos...

Mamma não deixou que ele terminasse. Com um ligeiro empurrão, tirou-o do caminho para abraçar Caterina.

— Ela desmaiou! — gritou Vincé, sacudindo Francesca.

Gigi sorria e acariciava os cabelos de Caterina, que o abraçou emocionada e sussurrou em seu ouvido:

— Bendita dor de barriga!

— Bendita seja! — concordou ele.

Então, vendo que ninguém lhe dava atenção, Vincé apelou para medidas extremas.

— Ela desmaiou! — berrou o mais alto que pode, chamando a atenção dos que ainda estavam na plateia.

— *Dio Santo*! *Aceto*! — pediu Mamma a Vittoria. — Depressa!

Vittoria correu para a coxia e alcançou o corredor. Precisava achar a cozinha. Uma criada lhe indicou o caminho. Desceu a escada, dobrou à direita e, sem que pudesse se preparar para o encontro, avistou Nicola vindo em sua direção. Instintivamente, levou as mãos ao rosto. Estava de máscara, aliviou. O marquês a olhava com um sorriso de deboche no canto da boca. Ela se empertigou o mais que pôde e tentou andar duro.

— Parabéns pela apresentação! — disse ele quando se cruzaram.

Vittoria limitou-se a fazer uma reverência burlesca e seguiu adiante. Nicola olhou ainda uma vez mais para trás e riu, debochado, do controlado balanço de suas cadeiras, até que ela, aliviada, desapareceu no corredor.

Giordano também sumira após a apresentação. Luigia foi encontrá-lo sozinho num dos balcões do palácio. O vento frio e cortante da noite lhe chicoteava o rosto, mas ele parecia não se importar. Mantinha os olhos fechados, como se sonhasse.

— Estava pensando no que pode ter acontecido com aquela atriz. Ela estava tão emocionada! — arriscou Luigia, aproximando-se.

Giordano abriu os olhos na surpresa da voz dela, mas se manteve de costas.

— Esse tipo de gente não é para ser compreendida. Eles são loucos, estão aí só para nos divertir e só.

Luigia tamborilou os dedos no granito da sacada, numa irritação. Não fora o que ele dissera que a incomodara mais. Ela sequer acreditava que de fato ele pensasse assim. Era o fato de permanecer de costas, numa evidente intenção de hostilizá-la. Ela, que, contrariando todos os preceitos, fora procurá-lo.

— Seu irmão é o dono da trupe. Ele também está aí para nos divertir?

— Não. Ele especificamente está aí para divertir a você e a todas as outras mulheres! — disse ele. — O que, aliás, é o passatempo favorito dele!

— Por que você insiste em ser grosseiro? Para mim também não é prazeroso recebê-lo, mas estou tentando ser civilizada. Por que não faz o mesmo?

— Porque eu não sou hipócrita! — afirmou, voltando-se para então para ela.

— Por que concordou em vir, então?

— Porque fui obrigado! Esses compromissos que meu pai teima em assumir para mim sem o meu consentimento. Então, uma vez que não havia saída, tive a esperança de me surpreender. Quem sabe pudesse conhecer uma mulher diferente, que não fosse infantil, superficial, maçante como a maioria das mulheres da corte? Mas o que encontro aqui? Uma menina mimada que pula muros em busca de aventuras. Quer dizer, não terei uma esposa, mas uma filha! Desculpe, mas não tenho paciência com crianças! — disse ele, e caminhou em direção ao interior do palácio.

— Eu não sou infantil nem superficial! Como pode dizer isso? Você sequer me conhece! Infantilidade me parece um homem na sua idade ser obrigado a ir aonde não queira.

A afirmação feriu Giordano de morte. Sentiu-se ridículo, porque era de fato absurdo que se sujeitasse daquela forma aos desejos do pai. Seu rosto enrubesceu de constrangimento. Quis devolver a ofensa e feri-la na mesma medida, mas só conseguiu ser sarcástico para dissimular o próprio embaraço.

— Você está mesmo interessada em mim, não é?

— Eu? Interessada no senhor? Eu jamais me interessaria por um homem do seu tipo!

— Que tipo, posso saber?

— Rude, insensível! Garanto que é capaz de matar com a mesma facilidade com que troca as vestes!

— Certamente! — disse ele, aproximando-se dela. — Infelizmente, as damas da corte não vão às batalhas. Se fossem, teria prazer em eliminar uma por uma, começando pela senhora.

— Por que odeia tanto as mulheres?

— Eu não odeio as mulheres, *signora*, ao contrário! Gosto bastante delas! Não aprecio a corte em si. Não falo a sua língua muito bem.

— É mesmo? E qual língua o senhor fala? A da força? A que dita que os homens devem lutar uns pela Áustria, outros pela Espanha, ficando sempre debaixo das botas de alguém?

— E o que a senhora sugere que se faça? Que se escreva versos?

— Em algumas situações, poemas podem ser armas poderosas.

— Sim, especialmente quando há os que lutam para que os alienados possam sonhar.

— Se está se referindo a Arrabal, saiba que ele não é alienado. É um artista! Ele luta com sua arte!

A frase provocou no rosto de Giordano uma contração involuntária. Luigia percebeu que ele cerrou as mãos e deu um passo para trás.

— Pois saiba que Arrabal só existe porque faço o trabalho pesado para ele! — exclamou, dedo em riste. — Ele deve a mim ter tempo para escrever versos e representar. Porque, enquanto ele sonha, eu tomo conta da realidade — concluiu, dando as costas a ela, caminhando de novo em direção ao interior do palácio.

Luigia indignou-se e o seguiu.

— Realidade é um conceito relativo, capitão! O que é realidade para um soldado? Dominar pessoas? Conquistar?

Ele parou de repente, e Luigia por pouco não se chocou contra ele.

— O desejo de conquistar é algo extraordinário e natural, e aqueles que se entregam a tal desejo, quando possuem meios para realizá-lo, são antes louvados que censurados! — Em seguida, com ar pernóstico, perguntou: — Sabe quem disse isso?

— Sei, Machiavel. E só alguém com um duvidoso senso moral o mencionaria para defender suas próprias ideias.

Giordano se surpreendeu. Onde diabos ela teria lido Maquiavel?

— Ou talvez alguém que tenha coragem de dizer as coisas como elas são! — E sem poder prosseguir sem sanar sua curiosidade, perguntou — Você leu Machiavel?

— Li.

— Como? Pensei que proibissem às moças esse tipo de leitura política.

— Proíbem, sim, mas li escondido! Meu preceptor me fazia ler em voz alta para aprimorar minha leitura uma série de volumes sobre temas enfadonhos. Um dia lhe pedi para ler O *príncipe*. Ele negou, dizendo que era totalmente inapropriado para mim. Ora, o que poderia ser totalmente inapropriado para mim? Eu quis saber! Então, roubei da biblioteca de meu pai e li!

Giordano desviou o olhar para controlar o riso. Se queria uma mulher diferente, por certo a encontrara.

— E o que você achou?

— Que meu preceptor tinha razão, não em relação a mim, mas ao livro em si. É uma forma inapropriada de definir um governo, o poder.

— Maquiavel expôs a verdade sobre as relações de poder entre os homens. Foi isso que ele fez — Giordano argumentou. — Ele só escreveu sobre o que nobres e senhores de terra fazem neste e noutros reinos, mas não acham apropriado admitir.

— Mas nobres e senhores de terra são protegidos pelas armas do exército, e, se não me engano, Maquiavel também disse algo como: *Quem seja a causa de alguém se tornar poderoso, desgraça-se a si próprio: pois esse poder é produzido por si quer através de engenho quer de força; e ambos são suspeitos para aquele que subiu à posição de poder*. Qualquer coisa assim, se não me falha a memória.

— Você fala demais! — disse Giordano, dando-lhe as costas e caminhando alguns passos. De repente, parou. — Ah, eu já ia me esquecendo. — E antes que Luigia pudesse articular palavra, aproximou-se dela, tomou-a pela cintura e trouxe seu corpo para junto do seu. — O casal de noivos deve se beijar para se despedir!

Começou beijo de raiva, de revanche, de medir forças. Luigia lhe empurrava o peito com as mãos cerradas, tentando em vão se desprender, mas Giordano a mantinha junto a si segurando, com força calculada, sua nuca. De força foi assim se transformando num beijar de desejo, o que, de início, mostrara-se no salão e o fez querer dela arrancar do colo a joia e a ela lhe abraçar o peito largo. E já se ia ficando beijar longo de entrega, quando ele teve medo e desprendeu do beijo a boca, deixando a de Luigia inda entreaberta e frouxa.

Luigia enrubesceu, enfureceu-se de orgulho e de vergonha, mas antes que pudesse revidar Giordano deslizou o indicador e o polegar nos lábios, como se para limpar o que do beijo neles ainda restasse, e arrematou:

— Isso é realidade para um soldado, *signora*! Um homem, uma mulher e pouca conversa! *Buonasera*! — Saiu, fazendo uma reverência.

Luigia queria dizer algo forte, definitivo; algo que o golpeasse com um pouco da humilhação que lhe impingira, mas nada lhe ocorreu. Sentiu os olhos embaçarem de lágrimas, que enxugou depressa com as costas da mão, para que ele não visse.

— Ah! Sobre Giuseppe... — disse ele, parando na porta e olhando para ela ainda outra vez. — Meu pai o tem como um filho morto. É proibido falar dele em minha casa. Então, qualquer tentativa de trocar de noivo será inútil.

Assim que saiu do terraço, Giordano se despiu do cinismo e ficou novamente sério e triste. Caminhava como autômato pelo corredor, o pensamento em Luigia e no ódio que ela provavelmente lhe tinha agora. Não podia amá-la, afirmou em pensamento, balançando a cabeça. Não depois de ele ter chegado e conquistado todos os espaços. Sempre haveria a dúvida. Em cada beijo, a cada uma das vezes que a amasse. Sempre se perguntaria em quem ela de fato pensava enquanto olhava seu rosto. Que rosto de fato buscava quando fechava os olhos. E a constatação dessa impossibilidade fez com que, intimamente, se absolvesse por ter contribuído para afastá-la de vez.

Luigia enxugou as lágrimas e alcançou, a passos largos, o corredor. Ouviu o burburinho da trupe na passagem da cozinha e parou por um instante. O poeta... Ele jamais a magoaria. Sentiu remorso, saudade. Depois, balançou a cabeça, e toda a raiva lhe tomou de novo o rosto. Maria e Pierino aproveitavam-se do escuro num perder de mãos, de beijos e gemidos por detrás de uma coluna no corredor.

— Maria! Acabe já com isso e venha comigo! — disse Luigia, assustando os dois e subindo as escadas.

Maria se apressou pondo os seios para dentro da blusa, desceu as saias e correu atrás dela. Pierino, de ceroulas, só teve tempo de puxar com a ponta do pé sua calça, atirada no chão e com as mãos cobrir as partes.

O caminho para o salão passava pela coxia improvisada da sala de apresentações. Giordano teria passado por ela sem perceber se Vittoria não estivesse cantarolando. Caminhou de volta e empurrou de leve a porta apenas encostada. Vittoria estava de roupas íntimas, em frente ao espelho. Escovava os cabelos ruivos, apoiados sobre o seio direito, balançando suavemente o corpo na melodia. De súbito, ela riu, aparentemente de si mesma e de seu reflexo. Então, pôs a máscara do Arlecchino e fez a reverência. Quando levantou a cabeça, a imagem de Giordano refletida a assustou. Buscou rápido a primeira roupa largada sobre o canapé e se cobriu.

— Desculpe! — pediu ele. — A porta estava entreaberta...

— As boas maneiras mandam bater antes de entrar!

— Está certa! Perdoe-me! Só queria lhe parabenizar pela apresentação. Você estava um Arlecchino perfeito!

— Como me reconheceu? — Vittoria perguntou, alarmada, pensando em Nicola.

— Pelo movimento dos quadris! — ele respondeu. — Vittoria corou, tossiu no embaraço e acabou por rir com ele. — E Arrabal, onde está? — perguntou.

— Está fora da cidade. Está escrevendo uma peça e precisa ficar só.

— Claro... — assentiu Giordano, com um quê de ironia na entonação.

— Precisamos agradecer-lhe, capitão. Afinal, seus aplausos nos salvaram do fracasso.

— Não foi nada. Foi um bonito espetáculo! Você estava muito bem mesmo. Arlecchino não me parece uma personagem fácil de representar, com tantos gestos, com aquela voz. Você estava muito bem!

— Obrigada! Com certeza não cheguei nem aos pés de Arrabal, mas consegui não atrapalhar, o que já é o bastante.

Olharam-se por instantes num silêncio algo constrangedor, que Giordano enfim rompeu.

— E a moça, a atriz, como está?

— Muito bem! Ela está muito bem agora.

— Bem, já vou indo. Parabenize a todos por mim — disse, mas permaneceu no mesmo lugar, como que adiando o finalizar da conversa.

Vittoria fez que sim com o movimento da cabeça e deixou os olhos boiarem no rosto dele. Era da mesma altura do irmão, mas parecia maior. Era altivo, de elegância máscula. Giordano também não pôde evitar que seus olhos se lhe escorregassem pelas curvas. Era uma bela mulher, sem dúvida. Vittoria percebeu, numa lisonja íntima, o olhar desavisado com que ele agora percorria seus seios, mas dissimulou.

— Deseja mais alguma coisa? — perguntou, cobrindo-se ainda mais.

— Não, perdoe-me! Foi inevitável constatar sua beleza! — E numa discreta reverência, concluiu — Foi um prazer conhecê-la! *Buonasera*!

— O prazer foi todo meu, capitão. *Buonasera*!

— É melhor trancar a porta — recomendou ele, fazendo graça, e saiu.

* * *

Na grande cozinha do palácio, a trupe jantava, dividindo avidamente uma grande travessa de cordeiro com batatas. Angelina os observava com expressão de nojo. Riam, falavam de boca cheia, não tinham sequer as noções básicas de boas maneiras, pensou, mas era felizes, estranhamente felizes, não podia negar.

Mamma enrolava sem pudor, no que parecia ser uma espécie de avental, tudo o que podia tirar da mesa. Francesca a ajudava, ainda um pouco zonza.

— Isso é para Gigi... — e, baixando o tom, sussurrou — ... e Vittoria. Os coitados vão ter fome mais tarde. E você? Está melhor, *figlia mia*? — perguntou a Francesca enquanto se aproveitava da distração de Angelina para arrematar um guardanapo de linho e nele esconder uma vasilha com o doce da sobremesa.

— Ainda estou com a cabeça meio oca. Só vou ficar bem quando sairmos deste palácio amaldiçoado!

— Então vai ficar bem agora! — disse Dottore, olhando de esguelha para Angelina. — Vamos, antes que nos expulsem!

❃ ❃ ❃

Pietro encontrou Giordano quando descia as escadas.

— Capitão! Onde o senhor estava? Seu pai e o duque di Medinacelli estão à sua procura!

— Eu estava noivando, tenente. Não foi para isso que vim?

Pietro riu da ironia.

— Com certeza, capitão!

— Onde eles estão?

— No pátio. Seu pai quer ir embora. Está preocupado por ter deixado sua mãe sozinha.

— Ótimo! Está mais do que na hora de sair daqui!

Estavam quase alcançando o último degrau quando o burburinho no corredor anunciou a aproximação da trupe. Falavam, como sempre, todos ao mesmo tempo. Vittoria, já perfeitamente adaptada ao estilo, participava da balbúrdia geral, escondida atrás da máscara de Arlecchino e das roupas de Arrabal. Mamma pedia cuidado com os guardados do jantar, que, ao final, conseguira multiplicar em quatro embrulhos, três dos quais empurrara nas mãos de Francesca, de Dottore e de Vittoria, além do seu, que trazia como relíquia junto ao peito.

Foi assim que, distraídos, depararam-se com ele. Não fosse Caterina, Francesca teria derrubado no chão a parte do assado que Mamma lhe confiara. Pararam petrificados diante dele. Giordano sorriu constrangido. Pietro, ao contrário, estava eufórico. Estava mais uma vez diante dela. Se esticasse o braço, poderia tocá-la, mas não faria isso. Não, não devia, iria assustá-la. Sorriu para atrair-lhe a atenção, mas Francesca permanecia com os olhos arregalados grudados em Giordano.

— Capitão! — disse Mamma, numa reverência. — É um prazer conhecê-lo!

— O prazer é todo meu, *signora*! — respondeu ele, curvando-se ligeiramente. Então, olhando para todo o grupo, acrescentou: — Parabéns a todos pela apresentação! Com licença.

— Que esquisito! — disse Caterina, ainda piscando bastante os recém-inaugurados olhos. — É a mesma voz, mas num tom completamente diferente!

— Ele é uma pedra de gelo! Cortês, mas uma pedra de gelo! — opinou Gigi.

— Ele nem sequer olhou para mim! — queixou-se Francesca.

— Por que deveria? Ele não te conhece! — irritou-se Mamma.

— *Dai, dai*! Vamos sair logo daqui! — berrou Vincé, empurrando o grupo para a saída.

— Não encoste a mão em mim! — Dottore reagiu.

— Dottore, eles pagaram pela apresentação? — perguntou Vittoria, atravessando a porta para o pátio.

— Naturalmente! Aquela empregada, ou seja lá o que for, me pagou. A contragosto, mas pagou. Está tudo aqui! — disse, sacudindo o bolso.

E então saíram, levando consigo sua alegre confusão.

❋ ❋ ❋

Da sacada do quarto de Luigia, Maria viu quando as carruagens partiram.

— Ele acabou de sair!

— *Grazie a Dio*! — gritou Luigia, transtornada, soltando com raiva as presilhas do penteado, puxando involuntariamente os próprios cabelos. — Eu odeio esse homem! Odeio!

Maria apressou-se em desamarrar-lhe o vestido, mas Luigia não teve paciência de esperar que concluísse a tarefa e, de um puxão, trouxe a roupa para os quadris, rasgando-lhe a costas. Maria fez uma expressão de dor. Tão lindo o vestido de seda!

— *Dio Santo*! Por que está tão quente aqui? — berrou para Maria, abanando-se. — Abra essas portas!

Maria correu e abriu de par a par as portas que davam acesso à sacada. Que diabos teria acontecido com ela? Na certa, o capitão lhe dissera umas verdades. Ou pior: fora grosseiro com ela, autoritário! Ríspido como o marido morto, coitada! Não ousava perguntar. Temia perder a língua se o fizesse.

O vento frio da noite entrou no quarto, mas Luigia continuou a se abanar com o vigor mesmo assim. Maria, então, resolveu arriscar:

— Desculpe perguntar, mas o que aconteceu, *signora*?

Luigia continuou andando de um lado para o outro, como se não tivesse ouvido a pergunta. De repente parou, fechou o leque num barulho seco e o apontou para o rosto de Maria, que recuou.

— Se ele pensa que eu sou uma tola como todas essas mulheres idiotas que suspiram por ele, está enganado! Completamente enganado!

Então era outra coisa, Maria pensou, já com um sorriso maroto no canto da boca. Era outra a natureza da irritação. Não conseguira ser indiferente a ele. E quem poderia? Caíra em tentação.

— O que aconteceu? — perguntou, em tom de malícia. — O que o capitão lhe fez?

— O que ele me fez? Quer saber o que ele me fez? Vou lhe dizer o que ele me fez! Ele me beijou, o miserável! Foi isso que ele me fez! Me beijou!

— *Dio mio*! EU amo isso! — disse Maria, girando nos calcanhares.

— Não seja tonta! Isso não tem graça! Odeio esse homem! Tinha que ver como ele falou comigo! É um déspota! Ele é tão... é tão arrogante, tão prepotente, tão esnobe...

— Mas beija muito bem, não é? — Maria provocou e, por pouco, Luigia não acertou sua testa com o bibelô que arremessou contra ela.

* * *

Gigi e Caterina estavam deitados lado a lado no alto da carroça. Ela preferiu dormir ali naquela noite. Queria ver as estrelas.

— Você nunca tinha visto o céu antes, não é? — perguntou Gigi.

— Só quando era criança.

Gigi a olhou surpreso.

— Pensei que você fosse cega de nascença!

— Não. Eu enxergava até os doze anos.

— E aí, o que aconteceu?

— Quer mesmo saber? — perguntou ela, antecipando uma história triste.

— Só se você quiser me contar.

Caterí suspirou. Até antes do espetáculo, aquele era um assunto sobre o qual não gostava de falar, mas agora o passado estava curado e não havia razão para não repassá-lo ainda mais uma vez, nem que fosse para deixá-lo para sempre para trás.

— Nós éramos muito pobres. Éramos sete filhos. Minha mãe morreu no parto do último, e meu pai ficou sozinho para cuidar e alimentar todos nós. Um dia, desesperado, sem ter como pôr comida na mesa, roubou um porco de um vizinho.

Caterí parou, suspirou profundo revivendo novamente a cena. Os soldados entraram na casa simples, derrubando propositalmente as coisas no chão. Ela e os irmãos amontoaram-se num abraço de pavor num canto da sala. Seu pai, magro, seu pai a quem queria proteger. Como era terrível para uma criança sentir a fragilidade daqueles que a deviam proteger. O soldado o esbofeteou, e ele caiu. As crianças gritaram. O outro soldado berrou com elas, que se encolheram ainda mais. Então, começaram a arrastá-lo pelos braços para fora da casa. Seu pai, a quem queria proteger. Caterina pulou sobre o soldado imenso, musculoso, que com um simples movimentar de ombro atirou-a para longe no chão.

— Caterina, *figlia mia*! — gritou o pai, soluçando.

— Eu me lembro bem da praça. Era uma praça de chão batido de terra. Tinha um tablado. Os soldados puseram meu pai lá, em cima de um banco. Empurraram a cabeça dele para dentro da alça de corda.

Caterina calou-se. Os olhos recuados do presente, sentindo outra vez o calor, a secura da terra na garganta, o corpo dos irmãos grudado ao seu. O que é a realidade senão o lugar onde a mente está? Viu de novo o sol, aquele sol afiado e alto do meio-dia, doer-lhe os olhos úmidos. Viu o soldado chutar o banco e o mesmo sol cortar de um brando agudo tudo em torno. Ela apertou os olhos e quando de novo os abriu, o mundo inteiro se foi escurecendo ao derredor, até para sempre desaparecer.

— Tinha acabado! Estava tudo para sempre acabado! — E voltando ao presente, depois de um suspiro longo, sorriu e disse, olhando para ele: — O seu rosto foi a primeira imagem que eu vi depois de anos de escuridão.

Gigi comoveu-se, alisou o rosto de Caterina e a aconchegou junto ao peito. O gesto produziu nele uma inusitada onda de felicidade. Não soube explicar por quê, mas no mesmo instante, um novo trecho de ópera surgiu em sua mente, e, assim que Caterina adormeceu, ele o escreveu.

CAPÍTULO X

Artimanhas de Arlecchino

A trupe ainda não sabia, mas Arrabal voltara à cidade naquela manhã, exatamente como mandava a tradição. Era véspera do primeiro domingo de maio, e ele, como todos na cidade, preparava-se para ir à Basilica di Santa Chiara assistir à cerimônia da liquefação do sangue de San Gennaro. Era a primeira das três festas anuais nas quais os fiéis assistiam ao milagre do santo padroeiro. O primeiro sábado de maio era a data do traslado de seu corpo de Agro Marciano para as catacumbas. A ele, seguiam-se o dia 19 de setembro, data de sua morte, e 16 de dezembro, aniversário da erupção do Vesúvio em 1631, uma das maiores da história, que cessara logo após a invocação do santo, salvando Nápoles da destruição.

Conta a tradição que, após San Gennaro ter sido decapitado, em 303 d.C., por não renegar sua fé cristã, uma piedosa senhora, Eusébia, teria recolhido e colocado seu sangue em pequenas ampolas de vidro, guardadas como relíquia por sua família, por várias gerações, até que foram entregues ao bispo de Nápoles, Dom Giovanni, por ocasião do traslado do corpo. Foi quando o milagre aconteceu pela primeira vez. Desde então, a cada ano, o sangue de San Gennaro, sólido nas duas ampolas que o guardam, após preces e vigília dos fiéis, torna-se líquido aos olhos de todos, contrariando as leis da Física.

Em frente à igreja de Santa Chiara, a procissão começava a se organizar. Imagens em prata de cerca de quarenta santos compatriotas, algumas incrustadas com pedras preciosas, pérolas e outros ornamentos, eram postas nos andores. Senhoras com terços às mãos aglomeravam-se tentando estar mais próximas deles. No interior da basílica, os descendentes do santo ocupavam as primeiras fileiras. Atrás vinham os membros da corte e, no fundo da nave, o povo que conseguia ali se acomodar.

Arrabal desviou-se da multidão e aproximou-se da sacristia. Frei Arturo preparava-se para a cerimônia. Estava de costas para a janela quando Arrabal se debruçou no parapeito. Ia chamá-lo quando avistou o cálice de vinho sobre a mesa. Não pôde resistir à traquinagem. Pulou a janela, sentou-se à mesa, piscou para a imagem do santo padroeiro e tomou um gole largo do copo. Depois, ficou assim, pernas cruzadas, taça na mão, esperando que o pobre frei se virasse para ele. Quando o fez, por pouco não conteve o grito.

— D*io* S*anto*! Quer me matar de susto?!

— Não, frei! Eu estava com tantas saudades suas que decidi vir lhe visitar! — disse, levantando-se e estalando um beijo na bochecha do religioso atônito.

— O que você está fazendo aqui *proprio oggi*?

— O que o senhor quer dizer com justo *oggi*? Acha que sou azarado? Por acaso acha que vou atrapalhar San Gennaro e ele não vai fazer o milagre?

A preocupação do frei se explicava na própria tradição. Como o milagre era associado à proteção do santo para com a cidade, temia-se que, caso o sangue não se liquefizesse, algo terrível pudesse acontecer. Mas o milagre sempre se fazia.

Arturo suspirou e enxugou a testa onde um suor súbito brotara. Era pequeno e gordinho. Usava um *pince-nez*. Na cabeça calva e lisa, alguns derradeiros fios brancos teimavam em empertigar-se, obrigando-o a discipliná-los com a mão, no que já se transformara num cacoete. Suas faces eram sempre coradas dos goles roubados de vinho e do esforço de locomover-se por causa do sobrepeso.

— Pois então me diga! — prosseguiu o frei, atirando a estola sobre a mesa. — Parou de adorar aquela alucinação?

Arrabal sorriu e respondeu naquele tom doce, irresistível:

— Frei, por que o senhor é tão ciumento se Deus não o é? A fé não é um sentimento? Então! Não importa que rosto o Divino tenha em nossa imaginação. Se o teatro é a minha religião, não acha natural que eu veja Deus no rosto de Molière?

Arturo sorriu sem perceber, para logo depois fingir seriedade. Arrabal era um diabrete. Não se podia facilitar com ele que vinha já, com sua doçura, a nos amolecer o coração, pensou.

— Giordano é esperado *oggi* nesta festa, sabia?

Arrabal fez que sim, suspirou e deixou o olhar perder-se na imagem de San Gennaro, cujas mãos acariciou.

— Ele não vem.

— Por quê?

— Está naquelas crises. Ficou em casa. Acabei de vir de lá. É por isso que estou aqui.

Arturo suspirou, aproximou-se dele e afagou, com a mão gorda, os cabelos.

— O que você quer de mim, *figlio mio*? Fale depressa! Seu pai já deve estar na igreja! Você não quer que ele o veja, quer?

Arrabal balançou a cabeça sem tirar os olhos da imagem, e depois pediu:

— Frei, preciso muito que me faça um favor.

❃ ❃ ❃

Na nave havia um burburinho de gente e de conversa que antecedia o milagre. Naquele dia, a igreja não parecia definitivamente um lugar de contrição. Luigia olhava em torno, inquieta, até que avistou Gioconda, ao lado de Teresa, três bancos à frente do seu. Levantou-se e ia encaminhando-se naquela direção, quando Angelina a interpelou.

— Aonde você vai?

— Conhecer minha sogra, Angelina!

— Sei muito bem o que você está querendo fazer. Eu já lhe disse, menina! Mandei perguntar aos criados da família dele. Ninguém fala do tal Giuseppe por lá. Nunca! A quem pergunta, dizem que *è morto*! Giordano lhe disse a verdade!

Foi inútil, como a maior parte dos conselhos que a pobre Angelina lhe dava. Continuou a caminhar na direção de Gioconda, que orava de joelhos, os olhos fechados, o rosto apoiado nas mãos postas. Luigia demorou-se um instante a olhar para ela. Depois, tomou coragem e pediu:

— *Permesso*! — E ajoelhou-se a seu lado.

Gioconda levantou o rosto e pousou em Luigia os olhos azuis que, na pouca luz da nave, cintilavam como poças que depois da chuva refletiam o luar. Gioconda sorriu. Ao contrário do que Luigia imaginava, ela pareceu serena. Tinha a pele muito branca e uma beleza resiliente às rugas, ao grisalho dos cabelos, ao cansaço da vida. Estava lá, no desenho aristocrático daquele rosto, a face gêmea dos dois.

— *Prego*! — disse Gioconda, e sorriu, plácida.

— Sou Luigia. Luigia di Medinacelli.

— Ah, sim! A noiva do meu filho Giordano! — disse e sentou-se no banco, convidando Luigia a fazer o mesmo com um gesto de mão. — É tão bonita! — completou, acariciando-lhe o rosto.

— *Grazie*!

Teresa também sorriu para Luigia.

— Esta é Teresa. A segunda mãe dele — apresentou Gioconda. Depois, ficou subitamente séria. — Estou preocupada. Será que San Gennaro vai fazer o milagre este ano?

Luigia riu, também ela partilhava o temor.

— Você também acha que alguma desgraça pode ocorrer se ele não fizer o milagre? — Gioconda perguntou.

— Bem, eu gostaria de dizer que não, mas isso é impossível para qualquer um de nós, napolitanos. Também fico preocupada com a cidade. É inevitável.

— Eu me preocupo com meus filhos. Sinto que alguma coisa ruim vai acontecer com um deles. — respondeu Gioconda.

Teresa segurou-lhe a mão e fez um gesto que Luigia não compreendeu, mas intuiu como um incentivo tranquilizador.

— Não se preocupe, *signora*. Seus filhos estão bem e vão continuar assim. — E depois de uma pausa, Luigia arriscou: — Eu conheci Giuseppe.

Teresa pareceu enregelar e franziu o cenho num sinal de visível desaprovação.

— Agora entendo por que Giordano tem brigado tanto com você — disse Gioconda.

— Ele lhe contou que brigamos?

— Ele me conta tudo, não se aborreça. É assim desde a infância. Ele me disse, sim, que vocês brigaram. Não é verdade?

— Desculpe-me, mas é preciso especificar quando, porque discutimos quase todas as vezes em que nos encontramos. Aliás, para falar a verdade, temos brigado desde o dia em que nos conhecemos. — Gioconda riu e pareceu mais linda ainda. — Mas e Giuseppe? A senhora não me falou nada sobre ele.

Teresa balançou a cabeça novamente e franziu a testa. Luigia fingiu não entender e ia continuar, mas Gioconda desviou o olhar do rosto dela e o deixou vagar num vazio à sua frente.

— Ele se afastou... — balbuciou Gioconda.

— Giuseppe?

— Não, Giordano! Ele faz isso desde menino — disse, ficando de novo quieta, o olhar em transe, como se sua alma não estivesse ali. De repente, murmurou: — Giuseppe está perto. Posso sentir!

Luigia olhou ao redor, esperando ver Arrabal entre a multidão, e acabou por se deparar com o olhar de censura de Teresa. De inesperado, Gioconda segurou as mãos de Luigia entre as suas, fixou nela os olhos transtornados e pediu:

— Ajude o meu filho, por favor! Ajude Giordano! Ele precisa de você! Ele precisa tanto de você quanto Giuseppe! Giuseppe é o meu anjo! Não o faça sofrer! — disse já em tom alto, começando a soluçar, as pupilas dilatadas, as mãos apertando as de Luigia na força inconsciente do anseio.

— Calma, *signora*, por favor!

Gioconda puxou Luigia para junto de si, os olhos esbugalhados de desespero, o tom da voz chamando a atenção em torno. Teresa tentava em vão fazer com que soltasse as mãos de Luigia, cujos dedos já se avermelhavam nas pontas.

— A senhora está me machucando! — disse Luigia, apavorada.

— Só você pode ajudá-los! Só você! Você é Angelica! Só você pode fazer Rinaldo e Orlando pararem de brigar! Só você!

Carlo aproximou-se e conseguiu abrir as mãos de Gioconda e fazê-la largar as de Luigia, que correu para junto de Angelina. Gioconda tremia. Teresa a abraçou, e ela foi se acalmando aos poucos.

— O que aconteceu, menina? Você está pálida! — perguntou Angelina enquanto Luigia se aconchegava em seu ombro.

Carlo aproximou-se antes que Luigia pudesse responder.

— O que houve? — perguntou.

— Não sei — respondeu Luigia, ainda trêmula, esfregando as mãos doídas. — Estávamos conversando normalmente sobre Giordano e Giuseppe e de repente ela ficou nervosa e começou a falar coisas sem sentido sobre as marionetes.

Carlo não deixou que concluísse a frase.

— Giuseppe? — perguntou ele, num tom de evidente contrariedade. — O que a senhora sabe sobre Giuseppe?

— Sei que ele é gêmeo de Giordano e...

Carlo a interrompeu novamente, dessa vez com rispidez.

— A senhora não devia ter feito isso! Não falamos nunca sobre ele com ela!

— Perdão, duque, mas não consigo entender por quê. Parece-me que seria muito bom se falássemos abertamente sobre....

— Giuseppe está morto, minha senhora! — exclamou, interrompendo-a e chamando a atenção em torno. — É sempre muito doloroso falar sobre um filho morto! — Depois de se controlar, continuou: — A senhora deveria estar preocupada com o seu noivo. Ele saiu numa viagem de inspeção há dois dias e ainda não voltou. Estava esperando que chegasse a tempo de assistir ao milagre — disse, só então percebendo os olhares em volta de si, e concluiu: — Se quer mesmo ajudar, não toque no nome de Giuseppe com Gioconda nem com qualquer um de nós nunca mais, por favor!

Carlo afastou-se, deixando Luigia atônita. Ela o seguiu com o olhar e viu quando se aproximou de Gioconda. Notou-lhe o carinho extremo com ela. Não parecia um homem mau. Era certamente mais humano que seu pai. Então, por que agia assim em relação ao próprio filho? Que preconceito terrível era aquele que se fazia mais forte que o amor paternal? Fosse como fosse, Giordano dissera a verdade. Não havia o que fazer.

O canto gregoriano interrompeu-lhe os pensamentos. Frei Arturo chegou ao altar trazendo a relíquia, acompanhado pelo abade e pelos duques que governavam a cidade. A caixa de prata, contendo as ampolas, brilhava no raio afiado de sol que penetrava a nave pelo vitral. A cerimônia ia começar.

* * *

Giordano decidira não ir à festa. Queria aproveitar a solidão do palácio para pensar. Estava sozinho na grande sala de vidro, como era chamado o espaço de paredes espelhadas utilizado para pequenas recepções. Aproveitara para treinar. A esgrima era sua melhor forma de relaxar e meditar. Praticava com a própria imagem refletida em toda a volta.

Giordano manejava o sabre com estilo, esgrimia com uma elegância que o fazia príncipe, golpeava com um vigor que o fazia herói. Alternava os movimentos a corrida curta, o golpe à frente buscando tocar o corpo do oponente, a ofensiva após um imaginário bloqueio de ataque do adversário, até que avistou a imagem de Arrabal atrás de si, recostado no batente da porta de entrada. Abaixou a arma, retirou a proteção do rosto e respirou, retomando o fôlego.

— O que está fazendo aqui?

— Vim te visitar.

— Mas estou justamente aproveitando a ausência de todos. De vez em quando, eu também preciso ficar sozinho.

Recolocou a proteção e recomeçou a esgrimir.

— Também aproveitei a ausência de todos para vir. Estive aqui antes. Li seu manuscrito! — anunciou Arrabal.

Giordano parou novamente.

— Você o deixou aberto sobre a escrivaninha. Entendi que queria que alguém o lesse. Podia ser meu pai. Mas fui eu.

Giordano reiniciou a corrida curta e desferiu estocadas no ar.

— Como pode ver, não é o único na família que gosta de escrever.

— Frei Arturo não iria gostar nada se soubesse que você está com o Tanucci e acha que a Igreja deve pagar impostos sobre suas propriedades — Arrabal provocou.

— A César o que é de César. Essa é a lei.

— Concordo, mas meu pai certamente não. Acho mesmo que ele ficaria chocado se soubesse que você pensa que o governo é... — parou, buscando lembrar o texto exato — ... incapaz de fazer frente aos problemas efetivos deste reino como um Estado inchado, um clero parasita e uma corte...

— O que você veio fazer aqui, afinal? Atormentar-me? — gritou Giordano.

— Não! Libertar-te!

— Libertar-me do quê?

— Dessa vida! Por que você insiste nessa vida? Não está evidente? Olhe como você pensa! Você não nasceu para isso!

— Quem lhe disse? Eu sou um soldado e tenho muito orgulho disso, se quer saber. Além do mais, não é só uma questão de vocação! É senso do dever, é lealdade!

— Lealdade a quem? A um rei cuja conduta você não aprova totalmente? — E quem aprova alguém totalmente? Lealdade não tem a ver com aprovar ou não aprovar alguém. Tem a ver com o compromisso que você tem para com essa outra pessoa, com a confiança que ela lhe deposita, com o honrar dessa confiança. Além do mais, eu estava me referindo a Nápoles quando falei em lealdade.

— Mas Nápoles não quer o seu sangue — Arrabal argumentou, agora dançando em rodopios pela sala. — É uma cidade alegre! A única coisa que quer de nós é alegria. Sinto falta do seu sorriso. Não ouço você dar uma boa risada desde que éramos crianças.

Giordano parou novamente, acalmou a respiração e disse:

— Um homem precisa fazer parte de alguma coisa maior do que ele mesmo. É o que dá sentido à nossa existência e faz de nós seres humanos em vez de ratos. É o que eu chamo de honra — declarou.

— Para mim, estar vivo é, por si só, uma honra. Uma bênção, que faço o meu melhor para merecer — rebateu Arrabal.

Olharam-se num silêncio agudo por um tempo, até que Giordano provocou:

— Vou me casar com Luigia di Medinacelli. Foi ideia do meu pai. Engraçado, não?

— Não vai, não! Ela jamais se casaria com você. Está apaixonada por mim — rebateu Arrabal.

— Você pensa que é a melhor parte de nós dois, não? Não acredita que alguém possa me amar pelo que sou. Pois vou surpreendê-lo, poeta! Pode esperar! — disse Giordano, deu um passo largo à frente e golpeou a imagem de Arrabal, encerrando a conversa.

❀ ❀ ❀

Na cidade, a procissão deixava a igreja. Os sinos tocavam. As preces subiam aos céus num confuso desencontro de ritmos e vozes. Mamma, Caterina, Gigi, Francesca e Vincé seguiam igualmente a marcha de fiéis, pedindo o milagre. No acampamento, Vittoria acendeu uma vela, ajoelhou-se e fez o sinal da cruz.

— Está preocupada? — perguntou Dottore, parando de pé ao seu lado. Vittoria assentiu. — Não fique. San Gennaro ama Nápoles. Ele há de liquefazer o sangue e evitar todas as desgraças — disse, num tom de irônica complacência.

— Você não acredita em nada, não é?

— Como poderia? Não acredito sequer em mim! — E sentando-se no chão ao lado dela, concluiu: — Eu era devoto de San Giovanni, mas o povo pediu a Carlo di Borbone que proibisse o batismo.

— Dizem que esse banho noturno em homenagem a Jesus estava virando promiscuidade. Homens e mulheres em roupas íntimas obrigando quem passasse a tomar banho junto também — argumentou Vittoria.

— É, eu soube! Virou um banho profano!

Riram e foram ficando lentamente sérios, até que Vittoria o convidou:

— Você rezaria comigo?

— Pelo quê?

— Por Arrabal, pela nossa trupe, por nossa cidade... para meu marido nunca me encontrar...

— Ah! — exclamou Dottore, interrompendo-a. — Esse é definitivamente um bom motivo para orar. — Estendendo a mão a ela, ajoelhou-se a seu lado e a acompanhou na prece.

❀ ❀ ❀

A procissão seguia pelas ruas de Nápoles como um longo e triste lamento. Na igreja, o tempo restava em suspenso na respiração da plateia, cujos olhos não desviavam das ampolas nas mãos do frei. Havia já quase uma hora de prece, e, como mandava a tradição, os parentes de San Gennaro começavam a interpelar o santo. Sim, ainda havia parentes vivos, que por primazia ocupavam as primeiras fileiras da nave.

— *San Gennà, muovete a farce a grazia*! San Gennaro, faça a graça! — iniciavam com pedidos gentis, que, se não atendidos, logo se transformavam numa cobrança clara e impaciente. — *Jamme belle, San Gennà*! *Scetate*! Vamos, San Gennaro! Acorde! — E se nem assim o milagre se fizesse, os ânimos esquentavam e tinha início uma chuva de impropérios. — *Faccia gialluta*! Cara amarela! —, numa alusão à cabeça dourada em que o crânio do santo era guardado. — *Ca te fusse scurdate 'e nuie*! Esqueceste de nós! *Si tu non vuò essere cchiù 'o protettore nuoste, nuie 'nce pigiamme a Sant'Antuono*! Se não quiser mais ser nosso protetor, vamos nos pegar com Santo Antônio!

Mas então uma lufada de vento forte calou o falatório das gentes. Frei Arturo sacudiu ligeiramente uma ampola. Todas as respirações suspensas, os olhos colados no altar. Sacudiu a outra e deu aos fiéis a impressão de sorrir. Todavia, foi só quando o abade, prelado do tesouro, agitou no ar o lenço branco que um grito único de euforia, seguido de aplausos, abraços, risos e lágrimas, estremeceu a nave, comemorando o milagre. A notícia deslizou, célere, para a rua e alcançou a procissão que do monocórdio triste passou a um quase carnaval.

O órgão da basílica uniu-se à voz dos fiéis, entoando um canto de louvor. Os sinos de todas as igrejas dobraram e os pássaros, de alegria ou de pavor, bateram em revoada em todas as direções.

❋ ❋ ❋

Quando Luigia chegou em casa, ainda estava atônita. Subiu em silêncio as escadas para seu quarto. Estava triste, não por constatar que não poderia de fato substituir o noivo. No fundo, não estava exatamente certa de que, se pudesse, o faria. Era a tristeza de Gioconda que, de alguma forma, se lhe transferira. Era uma espécie de dor que vinha dela e que, por sua doçura, se tornava ainda mais duro testemunhar. Estava assim, imersa em pensamentos, quando alcançou o quarto e abriu a porta. E então toda a tristeza como encanto se desfez, como se o sopro delicado de um anjo lhe varresse da alma todo o pesar. Cobrindo o chão e sua cama, havia um tapete de flores miúdas, flores fáceis de estrada, coloridas, que como uma trilha, levavam à máscara deixada sobre o travesseiro. Luigia tirou os sapatos e caminhou na ponta dos pés, tentando poupá-las até alcançar, de um salto, os lençóis. Pôs a máscara e rolou sobre as pétalas. O poeta não a tinha esquecido. Também ele sentia sua falta. Por um instante, cogitou como teria entrado em seu quarto. Que importância tinha? O fato é que tinha vindo por ela, para dizer com as flores que a amava. Segurou, pensativa, um punhado de pétalas na mão. A imagem de Giordano cruzou-lhe o pensamento, sem que pudesse evitar. E se ele soubesse? Teria ciúmes? Acaso sofreria se a visse assim cortejada pelo irmão? Lutaria por ela? Seria mais gentil para conquistar seu amor? Por certo que não. E de tão certa chorou um pouco, fechou os olhos e adormeceu.

* * *

Mamma servia fartos punhados de verduras cozidas a cada um como jantar. A trupe, sentada em volta da fogueira, olhava desolada para os pratos e começava, sem ânimo, a comer. De repente, Francesca largou a colher.

— O que foi? — perguntou Vittoria, assustando-se.

— Arrabal!

— Onde? — perguntou ela.

O som dos guizos de seus sapatos logo se fez ouvir, assim como os cascos do cavalo. Francesca correu para ele. Arrabal a pegou no colo e girou-a, fazendo-a rir como criança.

— Eles já sabem de Giordano, *figlio*! — disse Mamma, quando ele se aproximou para beijá-la. — Nós nos apresentamos numa festa em homenagem a ele num palácio.

Arrabal sorriu constrangido e falou entredentes para Mamma:

— Qual foi a reação deles?

Mamma contou-lhe tudo em detalhes. Quando terminou, Arrabal tirou a máscara, com um quê de tristeza.

— Agora entendo o porquê da máscara o tempo todo! — disse Dottore, batendo carinhosamente a mão no ombro do poeta.

Arrabal meneou a cabeça, olhando a máscara que enrodilhava nas mãos. Depois pediu:

— Por favor, não falem disso a ninguém. Não comentem que sou irmão dele. Isso mataria meu pai de vergonha.

Todos prometeram se calar. Arrabal baixou de novo a cabeça e a trupe silenciou, em respeito à sua melancolia, mas então, como se tivesse de improviso renascido ou esquecido o segredo infeliz, levantou a cabeça e, num tom de indignação, perguntou:

— Mas quem fez o Arlecchino? Não vão me dizer que tiraram o Arlecchino da apresentação!

— Eu fiz! — disse Vittoria, e só então Arrabal a viu. Ela o olhava desde que ele chegara. Arrabal correu para ela e a abraçou. — Eu vim! Não pude mais e vim! — murmurou ela, o rosto junto ao dele, os olhos fechados como em contrição

— Que bom que veio! Que bom! — respondeu ele, nos braços dela, para depois lhe beijar suave e demorado os lábios. Não era um beijo de paixão; era ternura, boas-vindas, mas Francesca não o viu assim e, não fosse Dottore segurar-lhe o braço, teria atirado longe o prato de verduras.

Arrabal percebeu, mas não fez caso. Não se ocuparia de outra coisa se desse trela a todas as criancices de Francesca. Sentou-se na cabeceira da mesa invisível que formavam sentados em círculo no chão e pediu a Mamma, batendo a colher na panela de ferro.

— Então, não se janta *qui oggi*? Estou morto de fome! E ainda quero ir à cidade! Estou com saudade da *tarantella*!

Começaram a comer desanimados. Francesca mastigava as verduras com uma expressão de nojo. O Dottore as empurrava às garfadas com grandes goles de água. Todos faziam muxoxos cada vez que levavam as verduras à boca.

— O que é que há? — perguntou Arrabal, colocando o prato no chão.

— Há dias só comemos verduras ensopadas, *figlio*. É folha todo o dia! — disse Mamma, já tremendo o queixo, anunciando a choradeira.

— Não tivemos nenhuma refeição decente desde que nos apresentamos no palácio do duque, isso já faz quase um mês! — completou Dottore.

Caíram num silêncio triste, só preenchido pelo tilintar dos parcos talheres nos pratos. Arrabal os olhava, penalizado, até que gritou:

— Parem! Parem todos de comer!

Eles obedeceram, sem entender por quê.

— Está tudo errado! Não são verduras o que temos aqui!

— Como não? — indignou-se Vincé. — Que conversa é essa agora?

— Não é conversa, é perspectiva.

— Que diabo é isso? — resmungou Vincé para Gigi.

— E eu sei? — respondeu Gigi.

— Vocês estão vendo verduras porque estão comendo com os olhos, quando o jeito certo de comer é com o pensamento!

— Agora não entendi *nulla* — disse Mamma, entredentes, para Dottore.

— Espere, vamos ouvir! — rebateu Dottore, sentando-se mais próximo a Arrabal.

— Fechem os olhos! — E como eles o olhassem, reticentes, insistiu — Vamos! Fechem os olhos! — Quando todos o fizeram, continuou: — Agora esqueçam as verduras e imaginem os pratos vazios. — Arrabal esperou que se concentrassem por um instante e prosseguiu: — Agora, Gigi, o que você gostaria de comer? Diga à vontade, como se estivesse na taverna, com moedas no bolso, podendo escolher. Diga sem medo. O que você pedir agora, o taverneiro vai trazer, quem garante sou eu. Peça! O que você gostaria de comer?

— *Braciole a lo tiano*! — gritou Gigi, como se estivesse fazendo o pedido.

— Agora você, Francesca!

— *Una cassuola de fungetielle*! Hum!

— *Vermicelli aglio e olio per me*! — gritou Dottore, de olhos fechados, antes que Arrabal pedisse, fazendo sinal com o indicador.

— *Una menesta maretata per me*! — pediu Vittoria.

— *Anche per me*! — Mamma a seguiu.

— Prefiro *pesielle co la verrinia*! — disse Caterina, sorrindo de olhos fechados ao garçom imaginário, acostumada que estava a adivinhar coisas na escuridão.

— Vincé? — perguntou Arrabal.

— *Una cassuola di fungetielle anche per me*! — disse salivando, enxugando os cantos da boca.

— Muito bem. Fiquem assim e não abram os olhos. Agora, comecem a comer, mas devagar, pensando no prato que pediram, nos temperos do prato, no gosto, na textura... Sintam a comida se desfazendo na boca, o sabor penetrando a língua, virando prazer no coração! Pensem só nos pratos, na delícia dos pratos, no aroma desses pratos maravilhosos.

Um uníssono de gemidos circulou pela roda e subiu, pairando sobre a fogueira. Os rostos, iluminados pelo fogo, estavam relaxados do prazer da refeição. Arrabal abriu os olhos, um de cada vez, espiando todos de soslaio, e quase pôde ver os quitutes encomendados nos pobres pratos de verdura. A magia funcionara.

— Vamos para a praça? — convidou ele, depois que Caterí e Vittoria terminaram de lavar os pratos e Mamma passou a última rodada de chá quente do dia.

Subiram todos na carroça e se foram cantando, antecipando a *tarantella*. Não podiam imaginar o que estava por vir.

* * *

O marquês della Fontana olhava a cidade distante pela janela do salão principal de seu palácio. Ultimamente, ficava horas ali. Quase não comia, a barba crescia sem que se importasse, não tinha ânimo sequer para vistoriar suas terras, coisa das quais mais gostava de fazer. Desde que Vittoria partira, sentia como se a vida lhe tivesse sido de alguma forma subtraída. Sentia falta dela, de seu perfume, de sua figura distinta pela casa, do seu corpo bonito na cama — até de seu olhar de revolta tinha saudade! Não iria matá-la, já decidira. Quando a tivesse de volta, iria castigá-la um pouco, apenas para manter o respeito. Depois a manteria ali, presa para sempre no palácio, como uma princesa de contos de fada. Não haveria mais festas, saraus, nenhuma saída mais. Viveria só para lhe servir ali, reclusa, à parte da sociedade, como a mulher de Carlo, proibida do olhar dos outros. Mas não a mataria! Já não podia. Não mais!

Estava assim, perdido nesses pensamentos tortos de saudade, quando um de seus homens entrou.

— O que foi?

— Acho que a encontramos, *signore*!

Nicola levantou-se de um salto.

— Onde? Onde ela está? — O guarda desviou o olhar, preparando a declaração. — Fale, vamos! Onde ela está?

— Ela foi vista... Ela foi vista na trupe de teatro que está na cidade. A trupe do tal poeta Arrabal! Eu sinto muito, senhor.

— Trupe? Ela deixou esta casa para viver numa trupe de teatro?

— Parece que sim, *signore*.

Nicola sentiu no peito uma dor aguda e longa, como se um punhal lhe tivesse atravessado vagarosamente o coração. Não conseguiu conter as lágrimas de dor e ódio que lhe brotaram nos olhos. Sentou-se pesadamente na cadeira, a boca entreaberta, trêmula, sem o controle da saliva. E incapaz de articular o confuso de sentimentos que o estrangulava, pura e simplesmente gritou.

* * *

Quando chegaram à praça, já anoitecera. Pararam a carroça e caminharam pelas ruas. Arrabal desceu a máscara sobre o rosto e enlaçou os braços de Mamma e Francesca. Estava frio, mas logo começaria a dança e o aglomerado de gente os aqueceria.

A taverna estava cheia. À sua frente, um grupo dançava. Arrabal misturou-se a ele e chamou a trupe. Logo, todos dançavam, esquecidos da fome e do frio da noite. Vittoria ria, era toda festa rodando entre os pares, a saia do vestido de seda segura nas mãos, no passo da dança. Francesca tomou os tamborins da filha do taverneiro, que se desmanchava em sorrisos para Arrabal, e os agitou no ar como sua Colombina.

Eram os artistas, todos os conheciam. Os que não temiam o frio, que negociavam a fome e o pão, que só do palco não podiam prescindir. Não precisavam de nada e por isso ou pela alegria cujo segredo pareciam deter, o povo da cidade os recebia e lhe ofertava o que tivesse de melhor. O taverneiro reconheceu o poeta e fez logo circular uma caneca de vinho entre ele e sua trupe, da qual apenas Vincé não partilhou. Mas então, como surgindo do escuro da noite, um grupo a cavalo se aproximou. Pela insígnia, o taverneiro reconheceu.

— Gente do marquês della Fontana! — disse.

— É o próprio — concluiu Arrabal.

Nicola ordenou que seus homens jogassem os cavalos sobre a multidão, que abriu caminho aos gritos. Logo, era só Arrabal protegendo

Vittoria, que, petrificada, não conseguira sair do lugar. Nicola avançou lentamente na direção de Arrabal e parou com seu cavalo defronte a ele.

— Você... — disse num sussurro sinistro para Vittoria. Depois, sua boca se deformou no que parecia um sorriso sarcástico e ele perguntou: — Você achou mesmo que ia conseguir fugir de mim? — A frase desmanchou-se no zumbido do vento frio. Nicola olhava para ela, o rosto lívido de ódio, a respiração saindo em espasmos pela boca. Era como um animal preparando o bote e antecipando o tenro da presa. — Peguem-na! — ordenou a um de seus homens, que apeou e caminhou na direção de Vittoria.

Arrabal deu alguns passos para trás com Vittoria às suas costas, até empurrá-la para junto da trupe na calçada e caminhar na direção do homem de Nicola.

— Um momento, por favor! — pediu num tom de tal forma firme que fez o homem de Nicola parar e se voltar para o patrão sem saber o que fazer. — Marquês, o senhor está certíssimo — disse, antes que Nicola pudesse articular uma reação. — Sei que está aborrecido, enfurecido, e tem toda a razão. É claro que tem! — E, virando-se para a multidão que o observava aflita, perguntou: — Ele tem toda a razão, não tem? — O povo não conseguiu lhe entender a intenção e continuou mudo. Arrabal insistiu, olhando incisivo para a trupe. — Não tem?

— Tem, *caspita*, claro que tem! — gritou Mamma, dando um tapa violento em Gigi, conclamando os outros a repetir: — O homem tem razão!

A frase reverberou como uma onda pela praça toda.

— O marquês está totalmente certo, disso ninguém aqui tem dúvida! — continuou Arrabal. — Porém, como em todos os assuntos que exigem siso, creio que seria mais razoável, para o bem de todos, que o discutíssemos bebendo uma caneca de bom vinho. O senhor é meu convidado. O que me diz?

— Eu não tenho nada para discutir com você! Ela é minha mulher e vou levá-la agora! Saia da frente, demônio!

O homem voltou a caminhar na direção de Vittoria. Arrabal deu um passo atrás e colocou-se na frente dela.

— Perdoe-me a impertinência, marquês, mas não acha que deveríamos perguntar a ela o que quer fazer?

— Mulheres não têm vontade e você está prestes a perder a sua língua! — Voltando-se para o homem, gritou: — Pegue-a, agora! Depressa!

— Não! — gritou Arrabal. — Ela não vai a lugar nenhum!

— *Figlio*, não! — pediu Mamma.

Um murmúrio de apreensão cresceu na praça.

— *Figlio d'una puttana*! Como se atreve? — vociferou Nicola e ordenou a seus homens. — Esmaguem esse verme!

Os homens desmontaram. O povo alvoroçou-se. A trupe abraçou-se, envolvendo Vittoria.

— Se eu fosse o senhor, não faria isso, marquês. Afinal, vocês são... — Arrabal parou e contou — ... seis. Eu, apenas um. Não é exatamente o que se pode qualificar como um comportamento corajoso, principalmente em frente a tantas testemunhas! Estou certo de que o rei Carlo, que, como o senhor bem sabe, ama as artes, não aprovaria essa forma de tratar os artistas em seu reino, não acha? E o senhor por certo não quer desagradar ao rei, não é verdade, marquês? — Olhando fixamente para Nicola, disse: — Se quer me matar, faça isso como um homem deve fazer!

— Você está me desafiando para um duelo, seu verme?

Arrabal olhou ao redor, apanhou o chapéu de um dos presentes na praça, colocou-o na cabeça e tirou-o numa reverência. Era o sinal. O duelo estava proposto. O povo murmurou, e Francesca gritou:

— Arrabal, não! — e continuou para Dottore: — Você tem que impedi-lo! Ele não sabe manejar a espada! Ele vai morrer!

O marquês apeou, aceitando o desafio.

— Vou lhe furar como um porco!

— Arrabal, não faça isso, eu lhe imploro! — pediu Vittoria. — Eu vou com ele!

— Psiu! Fique quietinha! — disse Arrabal, arregaçando as mangas e dirigindo-se novamente a Nicola — Antes, porém, vamos acertar as coisas!

— Acertar o quê?

— Vamos fazer o trato! Se o senhor vencer, vai me matar, é claro. Mas, se eu vencer, Vittoria ficará livre para sempre. Estamos de acordo? — perguntou Arrabal, alteando a voz para que todos na praça pudessem ouvir.

— Você vai duelar de máscara? — perguntou Nicola, com ar de deboche.

— O senhor não respondeu à minha pergunta. Se eu ganhar, deixará Vittoria em paz. Ela será livre para sempre. Está certo?

— Certo! — respondeu Nicola entredentes, após um momento de hesitação, e depois ironizou: — Eu estava errado. Vai ser mais fácil que matar um porco!

— Todos ouviram? — Arrabal perguntou alto à multidão. — Se eu vencer, ele deixará Vittoria livre e em paz!

Nicola jogou uma espada para Arrabal, que não conseguiu segurá-la. A lâmina afiada quicou no chão. Os homens de Nicola riram, e o povo da cidade apavorou-se. Arrabal segurou, desajeitado, a espada, mal escondendo atrás da máscara os olhos arregalados de aflição. Estava trêmulo, gelado como uma rã. Os olhos lacrimejavam nos furos da máscara, o coração estremecia o peito num acelerado pulsar.

— Não abuse da sua sorte, Mestre! — pediu Dottore.

— Não se preocupe, Dottore. Alguma coisa vai acontecer para me ajudar. — disse ele, posicionando-se na praça.

Nicola fez o primeiro movimento ofensivo. Arrabal se defendeu. O marquês atacou de novo, com uma série de golpes. Arrabal recuou, movendo a espada no ar sem direção, quase de olhos fechados, até que caiu para trás. Os homens de Nicola riram. As mulheres gritaram. Francesca puxou a gola da capa de Dottore e cobriu os olhos. A espada voou no ar. Nicola avançou para o golpe fatal, mas então Arrabal se valeu da única arma eficaz de que dispunha, a agilidade de Arlecchino, e rolou no chão da praça, escapando ileso. Um homem jogou a espada para ele. Todo o povo bateu palmas.

— A sorte está do seu lado, mas seus truques não vão salvá-lo desta vez, Arlecchino! — exclamou Nicola.

A luta recomeçou. Arrabal compensava em agilidade e velocidade o que lhe faltava em habilidade para o combate. Pulava, agachava-se, dava cambalhotas, girava nos calcanhares, andava na ponta dos pés para escapar dos golpes do marquês. Da luta, fez de súbito uma dança, uma coreografia, um espetáculo que fazia o povo vibrar e enlouquecia Nicola, que, cada vez mais furioso, começava a perder o controle da situação. Arrabal, ao contrário, sentia-se em casa. O público o aplaudia, ria, incentivava.

— Meus amigos, que problemão é morrer! — iniciou Arrabal, na voz gutural de Arlecchino, que o povo bem conhecia. — Perdoe-me quem tem um desejo suicida, mas agora que eu vejo o trabalho que dá, só morro se for obrigado! — E continuou, resfolegante, conforme Nicola o tentava golpear. — Ah, me abata! Eu preciso!

O povo ria. Até mesmo a trupe, mais confiante, gargalhava. Nicola estava vermelho de fúria. Não bastava toda a humilhação que Vittoria o fizera passar e agora aquele maldito, correndo pela praça como um diabrete impossível de alcançar. Tentava acompanhá-lo, mas já não gozava da agilidade da juventude. Estava praticamente sem ar, sentindo no peito um estranho desconforto no esforço de seguir Arrabal, que saltitava como um gnomo pela praça.

— Li em algum lugar que pessoas morreram sorrindo. Se eu morresse sorrindo, seria uma morte engraçada! — gritou Arrabal.

Nicola reuniu forças e avançou sobre ele mais uma vez. Arrabal saltou sobre uma das mesas da taverna e fugiu dos golpes saltitando na ponta dos pés, sobre outras. Nicola não pode mais. Estava sem ar, derrubando cadeiras da taverna na corrida, até que parou e abaixou a espada. O braço lhe doía, o coração pulsava na garganta

— Você devia lutar como um homem, não representar como um idiota! Mas você, com certeza não sabe o que ser um homem significa! — disse Nicola, voltando à praça. — É por isso que está sempre assim, de máscara! Porque é um covarde! Só um covarde teria medo de mostrar o rosto!

Arrabal estacou. A frase o atingira como um golpe mortal. Num movimento rápido e inesperado, pendurou-se no arco da entrada da taverna, balançou o corpo e saltou, parando em frente a Nicola. O marquês assustou-se. Podia ver seus olhos agudos, faiscando pelos furos da máscara. — O senhor não devia ter falado dessa maneira comigo, marquês! —disse, recuperando a própria voz que lhe saiu algo cavernosa da boca, como se vinda de um lugar escuro dentro de si.

E levantando a espada, avançou na direção de Nicola, esgrimindo com perfeição. Era como se estivesse tomado, possuído, arrebatado. O corpo leve, a mão firme, os movimentos rápidos, coordenados, perfeitos. Aquela reação inesperada desestabilizou o marquês. As mulheres aplaudiam, os homens o incentivavam, gritando seu nome como um repetido grito de guerra. A trupe torcia, entre esperançosa e atônita. Então, num momento em que sorria para o público na praça, Nicola se lhe aproveitou a distração e, por pouco, não o atingiu. Arrabal se desequilibrou, a espada lhe escapou da mão e ele caiu. Nicola ia golpeá-lo, mas Arrabal conseguiu rolar para longe, escapar do ataque e recuperar a espada. Em seguida, partiu como louco na direção do marquês. A sucessão de golpes rápidos desconcertou Nicola, que, já sem fôlego, um mal-estar generalizado turvando-lhe a visão, desequilibrou-se e caiu. Num gesto rápido, Arrabal avançou sobre ele, que resfolegava no chão. Encostou a ponta da espada em seu peito, no que seria o golpe final. A praça toda ficou quieta, surda de voz e de vento, como se tudo em torno houvesse prendido a respiração. O peito de Nicola arfava, a ponta afiada da espada tirando uma gota de sangue da pele úmida, os olhos de Arrabal lacrimejando pelos furos da máscara, as mãos trêmulas juntas sobre o cabo da espada.

— Vá em frente, saltimbanco! — balbuciou Nicola, vermelho como se o peito fosse estourar. — Acabe com isso de uma vez!

Mas Arrabal se limitou a atirar para longe a espada e com o gesto fez a praça em torno novamente se mover.

— Desapareça daqui! — ordenou ao marquês.

CAPÍTULO XI

O novo teatro

Vittoria demorou a entrar para dormir. Esperava por Arrabal.

— Arrabal estava lindo lutando! — ouviu Francesca dizer. — Ele acabou com a arrogância daquele marquês! — Vittoria riu.

No interior da carroça, Vincé guardava *il feroce Saladino* no baú e arrumava sua cama.

— Eu nem sabia que ele sabia manejar espada — disse.

— Nem eu — concordou Dottore. — Ele me disse que aprendeu com o irmão, quando eram mais jovens. O pai os obrigava. Disse que pensou que nem se lembrava mais. O Mestre e suas surpresas!

Caterí debruçou-se na janela e suspirou para o céu.

— Ele ficou tão feliz quando eu disse que voltei a enxergar.... Os olhos dele brilharam!

— É, ele ficou feliz por causa de Vittoria também. Ele gosta dela! Vocês notaram com que carinho ele a abraçou depois do duelo? — perguntou Mamma, irritando Francesca, que a fuzilou com o olhar. Mamma devolveu-lhe uma careta e se cobriu. — Por falar nisso, onde está Vittoria? — perguntou, descobrindo-se novamente.

— Lá fora, esperando por ele — respondeu Caterina.

— Mas ele vai demorar! — exclamou Dottore. — Ele enfiou na cabeça essa história de apresentar Gigi ao gerente do Teatro San Carlo. Devem estar perambulando lá pelas bandas da Taverna Del Real Teatro. — E, meneando a cabeça, acrescentou: — Agora imagine se *quello* gerente que vive bajulando esses cantores castrados vai dar atenção a Gigi! Só o Mestre mesmo!

— Vittoria, entre! — chamou Mamma, ajoelhando-se e pondo o rosto na janela. — Vou apagar as velas!

Vittoria colocou pedras sobre o fogo que já de per si morria, entrou e se acomodou ao lado de Mamma no chão.

— *Buonanotte*! — disse Mamma, soprando as velas.

— *Buonanotte*! — todos responderam.

E, meneando a cabeça, acrescentou.

❋ ❋ ❋

Giordano chegara em casa pouco antes do amanhecer. Passara a noite com Guiditta, a bela prostituta do *Bordello dei Poeti*, em Montesanto. Carlo o esperava no escuro de seu quarto, o manuscrito nas mãos. Não acreditara quando frei Arturo lhe dissera, ainda na igreja, após a cerimônia, que Giordano vinha escrevendo coisas contra o rei. Relutara em procurar os papéis no aposento do filho, em invadir sua intimidade, mas nem foi preciso. Os escritos estavam abertos sobre a escrivaninha, indicando um trabalho em andamento.

— Então é mesmo verdade! O frei estava certo! — disse, atirando no chão as folhas que Teresa se encarregava de juntar novamente. — Eu já estava preocupado com as ideias dele, mas não pensei que tivesse coragem de escrevê-las. O que está acontecendo com Giordano, Teresa?

Teresa encolheu os ombros, não sabia. Num gesto, pediu paciência, mas Carlo não era bom nesse mister. Teria fulminado o filho se ele tivesse chegado naquele instante. Mas ele não estava e então se sentou e o esperou chegar. Foi só de madrugada que Giordano chegou, e, quando acendeu a lamparina, a visão inesperada do pai fez que com saltasse para trás.

— Que susto! O que o senhor está fazendo aqui?

— Esperando por você. Pode me explicar o que significa isto? — perguntou, sacudindo vigorosamente o conjunto de papéis.

— Mas o que é isso? O senhor está mexendo nas minhas coisas? — disse Giordano, puxando os papéis das mãos do pai. — Isto é particular! São coisas minhas! Não acha que está indo longe demais?

— Foi o frei Arturo quem me disse! Isso já chegou nos ouvidos do frei Arturo, para você ter uma ideia! Foi ele quem me alertou!

— O frei? O que o frei tem a ver com isso? Como ele soube? — E, realizando o absurdo daquela conversa, reagiu — Isso é coisa minha! Ninguém tem nada a ver com isso! São os meus pensamentos, minhas reflexões, ou será que não tenho sequer direito a isso?

— Isso é uma confissão! — berrou o pai.

— Abaixe o tom! Vai acordar minha mãe!

— São ideias subversivas! Se Carlo di Borbone souber que você pensa dessa maneira, será expulso, preso até! Já não era suficiente o absurdo de pensar, precisava ainda escrever?

Giordano enrolou o manuscrito, abriu o baú nos pés da cama e o jogou dentro dele, batendo a tampa com força. Depois, olhou altivo para o pai e disse:

— Escrevo porque não tenho com quem compartilhar o que penso.

— Você não devia sequer pensar!

— Ah, meu pai, isso é coisa que nem o senhor nem o rei podem me impedir de fazer! Essa é a única instância em que se é, de fato, livre: no pensamento! Talvez tenha sido exatamente para garantir esse direito que a natureza o fez indevassável. Nesse domínio, sua máxima não funciona! — E enfatizou, batendo na testa com o indicador: — Aqui, sou eu quem diz o que é para o meu bem!

Enfrentaram-se no silêncio por instantes. A luz bruxuleante da lamparina dando contornos fantasmagóricos à raiva que sentiam, até que Carlo virou as costas e saiu, batendo a porta do quarto atrás de si.

❄ ❄ ❄

Quando a trupe acordou, Arrabal já tinha deixado o acampamento. Só voltou para o almoço. Todos o aguardavam ansiosos. Mamma os tinha avisado que finalmente teriam uma primeira reunião sobre o novo espetáculo.

Sentaram-se, como de hábito, em torno à fogueira. Arrabal começou a falar andando em círculos. Explicava o novo projeto. A peça que não iriam encenar no palco portátil da carroça, mas no teatro. A peça que usava uma ou outra máscara da Commedia, mas contava uma história única, com começo meio e fim. O tema era o diabo. Falava da política, da igreja, até do rei. Caspita! Vincé pensou, enrodilhando a ponta do pé da meia, já esgarçada pelo tempo. Iam apanhar, ou seriam presos era o que ia acontecer.

— Mestre, desculpe, mas não acha que os padres podem se ofender? — arriscou Dottore. Sabia quão obstinado Arrabal podia ser quando metia uma ideia na cabeça, entretanto dessa vez a coisa era tão arrojada e temerária que se sentiu na obrigação de tentar dissuadi-lo.

— Mas a questão é justamente essa, Dottore! Instigar! Fazer as pessoas pensarem! — Acocorando-se em frente ao amigo, prosseguiu: — Imagine o que as pessoas vão pensar vendo a própria vida, seus problemas, no palco.

— É exatamente isso que temo, Mestre — disse o Dottore, mas Arrabal não o ouviu e se levantando de novo, continuou entre gestos e passos largos, como se dançando no ar.

— Imagine como vão reagir vendo *il capitano* Quaquera concluindo que suas batalhas não beneficiam o povo e decidindo se tornar um *maccaronaro*. *Vierdi, vierdi li maccarune*! — concluiu, rindo.

Eles riram, sem graça, procurando apoiar. Era o que tinham feito a vida toda. Apoiar, abraçar as ideias daquele anjo louco e visionário que representava para cada um a sua redenção. Depois ficaram quietos, entreolhando-se constrangidos, sem saber o que fazer. Arrabal percebeu e ficou triste. Não gostaram da ideia, estava claro. Não tinham gostado mesmo, com certeza não! E diante daquela reação, ele próprio, todo o tempo tão convicto, começou a questionar se de fato tudo não passava de uma grande bobagem que perdera dias a escrever. Inseguros, tão frágeis são por vezes os artistas. Sempre tão dependentes de uma validação.

Vittoria tinha achado a ideia genial, mas preferiu não endossar. Temia que o público não compreendesse. Não lhe parecia que o povo de Nápoles estivesse preparado para conhecer algo tão inovador. Temia por Arrabal. Sua tristeza pela recepção negativa do grupo antecipava quão devastador seria para ele não ter o aplauso costumeiro da plateia no final. Era melhor guardar o entusiasmo para si.

Melhor seria desistir, Arrabal pensou, já com certa vergonha do que propusera. Ia dizer que esquecessem aquilo, que rasgaria tudo e começaria de novo, mas então Mamma surpreendeu a todos.

— E o que estamos esperando, *figlio*? Vamos fazer esse espetáculo!

Suas palavras agiram como um passe de mágica. Era como se só precisassem disso, do aval da mãe, do seu consentimento para se lançar na estripulia. Logo eram de novo a trupe, a família disposta a embarcar na aventura que o poeta quisesse propor.

— Bem, essa peça vai trazer algumas mudanças para nós — Arrabal iniciou, o ânimo renovado.

— Mudanças? — perguntou Gigi.

— É. Vamos ter de ensaiar mais e...

— E...? — incentivou Vittoria.

— Bem, vamos ter de memorizar as falas.

— Como assim? — perguntou Vincé. — Não vamos mais improvisar?

— Bem, sempre há espaço para a improvisação em cena, mas algumas personagens, as principais deste espetáculo, terão falas definidas, que teremos de estudar e decorar, porque vamos depender uns dos outros para que o diálogo se desenrole, entende, Vincé?

Novo silêncio em que se entreolharam temerosos se estabeleceu e Arrabal temeu perder-lhe o entusiasmo novamente. Desta vez, foi o Dottore que sustentou os ânimos

— Eu não vejo problema nenhum, Mestre!

— Mas, então, se vamos ter que decorar, isso quer dizer que vamos ter que ler? É isso? — perguntou Francesca, trazendo a questão que provocou a comoção geral.

Arrabal olhou para eles e fez que sim.

Do silêncio ao burburinho foi um átimo. Falavam sem parar, diziam frases sem sentido, como se, de fato, pensassem alto ou só quisessem desabafar. Arrabal pediu calma e silêncio um bom número de vezes, sem que ninguém lhe desse ouvidos, até por fim pegar a colher de pau e bater forte na panela de ferro, que já fumegava com a sopa que Mamma preparava.

— Silêncio! Silêncio! *Cazzo*! — gritou, para depois soltar a colher dentro da panela fumegante.

O tumulto foi-se diluindo num sussurro, até virar silêncio outra vez. Vittoria levantou o indicador, pedindo licença para falar. Arrabal consentiu.

— Desculpe, mas não entendi. Qual é o problema?

— O problema é que apenas eu, você, Dottore e Gigi sabemos ler.

— Ah... — murmurou Vittoria, constrangida.

— O que em absoluto constitui um impedimento! — emendou Arrabal. — Aqueles que sabem ler ajudarão os que não sabem. Vamos demorar um pouco mais no processo, mas vai funcionar assim.

— Eu também sei ler! — garantiu Francesca, um tanto ofendida.

— *Chiaro*! E *io* escrevo romance! — caçoou Vincé.

— Não sou analfabeta, fique sabendo! — rebateu ela. — Arrabal me ensinou as letras!

— Ótimo! Quanto mais pessoas puderem ler, melhor para nós! — atalhou Caterí, piscando o olho para Arrabal, que retribuiu.

— Certo! Agora vamos comer, porque estou morto de fome e essa sopa está cheirando muito bem! — disse Arrabal, aspirando o vapor quente que saía da panela. — Onde você conseguiu esses legumes, Mamma?

— Juntamos moedas e compramos alguns na praça — disse Vittoria, estendendo o prato a Mamma. — Outros, apanhamos emprestado em alguns quintais por aí — concluiu, fazendo Arrabal rir. — E o teatro? — perguntou ao poeta enquanto lhe servia a sopa. — Como vamos fazer para conseguir um?

— Consegui o San Carlino!

— È *vero*? Giovanni Brancaccio nos contratou?

Arrabal confirmou com um sorriso brilhante nos lábios.

— Sì, ele gostou do texto e da fama da companhia na cidade.

— Da sua fama na cidade, você quer dizer.

Arrabal meneou a cabeça e prosseguiu, sem fazer caso do elogio.

— Vou assinar o contrato com ele amanhã. É um contrato de risco, *sai*. Vamos receber um percentual sobre a receita líquida dos ingressos vendidos, *cioè*, depois que ele deduzir as despesas que tiver com o espetáculo e a parte dele.

— E onde vão estar registradas essas despesas? — perguntou Vittoria.

— No *borderò*! Ele é um empresário, Vitty!

— Por isso mesmo! — respondeu ela. — O empresário é um homem de negócios, Arrabal. Conheço-os todos muito bem! Ele vai seguir sempre a ordem do que for mais rentável a ele. Temos de ficar atentos! Enquanto você luta para fazer arte, ele está interessado no que lhe dá mais lucro!

— É, eu sei.

— E que despesas são essas? — perguntou Gigi.

— Cenário e figurinos. Ele custeia tudo. É bastante coisa, não?

— E se... — arriscou Vitty, após um profundo suspiro.

— E se o quê? Se fracassarmos? É isso? — perguntou Arrabal.

— Temos de pensar em tudo, não? — desculpou-se ela.

— Bem, é um contrato de risco para ambas as partes.

— E o que ele pode fazer conosco se não der certo?

— Cancelar a temporada, acho. *Mandarci via*! — concluiu, segurando a mão de Vittoria com firmeza. — Mas vai dar certo! Vai ser um sucesso, Vitty! Tenho certeza!

— Eu também! — disse ela, e sorriu.

❋ ❋ ❋

O primeiro ensaio foi diferente dos que estavam habituados a fazer. Cansativo e pesado para todos. Houve uma primeira leitura já de per si complicada, uma vez que nem todos podiam fazê-la. Mesmo as personagens secundárias, mantidas com as máscaras da comédia, tinham algumas falas. Arrabal então os dividiu em grupos, nos quais os que sabiam ler o faziam para os demais. Estes repetiam as falas até as decorarem. O trabalho era, assim, dobrado para Vittoria, Gigi, Dottore e Arrabal, tendo em vista que tinham, ainda, de decorar as próprias falas. Arrabal, além disso, precisava dirigir todo o espetáculo. Mas a parte mais delicada veio depois. Decorado o texto, o grupo enfrentaria o que seria seu grande desafio. A *commedia* exigia deles especial preparo corporal e vocal, além de grande potencial de improvisação, mas transitava no terreno da caricatura, da comédia bufa. Aquele novo teatro, não. Exigia deles a composição de uma criatura, de um ser humano verossímil, sem o artifício da distorção da voz e sem a proteção da máscara. Estariam, desse modo, muito mais próximos da plateia, expostos, vulneráveis. Demoraram a acertar o tom. Arrabal teve paciência de pai nos dias que seguiram. O resultado final, entretanto, ficaria ainda aquém do que ele considerava o ideal para a estreia, mas estava convencido de que era o máximo que deles poderia extrair naquele primeiro momento e confiava que cresceriam como conjunto no decorrer da temporada.

Naquele primeiro dia de leitura, entretanto, Arrabal os dispensou antes do anoitecer. Estavam exaustos. Ele também. Correram todos para dentro da carroça, buscando um lugar para deitar, como se tivessem caminhado léguas. Gigi se preparava para dormir, quando Arrabal o puxou pelo braço.

— Venha comigo.

— Onde?

— Você vai ver.

O destino, Gigi não sabia, era o palácio de Luigia. Quando seu deu conta, lá estava ele escalando as pedras da parede do palácio, rumo ao quarto da dama. O sol se punha no horizonte, desafiando os olhos com seus últimos e intensos raios. Gigi franziu a testa. Não conseguia enxergar um palmo à frente do nariz. Agarrava-se às pedras e seguia os pés de Arrabal, à sua frente.

— Pode me dizer por que diabos me trouxe com você?

— Você não queria uma lição sobre o amor? Pois esta é, digamos, uma aula prática — respondeu Arrabal.

— E se alguém nos vir? Há guardas por toda parte!

— Vão pensar que somos fantasmas, que não faltam nas histórias de Nápoles, ou alguém querendo se transformar em um — caçoou e riu, deixando Gigi apavorado. — Vem, *cavaliere dal braccio spezzato*! — chamou Arrabal, fazendo referência a uma das lendas sobre gente do outro mundo que povoava a imaginação dos napolitanos.

Arrabal alcançou o balcão do quarto de Luigia e saltou. Depois, puxou Gigi pela mão. Pela transparente da cortina, Gigi pôde ver Luigia que lia, distraída. — Fique aqui e observe, meu amigo. Preciso de uma testemunha para o que vou fazer — disse, apertando as mãos de Gigi entre as suas.

— Sua mão está gelada — estranhou Gigi.

— É porque estou com medo.

Arrabal entrou no quarto, e Gigi julgou mais prudente agachar-se. Não tinha a intenção de morrer.

Luigia assustou-se ao ver a flor de papel cair sobre a página do livro aberto em suas mãos. Olhou em torno e, ao ver Arrabal parado junto à porta da varanda, correu e o abraçou.

— Tive medo de não vê-lo nunca mais! — disse ela, depois do beijo longo que trocaram.

De súbito, ele ficou sério.

— Eu já soube que você vai se casar com meu irmão.

— Isso é ideia do meu pai. Não é o que eu quero!

— E o que você quer?

— Você! — afirmou Luigia, segurando-lhe o rosto entre as mãos e o beijando novamente.

Arrabal puxou-a pela mão e fez com que se sentasse.

— Escute. Preciso lhe dizer uma coisa.

— Diga!

— Pensei bastante sobre nós dois.

— Pensou? — perguntou ela, lisonjeada.

— Pensei. Está claro para mim que amo você! Amo você! — repetiu, parecendo saborear a frase, dita assim com uma intenção de exclusividade tão nova em sua boca. Luigia se desmanchou. — Mas acontece que, fora o teatro, nunca pensei em nada de forma permanente na minha vida. Tenho de confessar que esse sentimento me mete um medo dos diabos! Então, por um lado, tenho esse medo superlativo que me faz considerar fugir, esquecer, deixar essa história para trás e não voltar a procurá-la novamente! E, por outro, tudo o que eu mais quero é ficar ao seu lado o resto da vida. — Outra vez repetiu de si para si, como que sentindo o peso da afirmativa. — Pelo resto da vida! Portanto, tenho um problema! — disse subitamente alto, soltando as mãos de Luigia, que o observava, atônita. — *Caspita*! Tenho um grande problema! Fico me perguntando o que fazer. O que fazer? — perguntou para ela. Luigia não sabia o que dizer. Foi quando ele mesmo apresentou a solução: — Acho que não há alternativa!

— Não? — exclamou ela, antecipando o fim.

— Não. Temos de nos casar. É a única saída. Tenho de me casar com você! — E ajoelhando-se aos pés dela, que já se enternecia e encantava, Arrabal tirou do bolso um anel inventado de um pedaço de galho de árvore, enroscado de minúsculas flores secas e pediu — Casa comigo?

— Está fazendo graça? — perguntou ela, começando a chorar.

— Não. Estou falando sério, mas não a culpo por perguntar. Este é sem dúvida o pedido mais inusitado que já fiz na vida. E, então, Luigia di Medinacelli? Quer casar comigo?

— É tudo o que quero! — respondeu Luigia.

Era, de fato, tudo o que sempre sonhara. Casar-se por amor, por livre e espontânea vontade. Poder escolher, decidir. Aquele beijo selava um compromisso que ela havia assumido consigo mesma, quando seu marido morrera. O de que, dali em diante, conduziria o próprio destino, custasse o que custasse.

Não fosse Gigi, ter-se-ia entregado a Arrabal naquele momento e celebrado assim, em definitivo, seu rito de passagem para a vida adulta, mas estava muito frio lá fora e o pobre Gigi não pôde conter a sucessão de espirros que delatou sua presença.

— É Gigi! Veio me dar apoio — disse ele, como se fosse coisa natural, ao que Luigia respondeu com uma gargalhada farta. Ao seu poeta livre, tudo era possível perdoar.

❄ ❄ ❄

Vittoria não conseguia dormir. Uma ideia insistente lhe agitava o pensamento desde que se deitara. Jogou o travesseiro de lado e se levantou. Precisava escrever. Engatinhou no escuro da carroça, procurando o baú de Arrabal, onde certamente haveria tinta e papel. Guiava-se pela luz gelada da lua que escorregava pelas frestas da janela. O frio era intenso e por isso ela e Gigi também dormiam no interior, naquela noite. Arrabal viajara novamente. Depois do pedido de casamento, deixara Gigi no acampamento e a todos com a missão de decorarem suas falas. Voltaria em uma semana para, então, começarem verdadeiramente os ensaios.

A tampa do baú escapou de sua mão e se fechou num barulho seco. Mamma remexeu-se sob as cobertas. Dottore resmungou. Não fosse o ronco estrondoso de Vincé, teria acordado a todos. Pegou tinta, pena e um rolo de papéis e saiu, pé ante pé, enrolada no cobertor. Acendeu um resto de vela que sobrara sobre o caixote que usavam como banco para ensaiar. O vento frio da madrugada se intrometia pela trama do cobertor. Vittoria cobriu a cabeça e queimou alguns gravetos para produzir um pouco de calor. À sua volta, apenas o escuro da mata e seus ruídos. Estranhamente, não sentia medo. Precisava escrever. Era incontrolável como a chuva, quando as nuvens pesam d'água no céu ou o nascer, depois que a dor do parto se inicia. Respirou fundo, soltou a mão sobre a folha em branco e se deixou levar.

A cena que a empurrara com urgência para fora da cama era a de seu encontro com Giordano depois do espetáculo na casa dos Medinacelli. Começava com ele de pé, na porta entreaberta do camarim e ela, distraída, penteando os cabelos. Porém, mal começou a narrativa, percebeu. Não era a si, Vittoria, que descrevia. Era outra, mais livre, mais intensa, uma expressão talvez do que ainda não era, mas ensejava ser.

> *Vittoria pôs a máscara de Arlecchino e fez uma reverência. Quando levantou a cabeça, a imagem do capitão no espelho à sua frente a surpreendeu, mas não a desconcertou. Levantou-se e empertigou o corpo, fazendo realçar os seios que já se insinuavam no fino da camisa, e sorriu para ele.*

Vittoria gostou. Leu o parágrafo, novamente, de si para si e decidiu:

— Vai se chamar Florence! — murmurou, riscando o papel, e repetiu: — *Florence pôs a máscara de Arlecchino e fez uma reverência*... Melhor! — concluiu.

Giordano surgiu no texto somente como capitão. Era aparentemente o mesmo. Altivo, majestoso, recostado no batente da porta. Mas então, sem que Vittoria pudesse explicar, a narrativa saltou da mera descrição de sua aparência para o íntimo de sua emoção. Do Olimpo em que parecia pairar sobre a folha de papel, podia perscrutar os sentimentos e pensamentos de suas criaturas, decifrar-lhes o íntimo das razões. Parou na epifania. Também

Giordano não o era mais. Havia um tormento por trás dele, havia dor além da aparência viril e vencedora, e uma tristeza que o faziam outro. Precisaria também rebatizá-lo, mas o fluxo das palavras impediu que parasse para pensar. Criaria um nome depois. Ao capitão e à Florence, novos personagens se juntaram. Todas nascidas de Vittoria que, assim tomada, arrebatada pela letra, pôde entender porque Arrabal precisava tantas vezes estar só.

Se Vittoria soubesse, entretanto, o que ia no coração de Giordano, talvez ponderasse se não existia algo de místico no ofício de escrever. O dia já quase amanhecia e ele não conseguira conciliar o sono. Pensava nos motivos que teriam levado Arrabal a fazer o que tinha feito, porque Giordano sabia que tinha sido o irmão quem contara ao frei sobre o manuscrito.

— Ele é louco e quer que eu seja também! — disse a Teresa, quando ela lhe levara a caneca de leite. Estava abatido, os olhos fundos, a barba por fazer. — Ele quer me destruir!

Para Teresa, Arrabal estava certo. Fizera-o pensando no bem-estar do irmão. Queria que Giordano fosse livre e feliz.

— Feliz? Como eu poderia ser feliz abandonando minha vida?

Teresa gesticulou de novo. Giordano poderia, assim, dizer o que pensava. Não precisaria mais se esconder nem fazer o que não desejava.

— Utopias, Teresa! Utopias! Quem faz apenas o que deseja? A vida é feita de obrigações. Temos de ceder às convenções. Somos escravos delas!

Teresa sentou-se ao lado dele na cama e cruzou os braços sobre a cintura, fazendo birra.

— O que foi? — perguntou ele.

Por que então escrevia?, ela questionou, com gestos impacientes. Por que não desistia de se indignar e se acomodava de vez?

— Porque eu não consigo! — disse ele, após breve silêncio. — Simplesmente não consigo.

Teresa não argumentou mais. Apenas acariciou-lhe os cabelos e o puxou num abraço para junto de si.

❋ ❋ ❋

Vinte dias separavam o primeiro ensaio do daquela manhã. Arrabal pensara diversas vezes em desistir, mas, passado o desânimo inicial, a tarefa parecia-lhe cada vez mais instigante. Precisava sensibilizar aqueles atores, que entendiam o teatro como a arte de representar estereótipos populares, com todos os seus maneirismos, a criarem personagens. Pessoas críveis, verossímeis, como as que cruzavam com eles diariamente na praça ou como os nobres que os olhavam de cima a baixo em suas salas de estar.

Como fazer? Onde buscar essas criaturas e dar-lhes vida? A tarefa de representar gente comum, soou-lhes, a princípio, aborrecida. O palco lhes parecia brilhante e divertido justamente por causa das vozes agudas, dos trejeitos, dos bordões. Mas, no novo espetáculo, à exceção de um ou outro personagem da *comédia*, todos tinham sua dose de realidade para pôr em cena.

— Hoje não teremos ensaio! — disse Arrabal certa manhã.

— Não? — estranhou Mamma.

— Não. Hoje vamos pesquisar — afirmou ele.

— M*a che cosa è* pesquisar? — reclamou Vincé.

— Quero que vocês peguem lápis e papel... — e lembrando que nem todos sabiam escrever, emendou: — Quero que sigam para a praça e perambulem por lá. Procurem entre as pessoas quem é parecido com a personagem que estão representando. Se encontrarem alguém, observem. Vejam como fala, como movimenta o corpo, se anda de algum jeito especial, se é daqui, se não é. Conversem com ele ou ela. Descubram um pouco de sua história. Quem puder anotar, anote. Quem não puder, desenhe-a ou guarde-a na memória.

— Entendi, Mestre. Quer que aproveitemos essas coisas para criar nossas personagens.

— *Ecco*, Dottore! No ensaio de amanhã, vocês me falam o que conseguiram, descrevem a pessoa para mim e o que dela acham que pode servir para compor seus personagens.

— Mas e se forem nobres? — perguntou Gigi. — A minha é nobre!

— A minha também! — emendou Mamma.

— Conversem com Vittoria. Tirem suas dúvidas com ela, peçam-lhe que lhes fale sobre os hábitos, a etiqueta da corte, que lhes conte histórias. Você deve ter muitas, *non è*, Vitty?

Vittoria assentiu.

— E puxem um pouco pela memória também! — continuou Arrabal. — Você, Gigi, esteve comigo em palácios várias vezes, e todos os demais já se apresentaram em algum castelo. Puxem pela memória, lembrem do jeito deles, das coisas que dizem de nós, do jeito como riem, daquele olhar esnobe que lançam sobre nós e que nós imitávamos depois! Hã?!

— Se eu gostar de alguma coisa na roupa da pessoa, posso colocá-la na minha Eugênia? — perguntou Francesca, referindo-se à sua personagem no novo espetáculo.

— Sì, Cesca! É isso mesmo! Muito bom! Pode, sim, inclusive um perfume, se quiser.

— Como você faz com Arlecchino, não é? — perguntou Vittoria.

— É! O perfume ajuda a ancorar a criatura. Escolher o perfume é de uma tal intimidade! Você precisa conhecer *almeno un pocco* da alma de uma criatura para escolher um perfume para ela.

* * *

Durante dias, no acampamento, não se falava de outra coisa. Quando não estavam pesquisando, estavam às voltas com a criação do figurino ou trocando ideias sobre o que ficaria melhor em cada personagem. Arrabal comprovara a eficácia de seu método. Conseguira seduzi-los. Em compensação, tornara-os dispersos. Era natural. Ele mesmo tantas vezes já se vira assim. Aquele trabalho abençoado continha em seu fazer uma tal felicidade que, por vezes, parecia brincadeira, diversão, festa. E o era em certa medida, como, de fato, todo o ofício que é de gosto acaba por ser. Trabalhar, como Arrabal costumava dizer, era uma forma de ser feliz. Mas agora era preciso discipliná-los, fazê-los voltar aos ensaios e parar de perambular pela cidade.

De novo, utilizou-se de sua psicologia inata para conduzi-los. Deixava, como um pastor de ovelhas, que andassem livres pelo campo, mas os trazia de volta com o toque suave do cajado quando se distanciavam demais. A disciplina e a aplicação eram fundamentais no ofício de representar. Entretanto, foi graças ao prazer que se anunciou logo de início que superaram limitações e decoraram o texto com tanta facilidade e rapidez, considerando as dificuldades da maioria. As falhas de memória — que ainda eram muitas —, cobriam com o recurso que todos dominavam de muito, o improviso. E essa era de fato uma outra brincadeira. A improvisação assim utilizada como recurso e não mais como espinha dorsal transformava a cena num jogo delicioso de atenção e sintonia.

Mas a realização definitiva de Arrabal naquele trabalho, seu maior orgulho como diretor, veio no dia em que surpreendeu Vincé rabiscando qualquer coisa em um papel. Ele estava sozinho na carroça, de costas para a entrada, de forma que Arrabal não conseguia ver o que fazia e conforme rabiscava, murmurava palavras entrecortadas.

— Um pouco mais *lungo qui*, a barriga mais gorda... Ele ri porque ri à toa, e *qui* se pode *spezzare* um pouco a calça para parecer velha...

Quando se deu conta, Arrabal estava ao seu lado. Ele saltou e escondeu o papel num reflexo.

— Calma, Vincé! — pediu Arrabal. — O que está fazendo? Posso ver?

Vincé assentiu e, envergonhado, estendeu a ele o papel. Era o desenho tosco, infantil, de sua personagem, daquela que representaria na comédia nova, exatamente como Arrabal imaginara ao escrever. Perfeita como a sensibilidade de ator de Vincé trouxera para o papel. O rosto de Arrabal iluminou-se num sorriso e foi o suficiente para que Vincé também sorrisse.

— E ele tem perfume, hã! Pedi a Mamma um com cheiro doce forte, ruim, porque ele é pobre, não tem dinheiro para comprar, mas quer imitar os ricos. O que você acha?

— Perfeito, Vincé! Perfeito! — disse Arrabal, puxando-o para si e dando-lhe um beijo estalado na careca.

CAPÍTULO XII

Da estreia e da guerra, as declarações

Estavam a uma semana da estreia, exatamente naquela manhã em que a notícia correra a cidade. O exército de Nápoles partiria em breve para Abruzzo, para combater o de Maria Teresa da Áustria. A decisão fora inevitável a Carlo, depois que seus pais despejaram sobre ele uma série de cartas furiosas. Comparavam o que consideravam sua vergonhosa inércia à corajosa determinação do irmão, Dom Filippo, que já invadira Nizza, conquistara Villafranca e Oneglia e estava prestes a atacar Lobkowitz, antes que seus exércitos alcançassem as fronteiras de Nápoles. Por essa razão, o próprio Carlo quis conduzir o exército a Abruzzo, para se juntar ao da Espanha, e constituir uma regência para o governo do Estado, mas antes deixaria refugiados em Gaeta a jovem esposa grávida e os filhos pequenos.

A partida das tropas se daria em poucos dias. Antes, porém, Carlo Romanelli iria marcar a data do casamento de Giordano e Luigia e a trupe de Arrabal iria finalmente estrear sua primeira peça no teatro San Carlino.

* * *

Luigia pediu a Angelina e Maria que a deixassem sozinha. Sentou-se em frente ao espelho e se deixou perder no próprio reflexo. Sentia-se confusa e culpada. Não compreendia o que se passava com ela. Acordara eufórica naquela manhã, na expectativa do compromisso com Giordano, e então lembrou-se de Arrabal e do pedido de casamento e sentiu-se feliz pelos dois.

E egoísta. E mimada, como Giordano a qualificava. Era uma criatura abominável, pensou. Entretanto, nem sua dura autocrítica fora capaz de afastar o sentimento de felicidade que nutria ao se lembrar deles. Era como se amasse a ambos. Precisava de cada um deles e do que lhes ofereciam de per si. . Arrabal, o seu amor romântico, absoluto, sonhador. Giordano, a confiança, o arrebatamento, a paixão. Não podia nem queria perder o poeta! Se Arrabal soubesse que tinha marcado a data, na certa se afastaria.

— Maria! Angelina! — chamou, e ambas apareceram de imediato, provando estarem a um milímetro da porta. — Estou pronta.

— Está linda, filha! — disse Angelina, eufórica, com as mãos nas bochechas.

— Não se entusiasme, Angelina. Não vou marcar casamento nenhum! — disse Luigia, fingindo irritação.

— O quê? — indagou a aia, perplexa.

— Ela está brincando, Angelina! — disse Maria, balançando a cabeça.

— Não, não estou! Não foi minha escolha. Ninguém me consultou nem perguntou se eu queria me casar com esse senhor. Portanto, quando meu pai perguntar sobre a data, vou dizer a ele que não vai haver casamento — rebateu. Tentava incorporar um ar de indignação que a defendesse do que sentia.

— Isso vai ser um escândalo! — exclamou Maria, mal controlando o riso de excitação diante da possibilidade de encrenca.

Na sala de estar, a situação não era menos tensa. Enquanto Carlo Romanelli e Filippo di Medinacelli bebiam e conversavam animadamente com o marquês della Fontana, Giordano observava o trio entre longos suspiros de enfado. O tenente Pietro o observava. Ele e outros dois oficiais mais próximos e suas respectivas famílias haviam sido convidados para o jantar de noivado.

Giordano remexeu-se na cadeira, mostrando visível desconforto. Depois, fechou os olhos e pressionou as têmporas discretamente. Carlo notou e aproximou-se dele.

— Você poderia fazer a gentileza de sorrir um pouco? Está parecendo um condenado a caminho da forca.

— É... não é muito diferente, não?

Carlo o puxou pelo braço até a varanda.

— Ouça — iniciou —, não sei o que está acontecendo, mas você sabe que depois que Giuseppe... —Carlo parou num expressão da mágoa evidente que o assunto lhe causava. — Bem, você sabe que é a minha única felicidade nesta vida. Por favor, meu filho, não me decepcione! Estou lhe pedindo, não me decepcione! — concluiu, apertando o braço de Giordano num arremedo de afago.

Instintivamente, Giordano encolheu os ombros, como se sob o peso daquela responsabilidade indevida.

— Com licença. Vou respirar um pouco — disse, retribuindo o gesto com um leve toque na mão do pai, de quem paradoxalmente sentia enorme pena.

Carlo o acompanhou com o olhar até que desaparecesse no corredor. Então, fez sinal a Pietro.

— Tenente, por favor, acompanhe Giordano. Ele não está se sentindo muito bem.

Giordano mergulhou no corredor, abrindo as portas das salas, buscando uma em que pudesse se refugiar. De fato, o compromisso não o deixava tão aborrecido quanto fazia questão de apregoar. Ao contrário, alguma parte dele sentia-se imensamente feliz, eufórica mesmo, na expectativa de ter Luigia para sempre. Mas então, sobrevinha aquela torrente de dúvidas sobre si mesmo e sua capacidade de dividir a vida com alguém, seus medos de se entregar e sofrer, de morrer e fazer sofrer, seus íntimos mistérios. Estava assim, debruçado no parapeito da varanda, observando o campo que se coloria de um verde--escuro de fim de tarde, quando percebeu o tenente se aproximar.

— Não deixe que o transformem em minha dama de companhia, tenente! — disse, pressentindo-lhe a chegada. — Estou bem! Só preciso de um pouco de sossego. — e murmurou, num pronunciado pensamento: — *Dio Santo*, o que estou fazendo aqui?

— O senhor está tenso por causa da guerra que se aproxima, capitão — confortou Pietro.

— Guerras não me deixam tenso, tenente; ao contrário, estimulam-me!

— Eu sei, o senhor é o melhor oficial que conheço, capitão. Tenho muito orgulho de estar sob seu comando.

Giordano suspirou de olhos fechados e perguntou:

— Por que decidiu ser soldado, tenente? Foi escolha sua?

Luigia passava no corredor, seguida por Maria, quando a voz de Giordano chamou-lhe a atenção. Colocou o indicador sobre os lábios, pedindo silêncio à arrumadeira, e empurrou devagar a porta para ouvir a conversa.

— Sim, claro! — respondeu Pietro, sem titubear. — Desde menino, esse era o meu sonho.

— O meu, não! — disse Giordano, para surpresa do tenente, que, diante da resposta, quase se arrependeu de sua afirmativa. — Quando eu era criança, queria ser *cantastorie*. Você os conhece, não? Aqueles artistas que vão de cidade em cidade, cantando para o povo nas praças, no mercado, contando histórias. Queria contar a história de Rinaldo de Montalbano, o grande paladino, que, com sua espada, dominava os mais bravos guerreiros e legiões de exércitos, e do primo dele, o não menos valente Orlando, e a luta dos dois pelo amor de Angelica — concluiu, na voz impostada, como se repetindo a introdução dos artistas nas praças. O rosto de Luigia relaxou e de alguma forma enterneceu. — Meu avô costumava contar para mim e para meu irmão histórias maravilhosas dos *cantastorie* — disse, numa pausa, e prosseguiu: — Mas meu pai queria que eu fosse um oficial. E eu logo percebi que não tinha voz e, portanto, não tinha escolha. Então entendi que, se as coisas tinham se passado dessa maneira, era porque eu tinha uma espécie de missão com essa cidade e decidi lutar todos os dias da minha vida para defender aqueles para os quais eu não podia cantar. Mas pelo que, na verdade, eu estou lutando, tenente? Por um reino cuja nobreza paga apenas quarenta por cento dos impostos que sustentam o luxo da corte, enquanto a maior parte recai sobre os ombros dos pobres? Taxas que o rei prometeu reduzir quando chegou aqui e que só têm crescido ao longo desses dez anos de governo? — Os olhos de Luigia brilhavam contra o escuro da tarde que já descia sobre a sala. Maria percebeu e sorriu. — Um reino no qual embora a caça seja largamente praticada pelo próprio rei, em suas grandes reservas, faisões são importados para o prazer das senhoras da corte?

Pietro não sabia o que dizer, menos ainda o que pensar. Luigia estava surpresa, maravilhada. Maria lhe sorriu, numa confirmação silenciosa da felicidade que lhe anunciara desde o início. Um clarão de luz, seguido de passos, se aproximava. Maria puxou Luigia pela mão, mas não houve tempo. A figura apareceu, surpreendendo-as. Era um serviçal que acendia as tochas. Ambas nem perceberam que a noite chegara. Luigia empertigou-se e caminhou com Maria lentamente, como se estivessem de passagem. Mal o rapaz desapareceu, voltaram à porta.

— Pelo quê luto, tenente? Para manter o rico guarda-roupa do rei ou o diamante que ele usa no chapéu?

— Mas, capitão, o povo ama Carlo di Borbone! Devemos a ele sermos hoje a capital do reino das Duas Sicílias e a mais importante cidade depois de Londres e Paris! E o Teatro San Carlo? É, sem sombra de dúvida, uma obra-prima do nosso rei. É chamado o primeiro teatro do mundo! Atrai a atenção de gente de toda a parte! O San Carlo fez de Nápoles a capital da ópera e da música!

Giordano calou-se por um momento e deixou o olhar vagar, mais uma vez, sobre o campo, agora já todo mergulhado no escuro da noite que caíra. A luz difusa das tochas acesas no pátio lhes iluminava de través o rosto, e era a única claridade a invadir a sala.

— Sabe, tenente, minha noiva está certa — disse Giordano, fazendo Luigia apertar a mão de Maria num gesto instintivo. — Devo ser mesmo um grosseirão.

— Imagine, capitão! Claro que não, o senhor...

Giordano não lhe deu atenção:

— Para mim, o que faz de Nápoles a capital da música é seu povo alegre e simples, que consegue tirar melodia do sofrimento. No San Carlo, eu só vi pessoas circulando como se estivessem em uma reunião social, sem nenhum interesse pelos artistas e mulheres fazendo de cada espetáculo uma oportunidade para exibir seus luxuosos vestidos.

Luigia não pôde mais se conter. Num impulso, adentrou a varanda. O barulho da porta fez com que Giordano e Pietro se voltassem e esperassem que a figura emergisse do escuro da sala. Quando viu se tratar de Luigia, Pietro pediu licença e se retirou, quase tropeçando na curiosidade de Maria, que permanecera no mesmo lugar, embora sem enxergar um palmo à frente do nariz. Luigia e o capitão ficaram a sós, e a proximidade dela na penumbra da noite e o perfume que vinha de seus cabelos fizeram o coração de Giordano acelerar.

— Se veio me insultar, a senhora perdeu seu tempo — atacou ele, no intuito de se proteger. — Estou cansado demais para discutir.

— Não vim insultá-lo.

— Então, a que devo a honra?

— Estava pensando... — disse ela se aproximando, mais voz do que figura. Escorregou a mão num lento de gata pelo parapeito de pedra até ficar de todo perto e sussurrar-lhe junto à boca — ... o casal de noivos deve se beijar quando se encontra, não é? — E, de improviso, o beijou.

Ele correspondeu e, entre eufórico e surpreso, a trouxe para junto de si.

O barulho de novos passos assustou Maria, que hesitou entre chamar Luigia ou fechar a porta e protegê-los, mas não houve muito tempo para pensar. Logo a figura se aproximou . Era Angelina.

— Onde está Luigia? Onde diabos vocês duas se meteram? Estão todos no salão. Só faltam os noivos! — disse ela, com a voz mais baixa: — O capitão também resolveu desaparecer! — Notando que Maria se antepunha à porta, desconfiou: — Ela está aí? Luigia está aí?

Maria tentou impedi-la, mas Angelina a empurrou e entrou. O beijo, um pouco pela ousadia dela, um tanto pelo escuro da sala, evoluíra para um escorregar de mãos que Luigia não reprimiu. Tão enlevados estavam que só se deram conta da presença de Angelina quando Maria gritou:

— *Signora*!

Quando abriram os olhos, Angelina estava ao lado deles, na varanda, fulminando Luigia com o olhar.

— Seu pai espera por vocês na sala — disse, entredentes, abrindo passagem para que os dois caminhassem para o salão.

O casamento foi marcado e, pelo menos, naquela noite, Luigia e Giordano dormiram apaixonados e felizes com o compromisso que os uniria para sempre.

* * *

Uma espécie de insólita nostalgia fez Arrabal novamente reparar na extrema beleza de Vittoria servindo o leite fervido nas canecas, no café da manhã. Seus cabelos ruivos, presos no alto da cabeça, caíam em cachos rebeldes na testa e no branco da nuca. Os seios, que surgiam de través pela blusa entreaberta e agora aquelas adoráveis manchas de tinta na ponta dos dedos, todo o conjunto fazendo dela uma perfeita tradução de liberdade.

Vittoria levantou os olhos e cruzou com os dele algo intumescidos. Ela sorriu. Ele convidou para passear. Ela aceitou. Logo estavam na praia, sós, embalados pelo chacoalhar ritmado das ondas e pelo cheiro forte da maresia. Sós e deitados sobre a areia fria, as mãos aflitas buscando as saídas da roupa e a paixão antiga.

— Não estou conseguindo desabotoar isto — murmurou Arrabal.

— É aqui, puxe! Não, não! Espere! — gritou ela. Depois controlou-se e pediu, docemente: — Passe sua perna por aqui.

— Por onde?

— Por aqui.

— Ai! — gritou Arrabal.

— O que foi?

— Sua unha! — reclamou ele.

— Desculpe! Que horror!

— Tudo bem. Vamos tentar *così*... — disse ele, beijando-a e deitando-se sobre ela. O beijo, arrebatador, amoleceu-a e convidou de novo ao explorar das mãos. Mas, então, sem motivo aparente, o que deveria crescer paixão foi virando brincadeira e um riso mútuo, incontrolável e inadequado, explodiu. Rolaram cada qual para um lado, gargalhando como crianças.

— Desisto! — disse ele, rindo e esfregando o rosto.

— Eu também! *Io sono stanca*! — acrescentou Vittoria, rolando para perto dele e recostando a cabeça em seu peito.

— Onde foi parar aquele desejo que sentíamos? — perguntou ele.

— Não sei. Acho que ficamos amigos demais.

— É, acho que sim... — concluiu Arrabal, e prosseguiu, após breve pausa: — Você acha que tem alguma relação com Luigia?

— Também!

— *Cazzo*! Eu sou um idiota! — exclamou e completou, sorrindo: — Sabe a razão disso? Felicidade.

— Felicidade? — Vittoria estranhou.

— É, felicidade. A felicidade é *una trappola*, Vitty! — E, como Vittoria risse, continuou: — As mulheres deviam saber: quer que alguém lhe seja fiel? Faça-o feliz! A felicidade é a única garantia de fidelidade!

Vittoria aconchegou-se mais no peito do Poeta e perguntou:

— Eu já lhe agradeci?

— Por causa do duelo com o marquês? Não precisa.

— Não. Porque decidi seguir você para encontrar o amor e acabei encontrando a mim mesma. Eu não sabia quem era, nem a força que tinha, nem o mundo que havia fora do meu quarto. Você me mostrou. Por sua causa, aprendi a fazer meus sonhos se tornarem realidade.

Arrabal sorriu, beijou os lábios dela com carinho e a trouxe para mais perto, abraçando-lhe as pernas com as suas.

— Pedi a mão dela em casamento — disse ele.

Vittoria ficou em silêncio em um segundo de surpresa. Depois, remexeu-se no abraço e perguntou:

— Você acha que vai dar certo? Digo, ela viver conosco?

— Não sei, mas tenho de tentar.

— Entendo... — e arriscou, depois de uma pausa: — Preciso lhe dizer uma coisa.

— Diga! O que é?

— Você pode se zangar.

— Diga, Vitty, que bobagem!

— É sobre Giordano.

— O que tem Giordano?

— Desde o dia da nossa apresentação no palácio... — ela iniciou e fez uma pausa cautelosa.

— Fale, Vitty! O que é que tem?

— Arrabal, eu gosto dele! Eu o admiro! Vejo honestidade em seus olhos, dignidade! Ele é um homem bom, honrado!

Arrabal soltou-a do abraço e olhou para ela com um riso maroto nos lábios.

— O que foi? — perguntou ela.

— Ele devia saber disso.

— Disso o quê?

— Ele devia saber que uma mulher excepcional como você gosta dele tanto assim.

— Tanto assim? O que você quer dizer com "tanto assim"?

— Ele impressionou você! E ele pensa que todo mundo prefere a mim!

— Está com ciúme?

— Não! — concluiu, sorrindo de novo: — Um pouco, talvez.

Abraçaram-se e ficaram novamente em silêncio, observando o voo das gaivotas e seu percurso, que terminava em mergulhos agudos no mar.

— O que você está pensando em fazer?

— Casar com ela antes dele.

— Como é?

— E você vai me ajudar.

— Eu? Como?

— Ainda não sei — e prosseguiu, depois de uma pausa: — Mas vai me ajudar, não vai?

— Sim, claro. Mas quero que me prometa uma coisa: não vai fazê-lo sofrer! — pediu ela.

— O quê?

— Não vá fazer Giordano sofrer — pediu ela.

— Essa é uma coisa que não posso prometer, *carina*. Parece que, para um de nós ser feliz, o outro tem, obrigatoriamente, de se desgraçar. Passamos a vida tentando evitar esse confronto. Eu estava tão acostumado a viver minha vida em paz que, por vezes, nem me lembrava de que ele existia. E tenho certeza de que era assim com ele também. Mas agora a própria vida nos fez encarar a realidade.

— A vida, não! Luigia, você quer dizer!

— Que seja! O fato é que está claro que não há espaço no mundo para nós dois. Sou eu ou ele. No jogo, só pode haver um vencedor, Vitty! E espero sinceramente que seja eu.

❊ ❊ ❊

A carroça estava parada na praça, mas dela naquela noite não sairia o espetáculo. Assim, trancada e sem luzes, parecia chorosa e triste. Pelo menos era o que Arrabal sentia, de pé ao lado dela, alisando sua madeira forte e desgastada pelo tempo, como se a quisesse consolar. Pela primeira vez desde que iniciara a vida de saltimbanco, não seria dela a noite de estreia. Não abriria seu palco generoso na praça nem ofereceria seu chão gasto e sagrado para a trupe pôr os pés. Estava assim, a testa recostada na carroça, as mãos correndo num carinho sua madeira irregular, quando Dottore chamou:

— Mestre! Já está quase na hora! Precisa se arrumar!

— Como está a plateia?

— Tem bastante gente, mas o povo mesmo está aglomerado na porta. Eles não podem pagar o ingresso. Mas vamos ter casa cheia!

— Pois é. O povo... Estava aqui pensando... — E, olhando para a carroça, concluiu: — Será que fiz a coisa certa?

Dottore enlaçou Arrabal pelo ombro e o consolou:

— Você sempre faz a coisa certa, Mestre. Vamos!

A trupe perdeu um bom punhado de tempo explorando o camarim, antes de começar a se arrumar. Eram como crianças diante de um brinquedo novo. Só depois de muito remexer gavetas e testar perfumes, começaram a se maquiar.

— É a primeira vez que você é um tipo de Pulcinella em vez de mim! — disse Mamma a Arrabal.

— Está com ciúme? — instigou ele.

— Claro que sim!

Riram todos. Arrabal ficou novamente sério. Colocava, com cuidado, um nariz grosseiro feito de papelão e o recobria com maquiagem.

— E é a primeira vez na vida que subo no palco sem nenhuma máscara — murmurou ele, um tanto triste. — Tirando esse nariz, você está lindo! — garantiu Francesca, beijando-lhe o ombro.

Dottore entrou resfolegante e agarrou as mãos de Mamma entre as suas.

— A plateia está cheia! — exclamou. — *Mamma mia*!

— Calma, Dottore! — pediu Arrabal. — Vai dar tudo certo, você vai ver. Esse é o bom espetáculo! Quando a plateia vê a vida colocada no palco. É essa a função do teatro. Representar no palco o que vai no mundo, denunciar o que vai mal na sociedade. Fazer pensar nas questões da humanidade. Você vai ver! Vai ser um sucesso! Preparem-se para os aplausos!

Às palavras de Arrabal, explodiram de entusiasmo numa sucessão de aplausos e risos. Dottore curvou-se numa exagerada e cômica reverência. A realidade, entretanto, muito deixaria a dever ao sonho de sucesso.

Decididamente, o público não gostou de ver suas feridas expostas. Recebeu a inovação como insulto e reagiu com vaias e um frenético atirar de tudo o que tinha nas mãos. Arrabal deixou o palco antes que as cortinas se fechassem. Ele e o restante da trupe precisaram esperar que o público, aglomerado em fúria nas imediações do teatro, se dispersasse para que pudessem sair pela porta de trás. Giovanni Brancaccio não estava nada satisfeito.

— Uma coisa é não fazer um grande sucesso. Há espetáculos que só se firmam depois de uma, duas semanas de sessões. Mas isso foi um completo fracasso! — exclamou. — Se continuar assim, teremos de cancelar o contrato! E eu vou arcar com todo esse prejuízo! — disse e bateu a porta.

Retornaram ao acampamento em silêncio. Apenas o gemer sofrido das engrenagens da carroça preenchia o vazio da agitação costumeira e funcionava, em meio a toda aquela tristeza, como o suave balouçar de um berço. Arrabal passou a noite em claro. Estava arrasado, envergonhado por ter levado a trupe àquela situação, depois de todo o empenho e dedicação que tiveram com o trabalho.

O dia não amanheceu melhor. Gigi chegou da cidade com a *Gazetta Napoletana* nas mãos. Mamma tentou esconder o jornal de Arrabal, mas foi inútil.

— Leia, Gigi! Pode ler! Quero saber o que dizem.

Gigi hesitou, pigarreou um pouco, até que abriu o jornal e, constrangido, leu a crítica do espetáculo:

— *Isso prova a insuperável força da comédia italiana de improviso, que se mantém graças ao talento de seus atores e à magia de suas máscaras.*

Mamma puxou o jornal das mãos de Gigi e o amassou.

— Pois eles que pensem o que quiserem e nos deixem fazer o teatro que queremos fazer!

— Hoje à noite vai ser diferente! — iniciou Vittoria, sentando-se ao lado de Arrabal — Cada apresentação, uma plateia diferente, lembra?

Arrabal segurou a mão de Vittoria e a beijou. Sentia-se pior vendo que o consolavam. Eram tão generosos, puros, leais.

— Perdoem-me! — disse, já não contendo o choro.

A trupe entreolhou-se, penalizada.

— Perdão *perché, figlio mio*? — perguntou Mamma, falando alto para tentar conter as lágrimas solidárias que já lhe escorriam no rosto. — A peça é nossa! É o nosso projeto novo! É aquilo que *tutti noi crediamo*! Não tem que pedir desculpas! Estamos juntos, *comme* sempre estivemos.

Arrabal não conseguiu falar. Beijou a mão de Mamma e escondeu o rosto entre os braços cruzados sobre os joelhos. Dottore fez sinal para que o deixassem sozinho. Tão logo todos se afastaram, Arrabal permitiu-se chorar alto feito criança, tudo o que havia para chorar. O fracasso da peça, a necessidade de lutar contra Giordano, o medo de perder Luigia para ele e de perdê-lo definitivamente por fim. . E de chorar, também como criança, adormeceu. Foi a voz de Molière, alta e clara, que o despertou.

— Um guerreiro nunca abandona a batalha ao primeiro ataque — antes que Arrabal pudesse retrucar, continuou: — Você é um guerreiro, sim! Todo artista é! É preciso sê-lo para conseguir fazer arte. Essa é uma verdade que atravessa os séculos! — disse, saltando sobre as pernas de Arrabal e sentando-se a seu lado. — Veja, não é fácil promover mudanças. As pessoas sempre reagem ao novo. Sentem-se ameaçadas, traídas. Não estão acostumadas a pensar sobre suas vidas. Eles sabem que o rei lhes dá o pão como se fosse uma graça, enquanto os nobres recebem muito mais em privilégios, mas não esperam ver isso no palco! Você anunciou uma comédia e pôs isso entre as risadas. — E como Arrabal não reagisse, insistiu — Não é fácil rir de si mesmo! E o que dizer dos atores que ficaram famosos representando máscaras? Muitos deles sequer sabem ler! Peças soam como ameaça para eles! Ingenuidade sua imaginar que tudo seria um mar de rosas.

Arrabal deu um suspiro profundo e perguntou:

— O que eu faço?

— Persista! Insista! Seduza-os! Afinal, essa é ou não é a sua especialidade? — Depois, colocando a mão sobre a de Arrabal, pediu: — Não me decepcione, Arlecchino. Os deuses do teatro contam com você! E eu também!

Arrabal ia argumentar, mas percebeu-se sozinho novamente.

* * *

Giordano passara a noite fora outra vez, para desespero de Carlo. Desde que marcara a data do casamento com Luigia, parecia buscar motivos para não ficar em casa. Quando não estava em serviço, consumia as noites em aventuras, reclamava o pai. De fato, fugia. Não exatamente do compromisso ou porque Luigia não lhe tivesse significado. Fugia porque se sentia perdido naquele amor por ela, surpreendido vez por outra a rir sem razão por lembrar das brigas e depois da ousadia de seu beijo. Fugia, porque a perspectiva de amar trazia embutido o pavor de sucumbir, de se perder naquele afeto e não conseguir se reconhecer mais.

Luigia pensava em Arrabal e a certeza de não querer perdê-lo a enlouquecia. Não iria perdoá-la jamais. Teria que desistir de Giordano, terminar tudo antes que Arrabal descobrisse. Era o que faria, pensou. Mas então, lembrou-se da noite do compromisso, de todas as coisas que ouvira pela porta entreaberta, dos beijos, da felicidade toda de se perder nos braços dele, do desejo de sucumbir. Não queria terminar!

Giordano foi menos nobre e mais agressivo em sua angústia. Apressou-se em lembrar a Arrabal que o casamento havia sido marcado. Sabia que isso iria desiludi-lo e era exatamente o que almejava. O quanto antes o irmão desistisse de Luigia, mais fácil as coisas se resolveriam. Se Arrabal desaparecesse, ele tinha todas as chances. Luigia seria só sua e estava certo de poder fazê-la feliz.

A reação se deu conforme o esperado. Quando Luigia entrou no quarto, Arrabal a esperava. Ela se aproximou dele entre saudosa e culpada, mas o poeta esquivou-se.

— Só vim pegar minha máscara.

— O que foi, meu amor?

— Não me chame de meu amor! Essa é a maneira como você deve chamar seu futuro marido! — disse ele, e começou a procurar a máscara pelo quarto, abrindo gavetas, sacudindo almofadas.

— Eu posso explicar.

— Não há o que explicar.

Luigia caminhava atrás dele em sua peregrinação pelo quarto.

— Ouça-me, por favor! Tive pena dele e...

— Pena?! — gritou Arrabal, voltando-se bruscamente para ela.

— Fale baixo, pelo amor de Deus!

— Você marcou a data do casamento porque sentiu pena dele? Ora, faça-me o favor, Luigia di Medinacelli! Ao menos assuma sua escolha!

— Não, não foi uma escolha! Fiquei confusa! Eu não tinha dúvidas sobre os meus sentimentos até que o ouvi falar. Ele não sabia que eu estava ouvindo. Parecia tão diferente, tão humano! Eu me senti segura. Era como se fosse você ali!

— Eu não tenho nada em comum com ele, e você sabe perfeitamente disso! — disse Arrabal, alteando de novo a voz. Ao avistar a máscara sobre a penteadeira, tomou-a, tirou a que usava e a pôs no rosto. — Nunca mais quero ouvir falar de você! — concluiu e caminhou para a varanda. Luigia o segurou pelo braço e se ajoelhou.

— Não diga isso! Não faça isso comigo! Quero ser sua mulher! Quero me casar com você!

Arrabal parou e voltou-se para ela, que continuava de joelhos no chão.

— Você foi a única mulher... — disse e segurou a frase num tipo de pausa dolorida — ... acreditei que você fosse realmente parte de mim, como a minha máscara.

Ambos ficaram imóveis, ela ajoelhada no chão, segurando-lhe o pulso, ele de olhar fixo no horizonte, os dois mergulhados numa espécie de vazio que antecede o fim, até que Arrabal falou:

— Eu vou matá-lo.

Luigia levantou-se, assustada.

— Não diga isso, *per l'amor di Dio*! — falou, enxugando as lágrimas com a palma da mão.

— Eu juro que vou! — repetiu, depois pulou sobre o parapeito e desapareceu, deixando Luigia atônita para trás.

❊ ❊ ❊

Gioconda viu Giordano apear do cavalo e atravessar o pátio num passo carregado de dor. Um arrepio de medo subiu veloz por sua espinha e ela instintivamente estendeu os braços, como se da distância o pudesse abraçar.

Giordano olhou para a sacada, atraído talvez por sua preocupação. Sorriu para ela, jogou um beijo e foi o bastante para que seu coração de mãe tivesse certeza do mal que pressentira. E no esforço íntimo de protegê-lo do perigo que só ela podia antever, sua mente partida entre o sonho e o real desacelerou o tempo fazendo-o caminhar lento pelo pátio, como de resto tudo o que se movia em torno e mesmo de GIordano a capa, que agora se agitava em ondas largas no ar.

Quando ele entrou, Carlo o aguardava.

— Onde você estava? O almoço já vai ser servido.

— Desculpe, atrasei-me.

— Atrasou-se? Não o vejo há dias, Giordano! Você vai partir em breve para enfrentar os exércitos de Maria Teresa da Áustria! *Dio Santo*! Você devia estar se preparando e, em vez disso, passa as noites num bordel!

— Não deixa de ser um tipo de preparação — ironizou.

Carlo enfureceu-se.

— Você me respeite!

— Desculpe. Estava brincando, não quis desrespeitá-lo. Estou me preparando. É o que fazemos todo o tempo no campo. É o que faço todos os dias, por isso não estou aqui. Agora, se me der licença, vou tomar um banho. Tenho uma reunião no palácio — disse e, inconscientemente, bateu continência.

Carlo ia reagir, pensando tratar-se novamente de ironia, mas a expressão desconcertada de Giordano o fez compreender o que o ato involuntário simbolizava e ele, embaraçado, se calou.

Gioconda esperava Giordano em seu quarto quando ele entrou.

— Mãe? O que está fazendo aqui? Está tudo bem?

— Comigo, sim. Com você, percebo que não. O que há, *figlio mio*?

Estava calma, lúcida, como se aquele turbilhão de emoções que a atormentava se houvesse dissipado. Era assim peculiar o mal que a consumia. Entremeado por momentos de clareza e até mesmo, sabedoria. Ainda assim, Giordano relutou em falar. Nunca era possível prever o que uma simples palavra podia provocar em seu espírito. Mas vendo-a plácida, segura, de rosto iluminado de santa, pareceu-lhe tê-la novamente mãe e desabafou.

— É ele, mãe. Não estou suportando mais! As coisas estão caminhando de uma forma que... — e depois de uma pausa, murmurou: — ... não há como vivermos os dois assim!

— Vocês sempre viveram, sempre. Por que isso agora?

— Há dois anos não nos cruzávamos em Nápoles e quando isso eventualmente acontecia, era tudo sempre muito rápido, por poucos dias. Além disso, agora...

— Agora existe a moça — disse Gioconda, num tom de leve irritação.

— Agora existe a moça — repetiu ele, como se pedisse aprovação.

— E o que você pensa fazer?

— Me casar com ela. Vou me casar com ela, é o que vou fazer. Ou então desaparecer de vez.

— Não diga isso! — exclamou Gioconda, e correu para ele, abraçando-o com força. — Não posso viver sem você! — choramingou nos braços do filho, novamente frágil e agitada. — Não posso viver sem você! Não posso!

Com a frase, Giordano quebrara o encanto e se fizera de novo pai e protetor. Penalizado, só lhe restou aconchegá-la em seu peito largo e embalá-la nos braços, num suave ninar.

CAPÍTULO XIII

Sobreviventes

Vittoria caminhava pela estrada de volta ao acampamento no início da noite, quando avistou alguém vindo a cavalo em sua direção e se assustou. Pensou em Nicola. Nunca mais o vira e a perspectiva de fazê-lo ali e a sós não era em nada convidativa. Mas foi Giordano quem surgiu, mal-iluminado pela lamparina que ela trazia nas mãos. Tinha o ar cansado, a farda aberta no peito, mostrando a camisa em desalinho.

— O que houve, capitão?

— Estava no campo, em treinamento. E você, Vittoria? Para onde vai?

— Para o acampamento, onde o senhor esteve recentemente fazendo o favor de contar a Arrabal sobre a data de seu casamento com Luigia. Ele me disse.

— Todos já sabem que sou irmão dele, então?

— Claro! Depois de vermos seu rosto, como poderia ser diferente?

— Com certeza.

— E o senhor? Como sabe meu nome?

Giordano riu com um quê de sarcasmo.

— Digamos que sua ousadia em abandonar seu marido a fez ficar bastante famosa na corte e na cidade. — Vittoria riu e no farto do sorriso jogou a cabeça um pouco para trás. Giordano levemente arrepiou. Depois, ficou sério e voltou ao irmão. — Eu apenas lembrei a Giuseppe o que ele mesmo já sabia. Já lhe tinha avisado de que ia me casar com ela.

— O senhor não hesitou, mesmo sabendo do fracasso da nossa estreia.

— Não soube de fracasso nenhum. Não tenho tido tempo para ler jornais.

— Ele está arrasado.

— Eu também, como você pode ver. — Estendendo-lhe a mão, disse num tom de comando. — Venha! Isso não são horas de andar nesta estrada sozinha!

— Sei me defender, capitão.

— Não, não sabe. Tem mais petulância que juízo. Venha, vamos! Ou será que vou ter de pegá-la à força?

Vittoria riu da ameaça, que nitidamente traduzia preocupação.

— É assim que costuma agir quando o contrariam?

— Só com os excessivamente teimosos.

— Não é uma boa ideia aparecer no acampamento, capitão.

— Deixo você um pouco antes. Também não tenho nenhum interesse em me encontrar com ele — disse Giordano, mantendo a mão estendida.

Vittoria passou a ele a lamparina, apoiou o pé no estribo e subiu. No impulso, seu corpo colou-se ao de Giordano e ela sentiu o coração se expandir como se lhe tomasse todo o corpo e pulsasse em cada parte.

— Nem sei se ele está lá — disse, próximo ao rosto dele, fazendo com que Giordano levemente suspirasse. — Ele desapareceu pela manhã e não havia voltado até a hora em que saí. Estou tão preocupada!

— De onde você está vindo? — perguntou ele, iniciando um trote lento.

— Do teatro. Fui conversar com Brancaccio. Depois do fracasso de ontem, ele ficou possesso, e no estado em que Arrabal está não haveria como nos apresentarmos hoje. Também, pelo que vi na porta, não teríamos mesmo plateia. Fui tentar garantir o contrato, pelo menos por este mês.

Vittoria conhecia Giovanni Brancaccio de longa data, e o empresário lhe tinha respeito e admiração por tudo o que fizera pelas artes como marquesa della Fontana.

— E ele?

— Vai nos dar mais algum tempo. Afinal, investiu dinheiro nisso, não é? De qualquer forma, deixe lá um anel, o único que trouxe comigo, como garantia. - e como Giordano a olhasse com preocupação, acrescentou: — Foi o único que eu trouxe. Era mesmo para qualquer dificuldade. Giordano puxou as rédeas do cavalo fazendo-o parar e olhou para ela. — O que foi? — Vittoria perguntou.

— Janta comigo? — E pressentindo seus escrúpulos, acrescentou: — Você precisa ouvir a minha versão da história. Por favor!

Ela aquiesceu e não foi um sacrifício. Seguiram em silêncio até a taverna, oculta por arvoredos, na saída da cidade. Ele apeou, tomou-a pela cintura e trouxe para o chão. Seus corpos deslizaram no movimento. Vittoria estremeceu.

— Está frio! — disfarçou.

Giordano tirou a capa e a cobriu. Ela se encantou. Tão pouco era preciso para tocar o coração de uma mulher, considerou de si para si.

Toda a culpa que Vittoria carregara no percurso desapareceu quando se sentaram frente a frente na mesa do jantar, a vela bruxuleando sob seus rostos e ampliando, dos olhos dele, todo o azul. Havia no ar um cheiro forte de alecrim que encantava e entorpecia. Havia o difuso da luz das velas e a lua, imensa. Ele pediu vinho e serviu. Depois brindou com elegância displicente, batendo a borda de sua caneca na dela, sorveu um gole farto e iniciou.

— Ele sempre foi o mais interessante de nós dois. Quando era pequeno, encantava as visitas declamando os versos que meu avô lhe ensinava e que ele sabia de cor. Tinha uma destreza física extraordinária, mas não gostava dos esportes nem das lutas. Usava essas qualidades para correr da mão do meu pai e para fazer toda sorte de estripulias — disse e sorriu, deixando o olhar revisitar a lembrança.

— Você gosta muito dele, não é?

Giordano assustou-se com a pergunta incomum.

— Por que diz isso?

— Estou vendo que o admira. Por que brigam tanto, então?

— Ele sempre teve todas as atenções da casa, da minha mãe principalmente, muito embora ela tentasse disfarçar. Tinha a atenção até mesmo de Teresa, nossa ama. Menos do meu pai. Meu pai sempre teve uma predileção declarada por mim.

— Até onde sei, ainda tem.

Giordano sorriu e, após uma breve pausa, continuou:

— Acho que eu espelhava as qualidades que ele sonhou que um filho seu tivesse. Mas com o tempo esse, digamos, amor do meu pai se transformou em prisão, mas isso é uma outra história. — Bebeu em silêncio um pouco mais, o olhar boiando no vinho da caneca. — Eu sempre quis fazer aquelas coisas que ele fazia, declamar, cantar, dar piruetas. — Vittoria arregalou levemente os olhos, surpresa. — Mas nunca tive coragem. Eu morria de vergonha de me expor e sabia que ele era melhor, aquilo era da natureza dele. Ninguém iria olhar para mim! Então, eu brincava de declamar quando estava sozinho no meu quarto, na frente do espelho. Eu também sabia os versos de cor de tanto ouvi-los. Depois...

Um novo silêncio, mais longo, sobreveio. Vittoria quis respeitar-lhe o ritmo, mas não se conteve e incentivou:

— Depois...

— Depois, desisti de brincar.

— Por quê?

— Era coisa de menino — respondeu ele, sem convicção, evitando os olhos dela e então, balbuciou: — E houve um dia em que ele me viu...

— Quem? Arrabal?

— Não, meu pai. Ele entrou no quarto e me surpreendeu em frente ao espelho declamando os tais versos. Eu era pequeno, devia ter uns seis anos. Eu lembro que nem consegui entender muito bem porque ele gritava e me sacudia tanto, mas vi que tinha feito uma coisa que devia ser muito errada, porque ele só parou quando Teresa entrou no quarto e me puxou para junto dela. Depois, ele saiu de cabeça baixa, murmurando algo como: "Meus dois filhos! Que vergonha! Que tristeza, meu Deus!" Nunca me esqueci disso, daquela expressão de derrota dele.

Vittoria tirou uma cigarrilha de entre os seios e acendeu na vela sobre a mesa. Giordano sorriu de deleite e de surpresa. Ela passou a ele a cigarrilha acesa, puxou outra do decote e acendeu para si. Giordano gostou do gesto e do sensual que havia naquela liberdade dela e considerou beijá-la em algum momento do depois. Tragaram e encheram o ar do cheiro adocicado do tabaco. E em meio à bruma que então se formara e se espargia, Giordano viu surgir o rosto de Vittoria, belo e aristocrático, travestido de povo, como em uma pintura antiga.

— Mas e Arrabal? Por que seu pai não se importava que ele representasse, cantasse?

— Ele não gostava, nunca gostou, e demonstrava isso com muita clareza, mas não ousava contrariar minha mãe. Ela sempre foi frágil dos nervos e adorava tudo que Giuseppe fazia. Então, meu pai de certa forma abriu mão dele e concentrou as atenções em mim. E naquele dia eu o feri de morte com a minha brincadeira.

Por isso, parei. Afinal, ele era a única pessoa no mundo que tinha predileção por mim. — Giordano levantou o braço e num gesto largo pediu outra garrafa. Pela camisa aberta, Vittoria entreviu os músculos desenhados de seu peito, os pelos, e suspirou levemente. O taverneiro trouxe vinho, azeite, pão e, numa tigela fumegante, a minestra farta. Giordano encheu as canecas e brindou de novo: — Muitas vezes desejei que ele morresse, tenho de confessar! Acho que nunca disse isso a ninguém, mas é verdade. Eu desejei que ele desaparecesse da minha vida muitas vezes. Mas logo depois me arrependia, porque eu o adorava. Pode parecer contraditório, e é em certa medida, mas sempre amei meu irmão. Tinha ciúme, mas o amava! Fazíamos tudo juntos, o tempo todo. Era como se fôssemos a extensão um do outro, não sei se consegue me entender. Depois, crescemos e encontramos uma maneira de proteger nossos espaços. Até que agora...

— Agora...

— Agora estamos os dois no palco, e pela primeira vez também fui aplaudido.

— O que isso quer dizer?

— Eu nunca quis amar mulher nenhuma, Vittoria, nunca quis estabelecer nenhum tipo de laço com ninguém. Mas ela, Luigia, instalou-se de tal forma no meu coração... não pude evitar. Eu não a queria, juro que não! Eu a rejeitei o mais que pude, mas agora descobri que ela também sente algo por mim. Não sei o que ela sente por ele, mas seguramente sente algo importante por mim.

— Entendo, capitão, mas então...

— Então, não vou desistir de brincar desta vez! — assegurou ele. — Ao contrário, vou fazer tudo o que puder para me manter no palco, recebendo o calor desse aplauso. Acho que mereço isso! Já me sacrifiquei o suficiente para que ele pudesse brilhar! Ele já teve amor demais!

Vittoria apagou a cigarrilha, mergulhou a concha na sopa quente e serviu os pratos, como se ganhando tempo para pensar. Comeram em silêncio por instantes, e então ela arriscou:

— Posso dizer o que penso, capitão?

— Por favor.

— Acho que vocês não deviam brigar por ninguém. Ao contrário, deviam procurar se unir, se apoiar.

Giordano sorriu sarcástico.

— O que está me dizendo?

— Não deviam pôr em risco o amor que sentem um pelo outro por algo inconstante.

— O que você está querendo dizer exatamente?

— O que depende dos outros é sempre inconstante, capitão. Quem pode garantir quanto pode durar o amor de um homem e uma mulher?

Giordano calou-se, e Vittoria acreditou tê-lo deixado um tanto triste. Terminaram o jantar sem palavras. O taverneiro retirava pratos e travessas quando Giordano notou as manchas de tinta nos dedos de Vittoria. Ele sorriu e brincou com as pontas dos dedos dela entre os seus. Ela corou.

— A tinta é difícil de sair — disse ela, embaraçada. — Arrabal enrola as mãos todas para escrever, porque a tinta provoca nele um tipo de irritação, mas isso é muito trabalhoso. — e completou: — Definitivamente, não são mãos de uma marquesa.

— Não. Mas você não precisa ter mãos de marquesa — afirmou ele, escorregando os dedos por entre os dela e entrelaçando as mãos. — Você não precisa de artifício nenhum.

Era madrugada quando deixaram o lugar. Só então Vittoria lembrou-se de Mamma e de que os amigos deviam estar preocupados com ela.

— Preciso voltar depressa, capitão! Todos devem estar loucos sem saber o que se passou comigo. — Giordano fingiu não ouvir. Novamente a cobriu com sua capa e puxou-a, num gesto firme, para junto de si. — É melhor não...

Ele calou a frase, beijando de improviso sua boca. Um turbilhão de culpas e preceitos tentou interpor-se entre Vittoria e seu desejo, mas o segundo e sua força terminou por vencer e ela se entregou.

Amaram-se num quarto da hospedaria contínua à taverna, a janela de par em par aberta, embora o frio que umedecia as paredes. Depois, deitaram-se aos pés da cama, enrolados na manta de lã pesada, para ver a lua desenhar seu trajeto em direção ao amanhecer. Era um amar diferente, o de Giordano, Vittoria avaliava, aconchegada no seu peito largo. Havia no seu toque a mesma altivez do gesto, um certo senso de comando a que voluntariamente se submetia. Havia nele uma força que não bruta, definia-se um ensaio, um arremedo de doçura. Se amar Arrabal era perder-se num labirinto de mistério e poesia, amar Giordano lhe parecia provar da terra o sal.

— Eu preciso mesmo ir agora, capitão! Eles devem estar desesperados sem saber onde estou.

Giordano assentiu. Depois, devolveu-a ao travesseiro, afastou a coberta e correu o olhar lento sobre seu corpo.

— O que foi? — perguntou ela, cobrindo-se, constrangida.

— Não, deixe que eu olhe. Quero guardar a visão do seu corpo. É lindo! Quero guardar comigo o que vivemos nessa noite — disse contornando num carinho seus seios rosados.

— Capitão... — murmurou ela.

Giordano escorregou as mãos pela silhueta de Vittoria e a trouxe para junto de seu corpo.

— Queria tanto poder lhe explicar — sussurrou, os lábios colados à sua boca.

— O quê?

— Que tudo que eu fizer, mesmo que pareça errado, mesmo que pareça condenável, tenha certeza, Vittoria, será para sobreviver! Não se esqueça disso, por favor! — disse, beijou-a e amou-a ainda uma outra vez.

* * *

Havia uma comoção geral no acampamento quando Vittoria chegou. Assim que a avistaram, todos correram em sua direção e a abraçaram até quase a sufocar. Quando se acalmaram, explodiram em perguntas simultâneas e estridentes que ela se esquivou em responder. A recusa soou como ofensa. Jamais deixavam de contar algo, fosse o que fosse, uns aos outros. E a indignação conjunta fez com que das lágrimas todos passassem aos gritos, que terminaram num bater sucessivo de janelas e portas da carroça.

Vittoria ficou sozinha ao lado da fogueira, que já quase se apagava, e suspirou aliviada no silêncio que se instalara. Era aquela a quietude necessária para repassar a noite, milhões de vezes a noite, e todos os seus instantes.

Estendeu as mãos e admirou com orgulho as pontas dos dedos manchadas de tinta. Alguma coisa sutil dentro dela se modificara, algo que ela ainda não conseguia traduzir, mas que a acrescera de estranha serenidade. Porque sentia que a noite com seu ar enfeitiçado de alecrim, a noite de luz difusa e paredes úmidas de amor tinha sido um rito de passagem. Como se, no exato momento em que decidira dar a mão a Giordano na estrada, e só então, tivesse enfim deixado seu passado para trás.

Olhou ainda outra vez as mãos e sorriu. Seu nome era Vittoria Bouchard. Era escritora, atriz e livre, afinal.

* * *

Arrabal fez uma pequena fogueira ao lado do riacho, perto do acampamento, e passara a noite por lá. Quando o dia rasgou o céu com as primeiras luzes da manhã, Francesca aproveitou-se do sono da trupe e foi procurar por ele. Encontrou-o sentado à beira do regato. Estava bêbado, cansado, abatido. Viu quando ele atirou para o lado a garrafa vazia, viu quando despiu a roupa e mergulhou. Ela riu de si para si. Era tão lindo! Era seu! Tirou o vestido e as botas e mergulhou com as roupas de baixo na água fria, até emergir na frente dele. Arrabal assustou-se.

— O que você está fazendo aqui? — perguntou ele, com voz pastosa. Francesca sorriu e aproximou-se, as roupas molhadas coladas ao corpo, mostrando os seios virgens. Arrabal deu um impulso para trás. Ela se aproximou de novo, correndo a mão pequena nos lábios dele. Arrabal afastou o rosto. — Vá embora, Francesca! Que modos são esses? — disse ele na voz arrastada de bebida. — Você é uma criança!

— Não, não sou! E você sabe disso! Se não, não fugiria de mim! — afirmou ela, e começou a desamarrar a blusa fina, oferecendo os seios nus. — Sou uma mulher! Uma mulher que quer ser sua!

Arrabal resfolegou, esfregou o rosto. Francesca de novo se aproximou.

— Vá embora! — ordenou ele, sem convicção.

— Quero que você seja o primeiro! Quero que me ensine o amor como me ensinou tudo mais! — disse, segurando-lhe a mão e colocando-a sobre o seio nu. Ele a deixou ficar, já vencido pelo desejo. — Abrace-me! — pediu ela, colando o corpo ao dele, deslizando os lábios pelo seu pescoço. Arrabal a segurou pela nuca e, quando ia beijá-la, a voz de Mamma o despertou como uma bofetada.

— Francesca!

Ele arregalou os olhos, como despertando de um transe, e a empurrou, consciente do inapropriado do que quase fizera.

— Perdão, Mamma! Perdão! — pediu.

— Saia já da água e venha se vestir! — Mamma gritou para Francesca, que obedeceu, chorando de raiva e frustração. — E você, componha-se e venha tomar o caldo! Chega dessa bebedeira!

Arrabal aquiesceu sem olhar para ela. Esperou que Mamma e Francesca se afastassem e nadou até a beira do riacho. Vestiu-se sem esperar que o corpo secasse e se deixou ficar sentado à margem por alguns instantes, vendo os primeiros raios de sol iluminarem seu reflexo distorcido nas águas. De súbito, o rosto de Vittoria surgiu atrás do seu.

— Não acha que já chega?

— Vittoria, tenho o direito de...

— Não tem, porque você me disse que eu podia transformar meus sonhos em realidade! Eu deixei a minha casa, o meu casamento, meu título de nobreza porque você me garantiu que era possível, eu acreditei e fiz! Você disse a eles que essa peça era o futuro do teatro, que tínhamos que fazer isso e, apesar de todas as dificuldades — e olhe que não foram poucas — nós fizemos! Eu e eles fizemos tudo porque acreditamos, porque confiamos cegamente em você! Por isso, agora você não tem direito de voltar atrás! Não tem direito de se entregar, de desistir e nos deixar sem rumo! Não tem o direito de se perder na sua frustração romântica e nos abandonar!

Arrabal olhou assombrado para ela, criador diante da autonomia desavisada de sua criatura. Era Vittoria, mas não a mesma. Não mais a que encantava, dócil, os nobres com sua erudição. Não mais a submissa, cujo brilho Nicola se comprazia em esmagar. Não mais a mesma, ou por outra, a legítima, a quem amara como bálsamo na vez primeira, a verdadeira de quem sentira a força represada no Quarto-de-Sonhar.

— E o que você espera que eu faça? — perguntou.

— Não sei! Aprendi com sua trupe que você sempre sabe o que fazer. Pois então faça! E depressa, antes que percamos o grande respeito que lhe temos! — disse e saiu.

E Arrabal, tomado de brios, pôs-se de pé.

***

Francesca não quis a *zuppa* nem almoçou naquele dia, e Mamma não lhe deu confiança.

— Está com raiva porque impedi o malfeito dela! — disse para Vincé enquanto lavavam a louça.

— Melhor! Sobrou mais comida! — respondeu ele. — É mimada demais *questa ragazza*, e a culpa é de Arrabal. Ele não se convence de que ela não é mais uma criança e continua a tratá-la como se fosse *una bambina*! Pronto, dá nisso!

Dottore aproximou-se fumando a metade de um charuto que guardara de noites fartas.

— Por que *questo stronzo* está lhe ajudando? Onde está Vittoria?

Mamma continuou a tarefa como se não o tivesse ouvido. Estava zangada com Vittoria e para ela não bastava fingir uma estudada indiferença. Quando estava aborrecida com alguém, Mamma não lhe podia olhar até que a zanga passasse.

— Onde já se viu, a gente *qui* morrendo de preocupação! Ela chega *non* sei de onde, quase de manhã, e não diz onde estava! Ingrata! — resmungou.

Vittoria estava, é bem verdade, um pouco triste com a frieza que lhe impunham como castigo. Mas como poderia dizer o que se tinha passado? Acomodou-se ao pé de uma árvore frondosa e fechou os olhos, entregando-se à madorna quando a voz de Arrabal a despertou.

— Vou sair para pensar um pouco. Volto com a solução — disse ele, com o texto da peça nas mãos.

— Hoje não nos apresentaremos de novo, então? — perguntou Vittoria.

— Não. Mas amanhã voltaremos ao teatro. Pode avisar ao Brancaccio — afirmou, fazendo Vittoria sorrir de renovada esperança.

Quando retornou, já era noite. A trupe estava reunida em torno da fogueira, mergulhada no âmbar que a luz do fogo a tudo conferia, o violino de Gigi enchendo o ar de notas de lamento doce. Sorriram vendo-o se aproximar novamente, revestido de seu brilho, e Arrabal suspirou do amor que vinha deles. Residia ali, naquela cena que acolhia, o seu verdadeiro sentido de lar. Mamma estendeu a ele a caneca de sopa e uma fatia de pão.

— Onde está Vittoria?

— Na carroça — respondeu Vincé. — *Quella* não larga mais a papelada. Escreve o dia todo!

Quando Arrabal entrou, porém, Vittoria estava em frente ao espelho, colorindo os lábios de carmim. Ele sentou-se e ficou em silêncio olhando para ela, sorriso travesso no canto da boca, esperando que ela despertasse do devaneio que, igualmente, a fazia sorrir. De súbito, ela o percebeu.

— Vai me dizer quem é ou terei de adivinhar? — ele perguntou.

— Do que você está falando? — ela sorriu, devolvendo a pergunta. — Não entendi.

— Você está diferente, Vitty! Aconteceu alguma coisa. Conte! Sou seu melhor amigo, *cazzo*!

— Não aconteceu nada, criatura!

— Quem é ele? Eu conheço?

Vittoria riu intimamente, pensando na ironia da pergunta.

— Não tem "ele" nenhum!

— *Mamma mia*, é claro que tem! Pode até não ser importante, mas existe alguém.

— Por que você diz isso?

— Porque é visível o brilho que o olhar de um homem acende na alma de uma mulher. Você está diferente, mais viva, mais fêmea. E então? Quem é?

Vittoria pensou um pouco e depois assentiu.

— *Va bene*. Tive um encontro, sim. Inusitado, diga-se de passagem, mas foi só um encontro. Marcante, acho mesmo que inesquecível, mas não creio que vá se repetir.

— Bem, estou aqui me corroendo de ciúme. Quem é o sujeito? O que ele tem para impressioná-la tanto assim?

— Esqueça! Foi apenas uma aventura — disse ela, beijando-lhe de leve os lábios. — E a peça? — perguntou, mudando de assunto e de tom. — Encontrou alguma solução?

Arrabal não insistiu.

— Já sei o que fazer.

— *Grazie a Dio*!

— Mas vou precisar da sua ajuda.

— Sempre! — disse ela, sorrindo e estendendo a mão a ele, num cumprimento. — O que vamos fazer?

— Mexer no texto! Temos de mexer no texto. Para começar, vamos tirar a história de Nápoles. Ela vai se passar em uma cidade fictícia. Acho que isso pode fazer a plateia se sentir menos ofendida. Depois vamos concentrar as falas nos quatro personagens principais e colocar mais um *zanni*.

— Então vamos ter de ensaiar tudo de novo?

— Não, porque não temos tempo para isso. O que vamos alterar é simples. Vamos intensificar um pouco mais a comédia e suavizar a crítica aqui e ali. Eles são mestres do improviso! Basta darmos o sentido das cenas e eles dão conta.

— Tem certeza?

— Temos opção? — perguntou ele.

Vittoria fez que não.

— Precisamos reagir rápido, Vitty! Ou ninguém nunca mais pisará naquele teatro para nos assistir.

Era outra vez Arrabal, iluminado de energia e loucura. Era novamente a certeza de que algo sempre aconteceria para lhes ajudar.

— O que quer que eu faça? — Vittoria perguntou.

Arrabal explicou e dividiu com ela o texto para os ajustes. Escreveram por toda a noite, sob a luz tênue das lamparinas. O amanhecer os encontrou ainda revisando partes, despertos pela excitação do trabalho, pelos ramos de alecrim que Mamma lhes empurrara atrás das orelhas e pelo caldo forte que lhes fizera e que Vittoria aquecera mais de uma vez. Arrabal dirigiu o primeiro ensaio e deixou a Vittoria a incumbência de dar-lhe continuidade pelo restante do dia.

— Vou ao teatro conversar com Brancaccio para garantir que seu anel será devolvido no fim da temporada, e depois tenho outras coisas para resolver. — disse ele.

— Que coisas? — perguntou Francesca, num tom controlador.

— Coisas minhas, que não são da sua conta — respondeu ele, sorrindo, tocando-lhe com o indicador a ponta do nariz. — Volto no fim da tarde para irmos todos juntos para o teatro. — E prosseguiu para Vittoria, referindo-se à noite em claro: — Se eu sobreviver até lá.

Sobreviver... a palavra flutuara na voz de Giordano inúmeras vezes, repetidamente, por entre os pensamentos de Vittoria. Sobreviver... era o que Arrabal fazia, qual fênix, à sua dor, desde que Vittoria o chamara à razão.

Quando Arrabal voltou, a tarde já se ia morta para os braços da noite. Banhou-se e vestiu-se depressa, enquanto Vittoria lhe punha a par do correr dos ensaios do dia. De súbito, ela percebeu um esfolado grande e vermelho em suas costas. E como ele tentasse esconder, vestindo depressa a camisa, Vittoria suspeitou.

— O que foi isso? Você caiu?

— Não foi nada.

Como ele tentasse esconder, vestindo rapidamente a camisa, Vittoria percebeu.

— Você brigou?

— É... tive de ser mais claro com a administração do teatro. Brancaccio não estava e precisei falar com aquele assistente dele — respondeu, vencido pelas evidências. — Acho que me arranhei quando caí.

— Você é louco!

— Está tudo bem agora. Não se preocupe. E nem toque nesse assunto com os outros, por favor. Muito menos com Brancaccio.

Vittoria meneou a cabeça, mas, antes que pudesse articular palavra, Arrabal saiu da carroça chamando Gigi e Francesca e se foi com eles para a cidade anunciar o espetáculo. Já se tinha esquecido da armadilha que Francesca lhe preparara no lago na manhã anterior. Já a abraçava de novo como irmão mais velho e brincava com ela, caminhando pela estrada.

— Vamos direto para o teatro depois! — anunciou para a trupe. — Vocês levam tudo e nos encontramos lá!

Francesca ria, também ela esquecida e confortada pelo ARREMEDO DE carinho que lhe dedicava o seu amor

Sobreviventes. Sim, todos ali o eram.

— Eu estava com Giordano — Vittoria anunciou de improviso quando se viu a sós com Mamma na carroça. — Encontramo-nos na estrada, e ele me convidou para jantar. Aceitei e depois... nos amamos. — Mamma arregalou olhos de surpresa, que se dulcificaram de compreensão logo em seguida. — Por isso eu não podia, não posso contar! Sei que parece horrível, porque não tenho sequer uma relação romântica com ele, e sei também que Arrabal pode ficar aborrecido pela mágoa que tem do irmão, mas não vou mentir nem dizer que estou arrependida, porque não estou! Desejei estar com ele! De alguma forma, amar esse homem me libertou. Foi... maravilhoso, Mamma! Maravilhoso! Perdoe-me, mas é o que tenho a dizer — concluiu.

Mamma a abraçou em silêncio. Depois, beijou-lhe a testa e murmurou:

— *Grazie, figlia mia*!

❋ ❋ ❋

Luigia estava na plateia. Caterina ia avisar Arrabal, mas Dottore a impediu.

— Melhor, não! Se ele sabe, descontrola-se outra vez e o espetáculo vai por água abaixo!

— *Caspita*! *Quella là* também não tem nada na cabeça! — esbravejou Mamma.

— E se ele a vir na plateia quando estiver em cena? Não vai ser pior? — argumentou Caterí.

— Pode ser que nem veja. Nunca vejo ninguém quando estou no palco — ponderou Gigi.

— *Magari*. Com essa meia dúzia que tem na plateia! — resmungou Vincé.

— E pode ser que ele a veja e nem ligue — disse Francesca, enciumada.

— O que vocês tanto cochicham? — perguntou Arrabal, aproximando-se. — O que é? A plateia está vazia? Podem me dizer.

— Deve ter umas quinze pessoas. Está ótimo! — garantiu Vittoria, e prosseguiu, antes que Arrabal pudesse lastimar. — A julgar pelo fracasso da estreia, pensei que não teria vivalma aqui hoje.

A segunda apresentação foi melhor que a estreia. Não houve vaias, nem comidas atiradas no palco, nem xingamentos, mas o público se manteve todo o tempo em silêncio, como que na expectativa de uma surpresa desagradável qualquer. Nem mesmo o acréscimo de comédia conseguiu extrair da plateia mais que alguns fragmentos tímidos de risadas. Os aplausos, no final, foram esparsos e sem vigor, mas, comparada ao quase linchamento da antevéspera, a noite foi para a trupe motivo de comemoração. Foi só quando deixaram o teatro que Arrabal viu Luigia. Ela o esperava com Angelina e Maria na saída. Luigia sorriu e caminhou na direção dele. Arrabal deu-lhe as costas, abraçou Gigi e caminhou com a trupe em direção à carroça.

— Arrabal! — chamou ela, caminhando atrás dele. — Ouça-me, por favor! Ouça-me!

— Pare de se humilhar! — disse Angelina entredentes, segurando Luigia pelo braço.

— Ele tem que me ouvir! — balbuciou ela, sentida, e começou a soluçar.

Maria a abraçou, penalizada.

— Não fique assim, *Signora*! Olha para si, olhe para ele! A senhora vai se casar com um príncipe! Não precisa dele para nada.

— Eu o amo! — soluçou ela.

— Ama nada! — atalhou Angelina. — É um capricho, uma tolice! E você está perdendo a noção de dignidade por causa disso!

— Desta vez, tenho de concordar com Angelina, *signora*. Quanto mais tenta recuperar o carinho dele, mais se humilha e mais ele a despreza.

— Ele não é assim, você não sabe! Ele não é como os outros. Está agindo dessa maneira porque está magoado.

Luigia, Angelina e Maria entraram na carruagem e percorreram boa parte do caminho em silêncio, até que, de repente, Luigia ordenou ao cocheiro que mudasse o itinerário.

— O que você está fazendo? Aonde estamos indo? — perguntou Angelina, para logo enxergar à frente as luzes do acampamento. — Você não vai...

Luigia não lhe deu ouvidos. Mandou que o cocheiro parasse e desceu. Angelina tentou impedi-la, mas Maria, eufórica diante da coragem da patroa, puxou-a para trás, fazendo com que se sentasse enquanto a carruagem partia.

Foi Vincé quem a recebeu, surpreso.

— *Buonasera*! — disse ela, sorrindo. Vincé notou que estava nervosa pela forma como enrodilhava a bolsa de seda que trazia nas mãos — Eu poderia falar com Arrabal?

Vincé gaguejou, sem saber o que dizer. Pela reação de Arrabal ao vê-la na saída do teatro, não iria querer falar com ela. Mas como enxotar dali uma mocinha assim, tão bela e educada? Vincé sorriu pensando numa boa desculpa, quando Mamma apareceu na porta da carroça.

— Ele está lá na beira do riacho. É só seguir a luz do fogo, lá adiante, está vendo? — falou Mamma, apontando a direção.

Francesca a puxou com força pela blusa e recebeu um tapa na mão como resposta.

— Por que você fez isso? Quer que ele fique com ela?

— Quero que ele resolva esse assunto e fique em paz!

Arrabal escrevia, enrolado em um cobertor, ao lado da pequena fogueira, quando Luigia chegou. Ela hesitou, temendo que a rechaçasse, então, tomou coragem e se aproximou. Ficou alguns instantes de pé em frente a ele sem que a notasse, absorto que estava no seu mundo de palavras, até que deu por ela e por si. Olharam-se no silêncio, tomados pelo amor que os envolvia. Ela, admirando-lhe o rosto belo e grave porque iluminado pelo dourado do fogo. Ele, suspirando sua sílfide silhueta, ela, alta como deusa na contraluz da fogueira. Luigia pensou em falar, mas palavras não seriam nada. As palavras se perderiam da boca no vazio da noite. Então, lentamente, se despiu. Arrabal viu cair-lhe a capa e a seda do vestido, viu escorrer da sua silhueta o espartilho e todas as rendas de sua intimidade. Admirou-lhe, aos detalhes, o corpo esguio, os seios estuantes encrespados pelo frio da noite, a pele de alabastro, o ventre virgem que se lhe oferecia pela primeira vez. Então, com o cuidado de quem colhe delicada flor, Arrabal tomou-a nos braços e a amou.

* * *

Vittoria sentou-se só ao lado da fogueira quando todos já dormiam na carroça. Fechou os olhos e se deixou banhar pela luz da lua misteriosa e fria. Adorava a solidão daquela hora a que cediam todos os ruídos do dia. Adorava a luz morna do fogo extinguindo-se paciente como o passar das horas; amava o vento que se imiscuía frio, pelas dobras do cobertor. Pegou da pena, da folha branca e do papel. O que seria aquela noite? Onde explodiria a onda que já se formava em seu peito preparando o arrebentar? Em que palavras se traduziria o amor? Pousou a pena em abandono e escreveu:

Se eu pudesse, seria tua.
Beijaria teus pés até alcançar, aos detalhes, tua boca.

Se eu pudesse, seria fêmea, louca,
enlaçaria o teu corpo num afago,
murmuraria retalhos de amor no teu ouvido,
te deixaria, assim, menino e rei,
a comandar os meus sentidos,
e me entregaria, submissa, ao teu desejo.

Se eu pudesse, te calava com um beijo
e me desmanchava, como doce, na tua boca
e me perdia assim, feito menina, feito boba,
entorpecida entre os teus braços.

Depois, deitava no teu peito quieta,
morta, plena de felicidade
e, como Sherazade,
inventava histórias só para te embalar.

Suspirou aliviada quando a pena pôs o ponto no papel. Depois, releu os versos e desejou escrever o nome. Controlou, girou a pena no ar, evitando a inicial a quem devia a inspiração. Mas porque era ele a razão da liberdade, porque ele era de sua alma o redentor, terminou pousando a pena no papel e sem pudor escreveu: *Para Giordano Romanelli e a noite de amor.*

❁ ❁ ❁

Foi Arrabal quem despertou primeiro na manhã seguinte. Deslizou suave para fora do cobertor para que Luigia não acordasse. Ela se remexeu e aconchegou e a visão de seu rosto relaxado pelo sono o fez desejar fazer-lhe versos. Ia escrever, mas avistou miosótis e preferiu enfeitar-lhe os cabelos.

— *Non-ti-scordar-di-me*! — murmurou para si mesmo, pensando no significado da flor. — "Não-te-esqueças-de-mim!", repetiu.

Luigia espreguiçou, preparando o despertar e espalhou miosótis pelo cobertor. Raios tênues de sol se ensaiavam pelos galhos das árvores. No mais, havia o silêncio e o correr cristalino das águas. Apenas, em tudo e em torno, aquela paz quase mística. Luigia abriu os olhos e sorriu, percebendo-se como Titânia, coberta de flores. Arrabal se aconchegou a seu lado e um'outra vez a amou.

— Nós nos encontraremos às cinco, na Strada del Sedile Del Porto com San Aspreno — disse ela, enquanto Arrabal lhe amarrava o espartilho — E então...

— Então... — emendou ele, no mesmo tom, virando-a para si — ... seremos só nós dois, juntos, para o resto da vida.

Beijaram-se, e, quando Arrabal vestia a camisa, Luigia notou a cicatriz na parte superior de seu abdômen.

— O que é isso?

— Isso? É uma cicatriz dos tempos em que eu ainda tentava ser herói. — e como ela o olhasse com estranhamento, explicou: — Quando eu ainda fazia aulas de esgrima com meu irmão, obrigado pelo meu pai. É minha marca de poeta! — assegurou, correndo o indicador sobre a cicatriz.

— Marca de poeta? Por quê?

— É, veja só, tem o formato da metade de um coração.

— É mesmo! — exclamou Luigia, correndo os dedos sobre a cicatriz, só então se dando conta da semelhança.

— Sabe o que isso significa? — Luigia balançou a cabeça, em negativa. — Significa que a minha sina é procurar pela minha outra metade o resto da vida. — Acariciando o rosto de Luigia, completou: — Mas acho que já a encontrei!

— Preciso ir agora, meu amor.

— Está certo! Antes, porém... — anunciou ele, tomando-a de súbito nos braços e correndo, ágil como um gato, sobre as pedras que levavam à pequena cachoeira. Luigia ria e gritava de medo e excitação. — ... já que o batismo de San Giovanni está proibido, eu criei o meu!

— O que você vai fazer? — perguntou ela, o rosto vermelho, os olhos cintilando na antecipação da travessura.

— Ninguém pode penetrar meus domínios sem passar pelo batismo de Arrabal! Ele lava da mente os medos, o pensamento lógico, os preconceitos — disse, balançando Luigia nos braços e fazendo menção de jogá-la no regato.

Ela gritou, enlaçando com força o pescoço dele.

— Que susto! Pensei que você fosse me jogar!

— Claro que não, querida! — disse ele, embalando-a nos braços. — Vou pular com você! — e, de improviso, saltou.

Beijavam-se entre brincadeiras e risadas quando Gigi apareceu.

— Arrabal, desculpe, mas aquela senhora, ama de Luigia, está aí e não parece nada feliz.

— Angelina... — murmurou Luigia. Os dois se entreolharam preocupados, para desabarem num riso descontrolado em seguida.

Gigi os encarou sem compreender nada, e Arrabal concluiu:

— Diga que já vamos, Gigi. Nós já vamos.

Angelina os esperava caminhando de um lado para outro. Vittoria tentou acalmá-la com um chá, mas ela se limitou a negar com um balançar de cabeça e um discreto aceno de mão, evitando olhar para Vittoria. Marquesa... pensou. E dizer que essa mulher era marquesa! Metida aqui, em andrajos, com essa gente! Doidivanas! Isso é o que ela é! Doidivanas! O pensamento fez acentuar em seu rosto uma expressão de nojo que lhe repuxava para baixo os cantos da boca. Angelina era pobre, filha de camponeses, mas, desde menina, servira aos Di Medinacelli. Adquirira deles o gosto, o refinamento dos modos e a empáfia e o esnobismo em medida igual. Admirava-os e por viver tantos anos entre eles, criou para si a fantasia de ser-lhes igual. Assim, rechaçava os de sua classe social ou aqueles do povo mais humildes, numa tentativa inconsciente de se igualar à casta à qual nunca poderia pertencer.

Vincé ia reagir com um insulto qualquer, mas a visão de Luigia de cabelo e roupa encharcados, os seios à mostra pelo molhado do vestido, o sorriso alucinado no rosto, tornou desnecessária qualquer repreensão. O ar arrogante de Angelina deu lugar a uma expressão catatônica de quase pavor.

— Mas o que é isso? — balbuciou, quase em choque. Os lábios de Luigia tremiam de frio, e era possível ouvir seus dentes rangerem. Caterina jogou sobre ela um cobertor. Arrabal a beijou e partilharam um sorriso de particular e algo estúpida serenidade. — Vamos embora daqui! — disse Angelina, puxando Luigia pelo braço.

Luigia entrou na carruagem sorrindo, sem tirar os olhos de Arrabal, ainda hipnotizada pelo sortilégio da noite. Mas então, quando o acampamento já quase se perdia entre as árvores, quando o rosto de Arrabal lhe sorrindo ia se desvanecendo como uma miragem na distância, Luigia, sem compreender porque, lembrou-se de Giordano e uma dor magoada a invadiu. Balançou a cabeça tentando afastar o pesar que a tomara ao perceber que nunca mais o veria. Nunca mais seus beijos, nunca mais o calor de suas mãos. Todas as coisas que ele pensava e defendia, sua honra, nunca mais.

Arrabal, ao contrário, estava certo do que queria, ou pelo menos parecia sentir assim. Ficou ainda algum tempo de pé, com um sorriso aéreo no rosto, olhando na direção da estrada em que a carruagem desaparecera. Mamma se aproximou dele, preocupada. Ele percebeu e a abraçou.

— Sou o homem mais feliz do mundo, Mamma! — disse, beijando-lhe a testa. — Vou me casar com ela!

— Você vai o quê? — perguntou Francesca, em desespero.

— Deixe de bobagens, Cesca, você não é mais criança! — disse ele.

— Mas o pai dela não vai deixar, *caspita*! — berrou Vincé, nervoso com a ideia de ver o amigo em perigo por causa de uma mulher.

— Nós vamos fugir, Vincé! Vamos fugir amanhã! Marcamos de nos encontrar em Sedile Del Porto às cinco. De lá partiremos, nos casaremos e depois voltaremos para ficar com vocês.

— *Mamma mia*! — exclamou Vincé.

— Mestre, não quero me meter na sua vida, mas não acha que está indo longe demais com essa história? — arriscou Dottore. — Pode ser perigoso!

— Você acha que vai se casar com a filha de um duque assim, impunemente, depois vai voltar para viver com ela aqui, nas barbas do pai, e nada vai lhe acontecer? — irritou-se Vittoria.

Arrabal limitava-se a balançar a cabeça, sorrindo. E enquanto tentava tranquilizá-los, Francesca se aproveitou do burburinho para se afastar. Vincé percebeu, mas aquela história de fuga já era de per si tão complicada, que preferiu concentrar nas explicações de Arrabal sua atenção.

CAPÍTULO XIV

Para Luigia ser feliz

Quando Giordano chegou do treinamento no fim da tarde, alguém o esperava na cozinha, Teresa apressou-se em avisar. Estava exausto, ansiando por um banho e pelo macio da cama, mas Teresa disse que a moça o esperava havia horas e que parecia ser assunto de importância.

Giordano entrou na cozinha e deparou-se com uma figura feminina de costas, coberta pela capa de capuz.

— Deseja falar comigo? — perguntou. Francesca se virou. Estava visivelmente aflita. — Eu conheço a senhorita?

— Acho que sim. Sou da trupe do poeta Arrabal.

— Ah, claro, isso mesmo, a Colombina. Agora me lembro. — Ambos sorriram, mas Francesca contraiu novamente o rosto de preocupação. — Seu nome é...?

— Francesca.

— Muito bem, Francesca, você parece nervosa. Aconteceu alguma coisa com meu irmão?

— Não! Quer dizer, ainda não.

— Como assim?

— Eu tenho uma informação — disse e se engasgou. — ... eu tenho uma informação que, acredito, vá lhe interessar.

— Pois bem, diga o que é. — Francesca contou sobre a noite que Luigia passara no acampamento, sobre a fuga combinada para a manhã seguinte e sobre o casamento secreto. Giordano ouviu tudo em silêncio, sem mexer um músculo sequer da face. Depois, olhando para ela ainda sério, perguntou: — E você está fazendo isso por quê? Qual é o seu interesse em atrapalhar os planos deles?

— Eu amo Arrabal. Não posso perdê-lo. O senhor é o único que pode impedir que ele fuja com ela.

— E o que a faz pensar que vou fazer isso?

— O senhor a ama, não ama? Está de casamento marcado com ela.

Um breve silêncio se fez. Francesca percebeu o rosto de Giordano contrair--se ligeiramente e teve a impressão de que seus olhos diáfanos se umedeceram.

— Obrigado pela informação — disse ele, inclinando a cabeça num leve aceno. — Teresa, acompanhe a moça até a saída. — E olhando para ela com ar de visível reserva, pediu licença e saiu.

Giordano jantou em silêncio, os olhos vagando sobre as travessas da mesa, o pensamento preso no pretérito riso dela, nas palavras que lhe dissera no escuro daquela sala, nos seios que voluntariamente entregara em suas mãos. Sentiu uma dor longa, lenta, quase física transpassar-lhe o peito, como se seu coração se tivesse deixado pisar.

— O que há, *figlio mio*? — perguntou Carlo. — Você não comeu quase nada.

— Estou sem fome, pai. Ando muito cansado — disse, deitando no prato os talheres e se levantando. — Vou me deitar. Com licença.

— *Figlio*! Se houver alguma coisa, qualquer coisa, que eu possa fazer, diga!

Giordano sentiu pena e ao mesmo tempo gratidão por aquele amor equivocado que lhe dedicava seu velho pai. Amor que toda vida o sufocara, mas que, num paradoxo, era o único com que incondicionalmente podia contar. Pousou a mão sobre a de Carlo num afago, e beijou-lhe a testa.

— Está tudo bem, pai. Não se preocupe — disse e saiu.

Carlo alisou a testa, recolhendo o beijo raro, e sorriu em êxtase.

Giordano cruzou a cozinha, vestindo a capa e dirigindo-se ao pátio. Teresa o puxou pela manga e gesticulou quando ele se voltou para ela.

— Vou andar por aí um pouco. Não diga nada a meu pai. Preciso pensar, Teresa. Preciso pensar. — Teresa segurou-lhe o rosto entre as mãos ásperas, depois pediu, em gestos exasperados, que esquecesse Luigia, que ela não o merecia, mas toda a sua argumentação lhe parecia inconsistente.

— Pensei que ela estivesse gostando de mim, Teresa, mas estava errado, e agora não sei o que fazer. Não sei o que fazer com ela, com ele, comigo. Não sei o que fazer — repetiu, num balbucio, e saiu.

❋ ❋ ❋

Quando Arrabal chegou ao acampamento, todos já tinham ido para o teatro. Melhor assim, considerou. Precisava arrumar suas coisas para partir e seria difícil fazê-los com os outros e sua algazarra por perto. Mais do que tudo, queria pensar. Estava feliz e ao mesmo tempo triste. Jogou umas poucas mudas de roupa na maleta de couro, pegou navalha, espelho e sabão e se sentou na luz fugidia da tarde para se barbear. Foi quando o rosto de Giordano surgiu por sobre o seu ombro no reflexo do pequeno espelho de Mamma, adornado de fitas e contas de vidro multicor.

— Sabia que você viria. Você não pode me ver feliz, não é?

— Você sabe que não é isso. Sei que perdi. Sei perfeitamente que é a você que ela quer. Cheguei a ter a ilusão de que o meu amor bastaria, mas foi ingenuidade da minha parte. Só não sei o que fazer — disse Giordano.

— Não faça nada — atalhou Arrabal. — Deixe-me ir embora com ela e pronto.

— Você sabe que não é simples assim. Como seria possível explicar essa situação para o meu pai? Você casado com Luigia. Ele nunca aceitaria, morreria de desgosto! E ela, Luigia?

— O que tem Luigia?

— Ela teria de enfrentar a corte, toda a discriminação e todo o desprezo com que os nobres reagiriam. Além disso, nunca se acostumaria a esta vida.

— Por que você tem tanta certeza disso? — perguntou Arrabal, amolando numa irritação a navalha na pedra. — Vittoria se adaptou muito bem.

— Vittoria é uma artista! O que a move é a sua arte. É pela arte que está aqui, não é por ninguém! Luigia não! Ela está habituada a vestir sedas, cobrir-se de joias, comer bem. Você acha mesmo que ela vai se acostumar a dormir no chão só para escutar os seus versos?

Arrabal entristeceu. Intimamente concordou e como consequência resvalou a navalha no queixo, provocando um pequeno corte. O sangue brotou e se alastrou rápido na espuma do sabão barato. A visão, num tipo incômodo de pressentimento, fez Giordano nausear.

— Você é derrotista! Sempre foi! Eu não tenho culpa que prefira a segurança das paredes de casa a correr o risco de ser feliz. Há sempre um risco embutido quando se corre atrás de um sonho. Acontece que eu sempre prefiro me atirar porque da mesma forma que posso morrer, posso sobreviver e conseguir!

— Não é questão de ser derrotista. É um fato! Ela não vai ser feliz aqui! — disse Giordano, olhando em torno.

Arrabal enxugou na toalha de linho de Mamma os restos de sabão e de sangue, desenhando um rastro sinistro no pano, que incomodou Giordano.

— Deixei tudo para você — prosseguiu Arrabal, emocionado. — Meu pai, minha mãe, Teresa, as marionetes, o respeito, a admiração das pessoas. Eu só quis o teatro e, agora, Luigia.

— Mas desse modo você vai perdê-la! No início, tudo pode parecer perfeito, mas quando a paixão acalmar e ela olhar em volta... vai odiar você! E aí será tarde demais para todos nós!

* * *

Arrabal chegou em cima da hora para o espetáculo. Estava estranhamente quieto. Vittoria percebera enquanto o ajudava a se vestir e a se maquiar. Havia uma sombra de melancolia sobre seu rosto, entristecendo-lhe o olhar.

— O que houve? — perguntou Vittoria.

Arrabal suspirou.

— Ele está triste.

— Quem?

— Giordano. Eu sinto! Desde pequenos somos assim. Sentimos quando alguma coisa não vai bem com o outro.

— Bem, você vai fugir com a noiva dele! Claro que não pode ir bem. Não precisa ter nenhum tipo de sensibilidade especial para prever isso. — Arrabal suspirou.

— Você acha que Gigi consegue me substituir nesses dias em que estarei fora com Luigia?

— Acho que sim — respondeu Vittoria reticente e, como um pressentimento estranho, a invadisse, perguntou: — Mas você não vai demorar, vai?

— Não. De qualquer forma, jantaremos juntos hoje. Vamos brindar!

Vittoria teve a impressão de que a voz dele embargara ligeiramente no fim da frase, mas então a urgência do palco fez o assunto se encerrar.

A terceira apresentação contou com uma plateia ainda menor. Apenas dez pessoas se acomodavam praticamente nas duas primeiras fileiras. Mas, para surpresa da trupe, a modesta audiência a brindou com risadas fartas e aplausos efusivos no fim do espetáculo. Foi o Dottore quem sugeriu que Arrabal falasse com o público, divulgando o espetáculo. Arrabal assentiu, ainda no motor da personagem, mas quando se colocou no proscênio e viu de perto os rostos, quando viu em panorâmica o veludo das cadeiras, o balcão, o fosso do ponto logo a frente de seus pés, uma espécie de tristeza, a mesma que dissera pressentir em Giordano, tomou conta dele.

Amigos, queremos agradecer a presença de todos. — Ele iniciou. — Vocês gostaram do espetáculo? A plateia respondeu num quase uníssono "sim". — Então contem para os seus amigos, familiares, digam para o máximo de pessoas que puderem o que vocês acharam do que apresentamos aqui e convidem a vir nos ver. Essa é uma forma nova de fazer o nosso teatro e alguns podem ter estranhado, mas é só uma maneira diferente de entreter vocês. Amigos, esse espetáculo foi feito com muito amor e dedicação por esses atores excepcionais com quem eu tenho tido a honra de dividir o palco, com esses operários do teatro, sem os quais eu jamais seria quem sou. Conto com vocês para fazer com que mais pessoas saibam disso. Muito obrigado!

Todos, atores e plateia, explodiram em aplausos. A trupe abraçou Arrabal, emocionada e feliz. Jantaram na cidade a convite de um taverneiro. Arrabal preferiu recolher as garrafas de vinho e fazer o brinde no acampamento. Sentou-se com eles ao redor da fogueira e encheu-lhes as canecas de modelos discordantes. Estava triste.

— O que há, Mestre? — perguntou Dottore em voz baixa, aproveitando-se da proximidade. — Algum problema?

Arrabal balançou a cabeça e sorriu com esforço.

— Nem parece que vai se casar! Parece que vai para o cadafalso! — cochichou Vincé, repreendido por Mamma com um beliscão.

— No caso dele é a mesma coisa — afirmou Francesca, num tom de voz propositalmente alto, para que ele escutasse.

— Quis brindar aqui porque queria lhes fazer um agradecimento. Neste tempo todo em que estamos juntos, acho que nunca lhes agradeci, pelo menos não o suficiente. E não queria partir amanhã sem fazê-lo — iniciou ele.

— Que conversa é essa, *figlio*? — atalhou Mamma, aflita. — Parece uma despedida! Você estará de volta logo. Terá a vida inteira para nos agradecer, se quiser, não é?!

— Sim, Mamma! Claro que sim! Mas hoje o sucesso do nosso espetáculo, depois de tanto sofrimento, meu casamento com Luigia e certa pena que estou sentindo do meu irmão... não sei, isso tudo está me emocionando. Então, eu queria que vocês soubessem o quanto... — parou com a voz embargada — ... o quanto vocês são importantes para mim. O quanto eu sou feliz porque vocês me acolhem, partilham a minha loucura e acima de tudo, aceitam-me como eu sou. Aceitam-me como eu sou! — repetiu, quase de si para si. — Obrigado! Eu sou muito feliz por ter vocês na minha vida — disse e não conseguiu evitar que as lágrimas corressem, autônomas, pelo seu rosto.

E como isso os tenha feito de imediato chorar também, e como não quisesse por nada fazê-los sofrer, levantou de um salto e pediu na voz do Arlecchino a Gigi a tarantela, chamando a todos para dançar. Girou com todos e com cada um na coreografia, e quando tomou Francesca pela cintura e a fez rodopiar em torno da fogueira, ela desabou num pranto convulsivo. Enlaçou-o a cintura e assim, rosto colado no seu peito, pediu:

— Não se case com ela, não! *Ti prego*! Fica *qui con me, amore mio*! Fica *qui con me*!

O pedido sincero, sofrido, era o que, de certo modo, todos gostariam de fazer, por isso pararam de dançar. Arrabal pegou Francesca no colo e, embalando-a como criança, levou para dentro da carroça. Ele a pôs na cama, como fizera todos os anos desde que a vira pela primeira vez, cobriu-a e acariciou-a. Ela segurou-lhe a mão e fechou os olhos, soluçando ainda um tanto miúdo e espaçado, até que de pouco em pouco, de sono, amoleceu. Sua mão pequena e branca se afrouxou e Arrabal tirou de leve a sua de sob a palma. Ia sair quando ela abriu de novo os olhos.

— Arrabal!

— Sì, *sono qui, carina.*

— Me dá um presente? Um presente que sempre lhe pedi. Um presente de despedida.

— Não sou eu quem tem de ganhar o presente? Sou eu quem vai se casar. — E como ela não risse, ficou sério e assentiu — Dou. O que é?

— Um beijo! Aquele que sempre te pedi! Sempre imaginei que o primeiro homem a beijar minha boca seria você. Me dá seu beijo de homem para eu guardar comigo.

Ele se calou e enterneceu. Então, tomou-lhe o rosto entre as mãos, beijou dele, suave, o queixo e as maçãs. Depois, entreabriu-lhe com os lábios a boca pequena e simulando o arrebatamento que ela desejara, o ardor que lhe devia, a beijou.

* * *

Ainda era madrugada quando Luigia, com a ajuda de Maria, cruzou os portões do palácio e entrou na carruagem. O dia se foi abrindo no céu durante o percurso, acinzentando muito lento o negro da noite.

Por que não estava feliz? Por que não se sentia feliz se estava indo ao encontro do seu amor? Por que não estava feliz se enfim realizava seu sonho de liberdade, se finalmente exercia seu direito de escolha? Por que a imagem de Giordano na sacada escura lhe vinha agora rivalizar com a expectativa do encontro iminente? Por que a lembrança dele e de sua humanidade se lhe interpunham a alegria plena?

A saudade que dele sentia a fazia duvidar da eficácia do porvir. Balançou a cabeça para afastar a inquietude e então viu raios rosados de sol se insinuando no céu. Lembrou das miosótis e do batismo no lago. Lembrou da *tarantela* e da noite de amor. Suspirou e sorriu. Era com certeza um sinal.

Arrabal a esperava no lugar marcado. Pôde vê-lo da janela da carruagem à medida que se aproximava. E à visão do ser, assim, amado dissiparam-se-lhe todas as dúvidas. Ele permaneceu de costas quando ela desceu da carruagem chamando seu nome até lhe tocar o ombro.

— O que você está fazendo aqui?! — Luigia gritou, vendo Giordano voltar-se para ela. — Onde ele está?

— Acho que você me deve uma explicação — disse ele.

— Onde está Arrabal? — perguntou ela, a voz lhe saindo cavernosa e lenta de revolta de dentro da boca.

— Ele não vem.

— Você está mentindo! — gritou Luigia. — Ele não faria isso comigo!

— Não, não estou mentindo. Ele tomou a decisão mais acertada, Luigia.

O rosto de Luigia se avermelhou e enrijeceu e de seus olhos, escorreram lágrimas quentes que não tentou conter.

— É mesmo verdade? Ele não vem? — Giordano assentiu, os olhos baixos evitando os dela. Luigia deu passos claudicantes em torno de si mesma, cerrou os punhos, tonteou. Era como se sua vida inteira de proibições se impusesse novamente ali, agora como força inexorável da existência contra a qual não podia lutar. — O que você fez? — gritou, esmurrando o peito de Giordano, fazendo dele o bode expiatório de sua dor. — O que você disse para ele? O que você disse para ele? Diga!

Giordano deixou que ela extravasasse um pouco; em seguida, segurou-lhe os pulsos com firmeza e fez com que parasse.

— Ele fez isso porque a ama! Ele sabe que será mais feliz comigo!

Luigia soltou os punhos das mãos dele e deu um passo atrás.

— Feliz com você? — desdenhou ela. — Vou pensar nele todos os dias da minha vida! Sempre que estiver com você, vou estar com ele no meu pensamento. Podemos até nos casar, posso ter que ceder a você por obrigação, mas será só o meu corpo! Meu coração nunca vai ser seu!

A frase explodiu como uma bofetada no rosto de Giordano e continuou a latejar enquanto Luigia entrava na carruagem e partia, deixando-o só e miserável para trás.

❊ ❊ ❊

Quando Mamma acordou, encontrou o bilhete. Dottore estranhou o silêncio e a falta do aroma quente da *zuppa* e levantou-se. Ela chorava com o papel nas mãos.

— O que houve?

Ela se limitou a passar-lhe a mensagem.

— Arrabal foi embora! Aqui diz *para sempre*! Ele foi embora para sempre! — Dottore gritou em desespero, o bilhete tremulando nas mãos. — Acordem, *per l'amor di* Dio! — gritou novamente, batendo as palmas das mãos na carroça. — Aconteceu *una disgrazia*! Arrabal foi embora para sempre! Ele nos deixou! Ele foi embora para sempre!

Saíram da carroça atordoados, o bilhete passando de mão em mão.

— Como? Por quê? — balbuciou Vittoria e então lembrou vagamente, como em sonho, ele ao pé de sua cama na madrugada, pedindo num sussurro que cuidasse da peça e de todos.

— Como vamos fazer sem ele? — perguntou Caterina.

Falavam sozinhos e, ao mesmo tempo, juntos. Estavam perdidos, desesperados, caminhavam em círculos como doentes de um asilo. Mamma continuava a chorar, agora sem representação, baixo e copiosamente. Vittoria a abraçou, Caterina fez o mesmo e Francesca... Francesca caiu de joelhos no chão e gritou.

— Vou atrás dele! — disse, levantando-se e enxugando o rosto.

— Onde? Não sabemos para onde ele foi! — disse Gigi.

— Não importa! Vamos procurá-lo em todas as direções. Ele não pode estar longe. Vamos encontrá-lo!

— Tem razão! Ele saiu há pouco, não deve estar longe! — disse Dottore, animando-se. — Se formos rápidos, vamos alcançá-lo!

Saíram desesperados, cada qual num sentido da estrada. Só Mamma ficou como estava, mortificada de tristeza, o bilhete amassado nas mãos.

— Mamma, você não vem? — perguntou Vincé, sem lhe compreender a apatia.

— Não, eu fico aqui. Pode ser que ele volte e aí não o deixo ir mais. Nunca mais!

Vincé assentiu, penalizado, e depois seguiu na direção que lhe cabia.

Correram os arredores da cidade, a praça, o porto. Gigi foi até Capodimonte. Ele não estava. Desaparecera, da mesma forma mágica com que surgira um dia na vida de cada um. Vittoria encontrou o cavalo branco que lhe dera, aturdido como eles, num ponto mais denso da mata. Encontraram-se todos no acampamento, no início da tarde, de mãos vazias. Sentaram-se, autômatos, em frente à carroça sem dizer palavra e permaneceram algum tempo assim, sentindo a chuva cair fina, fria, lamentosa, sobre eles, sem que dela fizessem caso.

— Ele não podia ter feito isso conosco, não podia... — murmurou Vittoria, de olhar sonâmbulo vagueando no vazio.

— Ele desistiu de fugir com ela, mas foi embora... — sussurrou Francesca, num remorso dolorido.

— É o que diz o bilhete — disse Mamma, estendendo novamente o papel amassado nas mãos. — Entendeu que Luigia vai ser mais feliz com o irmão, mas ele, *poverino*, disse que não iria suportar ver os dois casados, então se foi. — E acrescentou, depois de uma pausa, para Vittoria: — Eu sabia, *sai*. Quando pus os olhos nela pela primeira vez, naquela noite na praça, senti que ia acabar com a vida dele.

— E a peça, Mamma? E o nosso teatro? Nosso sonho? Como fica? Como fica o nosso sonho, que era maior que tudo? — indagou Vittoria e caiu em prantos.

Ninguém respondeu. Continuaram catatônicos, sem se dar conta da noite que caía. Caterina sentiu frio e Gigi a abraçou. Francesca engatinhou e se aconchegou no colo de Mamma.

— Gigi, acenda o fogo — pediu Mamma, sem olhar para ele.

Foi o ruído das rodas de uma carruagem aproximando-se no escuro da noite que os despertou da letargia. Giordano abriu a porta e desceu. Estava abatido, a barba por fazer, exatamente como Vittoria o encontrara naquela noite em que se amaram. Ele estendeu a mão e Luigia surgiu, vestida num azul-escuro que a fazia parecer ainda mais triste. Tinha os olhos inchados e olheiras de quem parecia padecer de uma fraqueza qualquer.

— Eu a trouxe porque ela não crê em mim. Quer ouvir de vocês — disse

Giordano — disse Giordano, e vendo-o assim encurvado como se carregasse nos ombros um fardo, Mamma sentiu pena e correu a estender-lhe a mão.

Francesca olhava para Giordano como pedindo clemência.

— *Buonasera*, capitão! *Buonasera, signora*! — cumprimentou Mamma, passando a mensagem a Luigia. — Leia a senhora mesma.

Luigia tomou o papel amassado das mãos de Mamma e, aflita, leu.

Eu e meu irmão concluímos que era o melhor a fazer, Mamma.

Luigia estacou na frase e lançou a Giordano um olhar de revolta.

— Continue, moça! — ordenou Mamma, como se a revolta de Luigia contra Giordano a indignasse.

Faça Luigia saber que tudo isso, tudo, é para que ela seja feliz.

Luigia repetiu a frase algumas vezes, sem compreender-lhe o significado. Depois, olhando para Giordano com ódio, disparou:

— Então eu estava certa! Você o envenenou! Encheu a cabeça dele! Você o fez sentir-se culpado!

— Pense o que quiser — respondeu ele, após uma pausa.

— Ele é imprevisível, sempre foi! — argumentou Mamma para Luigia, inocentando Giordano. — Além do mais, ninguém põe na cabeça dele nenhuma ideia que ele não convide a entrar, moça!

— *Buonasera, signora*! — disse Giordano a Mamma, numa reverência. — *Buonasera a tutti*! — E caminhou em direção à carruagem, quando Mamma o deteve.

— Espere, capitão! — gritou, entrou na carroça e voltou com o boneco, *il feroce Saladino*. — Acho que isto pertence à sua família.

Giordano segurou a marionete nas mãos e suspirou para conter a emoção que o invadia e que agora era a todos visível. Fez nova reverência, sem dizer palavra e conduziu Luigia para a carruagem. Vittoria o seguia com o olhar e, atraído por essa atenção, Giordano se voltou. Trocaram um olhar mútuo de tristeza. Da parte dele, um quase pedido de perdão. Ia entrar quando Vittoria correu até ele e perguntou:

— Como você soube? Como você soube da fuga? Eles decidiram isso aqui, esta manhã!

Giordano baixou os olhos e não respondeu. Foi o choro de Francesca, alto e desesperado que a delatou. Todos olharam para ela aturdidos. Vittoria a odiou, mas então Giordano segurou sua mão e beijou-a suave e demorado. O gesto que momentaneamente acalmou a ira de Vittoria, irritou Luigia sobremaneira, sem que ela pudesse compreender por quê. Mas quando carruagem partiu e se viram novamente sós e perdidos naquela orfandade dele, Vittoria não suportou mais e, obedecendo à sua dor, atirou-se sobre Francesca.

— Sua egoísta! Mimada! Irresponsável! — explodiu, estalando tapas em seus braços, pernas e costas. — Olha o que você fez! Você destruiu a nossa vida! Você destruiu tudo!

Francesca limitou-se a se proteger com as mãos e se agachou, sem tentar fugir. Foi o Dottore que segurou Vittoria e fez com que parasse.

— Basta, Vittoria! Basta! Você está machucando a menina!

— Eu não queria que ele fosse embora, só não queria que ele casasse com ela! Eu amo Arrabal! Amo tanto! — Francesca disse na voz entrecortada de soluços — Só queria ele para mim!

Vittoria se arrependeu e sentiu pena. Então desprendeu-se ainda ofegante dos braços de Dottore, ajoelhou e a abraçou.

CAPÍTULO XV

A consagração

Giordano procurou Luigia ainda uma vez antes de partir.

— O capitão está aí. Ele quer falar com você — anunciou Angelina.

— Mas eu não quero falar com ele.

— Ele está partindo para a guerra — argumentou Maria.

— Eu não quero ver esse senhor. O assunto está encerrado.

Angelina ia repreendê-la quando Giordano entrou de improviso no quarto, decidindo o impasse.

— Capitão! — espantou-se Angelina.

— Poderiam nos deixar a sós, por favor?

Maria preparou-se para sair, mas Angelina retrucou:

— Capitão, isso não é apropriado.

— Realmente não tenho tempo para isso agora. Preciso que me dê licença, por favor.

Luigia fez um sinal para que Angelina obedecesse. Ela assentiu, embora contrariada, e saiu do quarto empurrando Maria.

— Veio se despedir? Pretende me beijar à força, como sempre?

— Que eu me lembre, da última vez foi a senhora quem me beijou, mas não, não pretendo fazê-lo. Ao contrário. De agora em diante, só vou lhe tocar, se a senhora me implorar. Vim aqui porque preciso que me faça um favor — disse, e tirando do bolso um cordão com uma pequena chave pingente, estendeu a ela. — Guarde isto!

— O que é? — perguntou Luigia, sem tocar o objeto.

Giordano segurou-lhe a mão com força, colocou o cordão sobre a palma e a fechou.

— Quero que me prometa que, se alguma coisa me acontecer, vai entregar isso àquela senhora da trupe de Arrabal, a Mamma.

Luigia recolheu a mão e examinou a corrente.

— Que chave é esta?

— Não posso lhe dizer. Prometa. É muito importante.

— Mamma? Pensei que você mal a conhecesse.

— Sim, é verdade, eu mal a conheço. Mas isso também diz respeito ao meu irmão. Por isso estou pedindo.

— E por que eu o faria?

— Por ele. Faça por Arrabal. É muito importante para ele também, garanto. Prometa que o fará.

Luigia pensou um pouco, a chave luzindo na palma da mão.

— Está bem.

— Diga que promete.

— Prometo.

— Obrigado! — disse Giordano e se dirigiu à porta, mas a frase de Luigia o deteve.

— Mas estou certa de que nada vai lhe acontecer, capitão. Afinal, você é um herói! — concluiu ela, num tom de sarcasmo.

Giordano se voltou lentamente para ela. Ficou um instante assim, percorrendo seu rosto aos detalhes, como se para reter-lhe a imagem nítida na lembrança. Ela ruborizou e por um quase, por um pouco, enterneceu. Ia baixar o olhar, quando ele pediu.

— Não! Olhe para mim! Olhe para mim, por favor! Quero guardar esse seu olhar de ódio comigo! Os soldados costumam levar o amor de suas mulheres com eles, as carícias, a saudade. Mas a mulher que me foi prometida me odeia. Então, eu só tenho seu ódio para levar. É bom! Vai me animar quando eu tiver que atravessar o coração dos inimigos! Vou dedicar essa batalha a você, Luigia di Medinacelli! Será em sua honra a minha vitória ou o meu sangue — disse ele, abriu a porta e se foi.

* * *

Havia uma comoção em frente ao palácio real quando Giordano chegou. O povo reunido implorava a Carlo que não levasse a rainha para Gaeta, como pretendia; que a deixasse na cidade, protegida pelo amor de seus súditos. Giordano desaconselhou o rei a atender o pedido

— A cidade estará vulnerável, majestade. O medo de um ataque inimigo e a preocupação da guarda, e até mesmo do povo, vão gerar um clima de tensão que pode ser prejudicial a uma mulher grávida e às crianças. Sua família estará mais segura em Gaeta.

O rei aquiesceu. Confiava totalmente em Giordano e, por isso, embora contasse no comando das tropas com o *conte di* Gages e o *duca di* Castropignano, queria-o à frente de sua guarda pessoal.

Carlo entregou o governo a uma junta presidida pelo capitão-geral das galeras, Don Michele Reggio e partiu à frente de seus regimentos, entregando a cidade e a família à providência divina. E, numa espécie de permuta por essa proteção do alto, decidiu libertar da prisão todos os presos por crime de traição contra o reino, incluindo os partidários dos alemães, com os quais iria lutar.

O povo, sensibilizado, seguiu as tropas rumo à saída da cidade, gritando votos de felicidade, vitória e honra. A guarda pessoal do rei, sob o comando de Giordano, seguia atrás da primeira fileira de oficiais do duque de Castropignano. Pietro alcançou as tropas já nos limites da cidade.

— Perdoe-me, capitão! — disse, aproximando-se de Giordano na montaria. — Atrasei-me demais!

— Conseguiu falar com ela? — perguntou Giordano, sem olhar para ele.

— Sim, senhor.

Giordano sorriu, discreto. Não era do feitio de Pietro ousar, muito menos quebrar regras, mas as coisas que Giordano lhe dissera no dia de seu noivado, o que ele próprio sentia por Francesca, e a proximidade do confronto que poderia implacavelmente pôr um fim precoce à sua história, pareciam indicar que era quase uma obrigação correr atrás da felicidade.

* * *

Francesca descascava batatas quando Pietro chegou ao acampamento. Estava sozinha e, absorta, custou a perceber-lhe a presença. Quando deu por si e por ele, assustou-se.

— Você? O que está fazendo aqui? Não deveria estar partindo com as tropas?

— De fato, estou. Tenho pouco tempo — disse, ajoelhando-se em frente a ela. Francesca se encolheu à aproximação.

— O que você quer?

— Dizer que gosto de você. Desde que nos vimos na igreja, na noite do *Struscio*, e na peça, na casa dos Di Medinacelli, você não me sai da cabeça.

— Que conversa sem propósito é esta? — disse ela, levantando-se e deixando as batatas recém-descascadas caírem no chão. — Mal nos conhecemos!

— É, eu sei, me desculpe. Era para ser de outro jeito — explicou Pietro, recolhendo, de joelhos, as batatas do chão. — Mas eu precisava que você soubesse antes que eu partisse. Se não fosse a guerra, ia lhe dizer isso sem tanta urgência, com mais poesia. Tinha até escrito alguma coisa... mas pode ser que não haja tempo depois— e concluiu, pondo de novo as batatas na bacia que ela segurava nas mãos. — Não precisa dizer nada. Vim mesmo apenas para que soubesse. Se eu voltar, falo de novo, de um jeito melhor. Até lá, você terá tempo para pensar.

— Pensar em quê? — perguntou Francesca, já meio enternecida.

— Se também gosta de mim.

Ela não respondeu, mas lhe sorriu. Ele tomou a montaria, o rosto cheio daquela luz de quem sonha e acenou. Ela também e as batatas se foram novamente para o chão. E por um instante, que se apagou logo depois, os olhos de Francesca voltaram a brilhar.

* * *

Espremida entre a multidão, Teresa acenava a Giordano, o coração apertado de um pressentimento triste, a mão no peito materializando a sensação. Era tão lindo o seu filho! Pois era assim que o sentia desde o berço — como um filho muito amado. Também ele estava triste, sentindo talvez a mesma agonia estranha. Entretanto, só Teresa sabia. Giordano desfilava sua impávida silhueta sobre o cavalo árabe, como se controlasse a vida tendo as rédeas junto às mãos. Seu árabe negro, o mais harmonioso dos cavalos, de cabeça altiva e cauda de longos e sedosos fios que se elevavam no movimento, como ondas no ar. Não o escolhera por acaso. O cavalo era sua extensão na luta. Exalava, como ele, vitalidade e força e era dócil e obediente ao comando, como um bom soldado devia ser. Mas o que o atraíra ao animal de primeiro tinha sido mesmo a lenda, que lhe contara o avô e que, como tudo o que dele guardava, influenciara sua vida. Dizia a lenda que Alá, vendo que deixara aos beduínos apenas as agruras do deserto, criara para eles o cavalo árabe de um punhado de vento sul. E, para que fosse único e nunca o confundissem com as bestas, Alá deu a ele o olhar da águia, a coragem do leão e a velocidade da pantera. "Serão teus à noite os olhos do leopardo, te orientarás como falcão, que sempre volta à sua origem, e terás do cão ao dono, o mesmo amor."

Giordano acenou de volta a Teresa e lhe sorriu de leve. Mais à frente viu Maria, que agitava as mãos, eufórica, em sua direção. Retribuiu com um meneio discreto da cabeça e buscou em torno, na esperança de encontrar Luigia. Mas ela não estava, não depois de tudo. Empertigou-se sobre o árabe e então avistou Vittoria e o carinho discreto de sua presença o confortou. Ela beijou uma rosa que trazia nas mãos e atirou a ele. Ele segurou a flor junto ao peito e lhe sorriu. Depois, voltou a atenção ao pelotão de oficiais à sua frente. Não tinha mais de quem se despedir. O pai o fizera em casa, com um abraço longo, emocionado, como sempre fazia quando dele se apartava. Gioconda, alheia ao que acontecia, pedira-lhe que trouxesse o doce que adorava, *sfogliatelli ricci*, quando retornasse. E quando sorria assim, de si para si, dessa lembrança, o rosto de Mamma e seus olhos lacrimosos surgiram no caminho. Ela se limitou a levantar no ar, discreta, a mão direita e Giordano teve o ímpeto de apear, correr até ela e lhe pedir perdão.

Logo as tropas desapareceram na estrada, e a noite deitou seu manto sobre a cidade. Caterina resolveu dormir em cima da carroça com Gigi. Deitaram-se lado a lado, enrolados nos cobertores para olhar o céu que longe das luzes da cidade, parecia se poder tocar. Eram tantas as estrelas que seu brilho provocava nos sentidos uma espécie de letargia.

— Que silêncio... — balbuciou Gigi, após um tempo. — Parece que tudo parou de se mover.

— É a falta dele! De sua presença, de sua voz — falou Caterí.

— Importa-se se eu chegar mais perto? — Caterina fez que não com o movimento da cabeça e Gigi a abraçou. — É bom. Ajuda a suportar a dor — e, dizendo isso, abraçou-a mais e beijou seus cabelos.

— O que foi? — perguntou ela, vendo que ele ria.

— Seu cabelo. Tem um cheiro bom.

Caterina gostou do elogio e sorriu para ele. Ficaram próximos, sentindo o hálito recíproco. E então a frase de Arrabal, nítida e apropriada, saltou na mente de Gigi, despertando a consciência: *Quando você menos esperar, vai encontrar uma mulher e... bum! Será como um relâmpago!*

Aproximaram os lábios e fecharam os olhos. Os corações acelerando no peito como se fossem explodir ou finalmente se encontrar. O beijo fez-se lento, temeroso, delicado e se foi transformando em desejo apaixonado, até fazer com que se amassem de primeiro, no depois.

Dentro da carroça, Vittoria não conseguia dormir. Estava estranhamente habituada à dureza do soalho e ao vento fresco da noite, e a agitação de Francesca, na cama de baixo, também não ajudava. Sentiu-a se remexer e debater, até que seus gemidos de angústia, no que parecia ser um pesadelo, a despertaram.

— Francesca! Cesca! Acorda! — sussurrou ela, deslizando para a cama de baixo e quando pousou nela a mão, exclamou: — *Dio Santo*! Mamma! Mamma! Acorda!

— O que foi? — gritou Mamma, acordando todos.

Num segundo, Gigi e Caterina juntaram-se a eles.

— Francesca! Ela está ardendo em febre! — disse Vittoria.

— *Dio Santo*! — exclamou Mamma, encostando a mão e os lábios na testa de Francesca. — Traga água fresca na bacia e um pano limpo, Caterí! Vittoria, faça compressas na testa dela! Vou fazer o chá!

Ninguém mais dormiu pelo restante da noite, revezando-se em compressas e em trocas de roupa, até que a febre cedeu e, enfim, todos adormeceram.

Quando acordaram, Francesca não estava. Foi Dottore quem a encontrou na beira do rio, enrolada ao pesado cobertor, os olhos lacrimosos perdidos no clarão que o sol da manhã abria sobre as águas.

— *Cosa stai facendo qui, bambina*, depois da febre que teve? Quer cair doente de novo? — disse Dottore, sentando-se a seu lado.

— Estava pensando... Será que um dia ele volta? — ela perguntou— Será que um dia ele me perdoa e volta?

— Não sei. Também me faço a mesma pergunta. Ainda não consigo acreditar que ele realmente nos deixou para sempre. Que coisa louca, tão repentina! Fico sempre achando que a qualquer momento ele vai chegar, rindo e brincando. — E prosseguiu, após uma pausa que fez sua voz mudar de tom: — *Ma, io penso*, sinceramente, que por causa do irmão e de Luigia isso iria acontecer de uma maneira ou de outra, mesmo que você não tivesse feito nada.

— Mas eu fiz! Então, nunca vou saber!

Dottore suspirou, buscando inspiração para tirá-la daquela tristeza.

— Mas você sabe o que Arrabal gostaria que todos nós fizéssemos, não sabe?

— O quê?

— Sabe aquele assistente do teatro que esteve aqui ontem à noite? Veio trazer um recado do gerente. Vittoria disse que o capitão Giordano deu um dote a Brancaccio pelo nosso espetáculo, para nos apresentarmos todo o mês, e mandou o anel dela de volta. Ele é o nosso mecenas agora!

— O capitão?

— É. Parece que sente remorso também. Então, temos o teatro e a peça, que era o sonho dele. O que você acha que Arrabal iria querer que fizéssemos? Se você quer se desculpar, não vejo forma melhor.

Francesca não acreditava que o trabalho bastasse para redimi-la, mas agarrou-se a ele como forma de trazer Arrabal um pouco mais para perto de si. E foi o que todos acabaram por fazer.

Gigi passou a representar somente a personagem de Arrabal. Caterina, com poucas entradas pela pouca experiência, agora fazia a de Gigi também. Ensaiavam obsessivamente durante todo o dia, mesmo quando já não necessitavam mais. Eram esses momentos e aqueles à noite, durante o espetáculo, os únicos em que pareciam viver. No mais do tempo, a bem dizer se evitavam. Estar juntos era tornar presente a ausência de Arrabal e por isso não mais se reuniam em torno do fogo, não mais a *tarantela*, nunca mais. Mas, quando em vez, esbarravam-se e então, num paradoxo, abraçavam-se e choravam sem razão.

* * *

Ao fim do mês de julho, os exércitos aliados da Espanha e de Nápoles ocuparam os arredores de Velletri. A cidade, situada no topo de uma colina, era uma espécie de braço do monte Artemisio, cercada por encostas íngremes cobertas por plantações de oliveiras e vinhas.

As tropas de Carlo, que somavam cerca de vinte mil homens, estavam acampadas na Villa dei Conti Antonelli, aos pés do Artemísio, tendo o monte à sua direita e, à esquerda, a porta conhecida como Romana, que conduzia ao centro da cidade. Um pouco atrás das tendas ficavam os tanques militares, a artilharia e muitas esquadras de socorro e apoio à linha de frente.

O exército austríaco, sob o comando do príncipe Cristiano di Lobkowitz, ao contrário, tomara posição em áreas altas como Fajola, Monte Secco e Monte Spino. Planejava valer-se da perspectiva privilegiada dos montes do Artemisio, à espera do momento propício para tomar Velletri e abrir caminho para o reino de Nápoles. Adotava, entretanto, uma tática cautelosa, em razão da geografia do lugar, que impedia deslocamentos rápidos, e considerando, ainda, a superioridade numérica das forças inimigas.

Somado às tropas espanholas a que Carlo viera a se aliar, seu exército chegava a trinta e seis mil homens. Para enfraquecer os oponentes, os austríacos danificaram o antigo aqueduto Fontana, que adornava a praça principal e fornecia água à cidade, rompendo os canais. Os homens de Carlo passaram, assim, a ter de retirar água de um pequeno veio cavado em um dos vales que circundavam a metrópole, a três milhas de distância. Mas o conde Gages contava com o benefício do tempo para produzir entre os austríacos a falta de alimentos, as doenças e a discórdia.

Da forma como estavam estabelecidos os lados do confronto, a impressão era a de que, em um curto espaço de tempo, a guerra seria deflagrada;

porém, ao contrário disso, o clima na cidade era de aparente tranquilidade. Carlo estava hospedado no palácio dos príncipes Ginetti. Os exércitos estavam como que em repouso. Não parecia haver guerra, talvez em razão da abundância de víveres, que não punha urgência às operações.

Giordano pensava nisso olhando para o céu de Velletri de um azul- escuro, quase negro, prenhe de estrelas, e a ideia de que aquele era para Nápoles o mesmo firmamento o confortou. Talvez naquele mesmo instante, Luigia também estivesse no balcão olhando para céu e também sua mãe, seu pai, Teresa. Até, quem sabe, Vittoria o olhasse enquanto escrevia solitária. Sentiu-se próximo de tudo o que amava e parte de um todo tão conexo, indivisível, que por um átimo a ideia da guerra lhe pareceu estúpida. Pensou na trupe e na falta que Arrabal, na certa, lhe fazia. Quem sabe um dia pudesse fazê-lo voltar.

A trupe sofria de fato de uma saudade superlativa, mas um mês já se havia passado e alguma coisa dentro de Vittoria acenava que era hora de juntar os pedaços e prosseguir. Pensava nisso vendo-os dormir. Tentavam sobreviver conforme Giordano dissera que faria, na frase que não lhe saía da cabeça e cujo significado não conseguira compreender. Era o que Mamma fazia, dormindo aconchegada ao peito de Dottore. Vencida pela ausência de Arrabal, cedera aos carinhos do amigo a quem, de fato, sempre amara. Era o que traduzia o barulho abafado e contínuo que vinha do teto da carroça. Gigi compunha. Às vezes, como ela, no escuro da noite. Sempre como agora, tamborilando os dedos no soalho. Gigi compunha sua ópera, desde que amara Caterí.

Vittoria levantou-se da cama pisando com cuidado no diminuto espaço entre os beliches e cobriu Vincé. Enterneceu, vendo o boneco no canto de sua cama. A marionete ainda inacabada era seu atual passatempo. Começara a tarefa no intuito de consolar Mamma, no dia em que ela dera a Giordano o Feroce Saladino, para cair em prantos logo depois

— Vou te fazer outro, Mamma, igualzinho a esse! *Te lo giuro*! — disse ele, limpando as próprias lágrimas com as costas da mão.

Il feroce Saladino entalhado em madeira, ainda sem pintura, Vincé garantira, era apenas um passatempo, uma diversão. Mas na cozinha de

Mamma, no fundo de seu armário de panelas, ele escondia o que parecia ser o esqueleto de um palco, como aquele que Arrabal contava ser o de seu avô. Só Francesca, enrolada nas cobertas, sugando o polegar como menina, parecia não ter a que se agarrar. Perambulava entre eles, sempre alheia, indiferente. Nunca mais seu viço, sua inquietude, nunca mais sua risada alta e ressonante. Dava a impressão de ter precocemente envelhecido, como se anos se tivessem transcorrido de um só pulso por sob seus pés.

Então, naquela noite, vendo-a dormir, Vittoria decidiu:

— Semana que vem faz um mês que Arrabal... bem, faz um mês — iniciou ela, depois de convocar a todos para um compulsório desjejum em torno da fogueira. — O patrocínio do capitão Giordano garantiu esse primeiro mês de espetáculo, mas a partir de agora volta a ser por conta de Brancaccio, ou seja, ou fazemos sucesso, ou teremos de deixar o teatro. Cheguei a pensar se não seria bom sair daqui, levar o espetáculo para outras cidades...

— Sair daqui? — Francesca alarmou-se. — Mas e se Arrabal voltar? Se ele não souber onde nos encontrar?

— Pensei nisso também, mas deixaríamos recados no teatro, na taverna, na praça com os vendedores. Ademais, ele nos encontraria até no fim do mundo. Alguém duvida disso?

Concordaram com um leve murmúrio e um menear de cabeça.

— Mas agora que estamos indo bem?! Tem plateia toda noite, cada dia com mais gente. Não acho uma boa ideia sairmos daqui agora — atalhou Vincé.

— Concordo com ele — disse Dottore, fazendo com que todos instintivamente se entreolhassem, tão raro o fato. — Foi tão difícil firmar esse espetáculo, ganhar a aceitação do público! Tudo bem, a audiência ainda é pequena, mas já existe. Já até tivemos uma resenha simpática no jornal. Sair daqui agora? Acho que não.

— Mamma, o que acha? — perguntou Vittoria.

Mamma suspirou, meneou a cabeça como se fizesse uma consideração íntima qualquer e depois disse, os braços abandonados sobre o colo:

— *Io* sempre penso no que Arrabal faria. Acho que ele ficaria aqui até conseguir transformar a peça num sucesso. E ainda não estamos fazendo sucesso. *Va bene*, ninguém nos vaia, toda noite tem lá uma meia dúzia de gatos pingados para nos assistir, mas *non* passa disso. Se dependesse desse público, *nemmeno il teatro* se pagava.

— Mas como vamos fazer para conseguir esse sucesso, Mamma? Ainda mais sem ele aqui? — argumentou Caterina e ao fim deixou escapar o pensamento. — Tem sido um esforço viver!

— *Ecco*! — disse Vittoria, batendo nos joelhos as palmas das mãos — Podemos começar por nos unir!

— Nos unir? — perguntou Dottore.

— É isso mesmo, Dottore! Nos unir, parar de fugir uns dos outros como temos feito desde que ele se foi, tirar esse luto que vestimos na alma! Não adianta! Isso só está nos enfraquecendo e não vai trazê-lo de volta. Se existe algo que pode trazê-lo de volta, é justamente o sucesso desse espetáculo!

— E como vamos fazer isso, Vitty? Eu não sei! Não faço ideia do que fazer além de trabalhar! — exclamou Gigi, enchendo novamente a caneca de sopa.

— É o que temos que fazer mesmo: trabalhar! Frei Arturo me procurou. Quer nos contratar para apresentarmos a *Cantata dei Pastori* na noite de Natal, na praça, em frente à igreja.

— Que bom! — comemorou Mamma. — Há quanto tempo não fazemos a *Cantata*! Vamos fazer a de Arrabal, não é? Com o Sarchiapone.

— *Chiaro*! Não poderia ser outra! — redarguiu Dottore.

— Ótimo! — exclamou Vittoria.

— Quando começamos a ensaiar? — perguntou Vincé.

— Hoje mesmo, se der tempo. Mas não é só disso que precisamos — insistiu Vittoria.

— O que você quer que façamos mais? — perguntou Caterina.

— Acho que temos de divulgar mais o nosso espetáculo. Talvez seja isso que está faltando. Pensei em fazer como Arrabal fazia: percorrer a cidade, anunciar na praça e nas cidades vizinhas...

— Mas ele se vestia de Arlecchino. Fazíamos a comédia — disse Caterí, o pensamento dando lugar à lembrança. — Ele fazia piruetas e aquela voz...

— Posso tentar — disse Vittoria, meio tímida, temendo-lhes a reação.

— Você quer se vestir de Arlecchino e ir para o meio da praça como Arrabal? — perguntou Dottore.

— Por que não? Gigi vai comigo e quem mais quiser ir.

— Mas não estamos mais fazendo a *commedia, caspita*! Isso vai dar um nó na cabeça das pessoas! — berrou Vincé.

— Não acho, sinceramente. Acho que Vitty a tem razão. O Arlecchino é a marca da companhia, as pessoas sabem disso — disse Francesca, na voz que lhe saiu da boca num tom de estranha maturidade, como se a alma de menina se tivesse dela evadido. — E, depois, temos o cartaz, podemos usá-lo também! Não acho que vá confundir.

— Eu vou com você! — exclamou Gigi num influxo de entusiasmo, e logo estavam todos soltos na costumeira confusão de vozes, em que apenas os timbres mais altos conseguiam se fazer ouvir.

Concordaram e coube à Mamma buscar a veste de Arlecchino para Caterina ajustar. Entraram na carroça as mulheres apenas, num estranho e instintivo ritual. Mamma abriu o baú e trouxe a roupa para junto do peito. O movimento fez com que todas começassem a chorar. Mamma abraçou a veste de retalhos de Arrabal, cheirou, beijou o pano. Depois, deitou-a com cuidado no soalho da carroça. Ficaram em torno dela as quatro mulheres, como viúvas do amado morto. E então, de súbito, Mamma enxugou as lágrimas e, tomando da roupa, levantou.

— Levanta, Vitty! Vamos marcar. Não vai ser um ajuste *perfetto, sai, che non abbiamo il tempo*. Mas vai ficar bom.

A roupa foi marcada, e Caterina fez um ajuste grosseiro, mal-acabado, que, visto de fora, passava despercebido. Improvisaram guizos, já que Arrabal tinha levado os sapatos, e os prenderam às sapatilhas de Vittoria. Ajustaram uma das máscaras sobre seu rosto pintado de branco na metade inferior. Então Francesca colocou nela o chapéu. E no fazer do ato, alguma coisa indizível se estabeleceu, alguma coisa mística que todas intuíram sem, de fato, poder traduzir. Ao receber o chapéu de Arlecchino, Vittoria recebera o cetro, a coroação e talvez por isso, as mulheres lhe tenham feito uma simultânea reverência.

Do lado de fora, os homens aguardavam ansiosos, como quem espera uma noiva no altar e quando Vittoria surgiu na porta da carroça e desenhou no ar, num gesto largo, uma cômica reverência, eles só conseguiram sorrir.

Partiram para a cidade entre brincadeiras e risadas que havia muito, entre eles, não se ouvia. Mamma suspirou de alma renovada e intimamente agradeceu a Deus o retorno da ventura. Apenas Francesca, vendo Vittoria se afastar pela estrada de braços dados com Gigi, sentiu dela se esvair um último resquício de esperança.

* * *

Em Velletri, as tropas austríacas começavam a se mover lentamente. Aproveitando-se da altura de Madonna degli Angeli, que permitia uma visão perfeita da cidade, Lobkowitz ordenou que iniciassem a descida, posicionando-as a menos de um quilômetro de Velletri, ainda nas vinhas, à direita Del Fosso di Ponte Rosso.

A manobra fez com que Carlo ordenasse ao conde de Gages tomar posição no alto de Colle Tondo e de Colle Nemese. As tropas dominaram Ponte Rosso e alcançaram com facilidade o posto avançado do inimigo, localizado em Vigna Zioni. Os soldados austríacos, bêbados, foram todos mortos ou feitos prisioneiros. Em seguida, numa manobra rápida e inesperada, as tropas de Carlo tomaram posse de Colle Tondo.

A vitória fez o conde pensar que seria igualmente fácil conquistar o Forte Spina, porém o coronel Triptz, inconformado com a perda de Vigna Zioni, lançou-se num contra-ataque, mas não obteve sucesso e foi feito prisioneiro, morrendo dias depois em decorrência de ferimentos graves.

Os austríacos tentaram recuperar as posições perdidas, mas foram vencidos. Lobkowitz, entretanto, apesar da dificuldade pela qual passavam suas tropas, nas quais a malária fazia vítimas, aperfeiçoava seu plano de ataque, cujo sucesso acreditava assegurado pelas informações de que dispunha. Estava certo de que o lado esquerdo do exército de Gages era extremamente fraco e programava uma ação inesperada naquela posição. Com base nisso, para distrair o inimigo, começou a disseminar a notícia de uma próxima retirada para o mar, para tentar desembarcar na costa meridional.

Desse modo, embora entre as tropas de Carlo corresse a notícia de um possível ataque austríaco à esquerda dos batalhões, os comandantes dos exércitos não tomaram providências para o fortalecimento dessas frentes, nem mesmo como precaução.

Giordano impacientava-se. Sua posição não lhe permitia interferir no comando geral das tropas, mas acreditava que, diante das informações que chegavam, era no mínimo prudente fortalecer as linhas de frente e reposicionar três ou quatro regimentos de cavalaria na lateral oposta.

Um tabuleiro de xadrez. Era essa a figura mental que Giordano fazia da batalha. Movimentos calculados, jogadores cautelosos, sagazes, peças avançando sobre quadrados de conquista ou tombando, num resvalo de atenção. A batalha começava a se desenhar como se por uma mão invisível por sobre o mapa di Velletri e do Artemísio. Uma vez feito o primeiro movimento, seria avassalador.

Havia agora certa tensão no ar, como se a qualquer momento um tiro de canhão ou o avanço inesperado de uma das tropas desse início ao confronto.

Para a trupe, aquela noite de 9 de agosto tinha, ao contrário, ares de festa. A ideia de Vittoria de anunciar o espetáculo, depois de alguns dias, finalmente se provara um sucesso. A plateia do teatro estava cheia, podiam ouvir do camarim. E aquele burburinho de gente os animava e amedrontava na mesma proporção. Era como se, depois de meses, aquela fosse, de fato, a noite da estreia. Terminavam de se arrumar, acotovelando-se sem necessidade diante do espelho iluminado pelos candelabros.

— Ele ia ficar tão feliz! — disse Francesca, voltando da coxia. Estava magra, abatida, com olheiras profundas mal disfarçadas pela maquiagem. — Acho que vendemos todos os lugares da plateia — concluiu e, numa ingrata coincidência, avistou, presa no espelho sobre a penteadeira, uma das flores de papel que Arrabal costumava fazer. Suspirou da onda de tristeza insuportável que se lhe abateu e sentiu a vista escurecer. Tentou se apoiar, mas as pernas lhe faltaram. O camarim girou num rodopio e as vozes da trupe e seus rostos se foram esvaindo na escuridão que então se fez.

— Ela desmaiou! — gritou Vincé, tomando-a nos braços.

Mamma correu, reanimando-a com seus unguentos.

— Ela não tem comido nada! Eu insisto mas ela não come! — reclamou. Aos poucos, os lábios de Francesca se foram novamente colorindo e ela abriu os olhos de longos cílios. Parecia agora uma boneca triste. Mal se sentou, e todos a repreenderam numa zanga coletiva que lhes traduzia antes o zelo e a preocupação.

— Calma, *cazzo*! — disse ela, ainda tonta. — *Io sto bene*!

De tão apreensivos, não a repreenderam pela malcriação.

— Como pode estar bem se não come, *bambina*? — perguntou Dottore. — Está magra, abatida!

O ajudante de palco abriu a porta do camarim.

— Vai começar! — gritou e desapareceu na coxia, lembrando a todos do impasse que agora se desenhava. Francesca percebeu e os tranquilizou:

— Estou bem, já falei! — disse, apoiando-se em Vincenzo e pondo-se de pé. Então, caminhou até o espelho, pegou a flor e escondeu-a entre os seios, dentro do vestido. — Vou para o meu lugar — concluiu, caminhando, ainda um pouco zonza, para a coxia e preparando-se para entrar em cena.

Todos entreolharam-se penalizados, mas um novo grito do ajudante de palco os obrigou à ação.

Naquela noite, foram ovacionados. Aplaudidos mais de uma vez em cena aberta. Aquecidos pelas gargalhadas do público que tanto esperaram ouvir, pela aprovação que demoraram a obter, fizeram um espetáculo perfeito. Mas, então, quando se deram as mãos na cortina ao final, quando tiveram que voltar ao proscênio repetidas vezes para agradecer, a ausência de Arrabal se fez avassaladora. Choraram e se abraçaram sob os gritos de ventura da plateia, e Dottore dirigindo-se ao público, na voz embargada, disse.

— Este, *signore e signori*, é o teatro de um gênio, do nosso mestre e poeta Arrabal. Esse teatro novo que fizemos aqui só foi possível graças ao seu inconformismo e à fé inabalável que ele possui no ser humano. Por isso, peço que todos fiquem de pé e dediquem a ele uma salva de palmas!

O público explodiu em aplausos, e vozes gritavam, em uníssono, o nome do poeta.

No dia seguinte, a *Gazzeta* estampava na primeira página a crítica que Mamma mandaria emoldurar depois.

"Quando Arrabal cria o personagem indivíduo, quando o desenvolve com base na sua função dentro da sociedade — como comerciante, aristocrata, dona de casa ou nobre falido —, ele cria a comédia social. O caráter dos personagens desenvolve-se então em relação a essa realidade. Assim, antes de significar tão somente uma renovação da lírica, o teatro novo é, de fato, um fenômeno sociocultural e a representação viva do nosso tempo histórico".

CAPÍTULO XVI

A batalha

A trupe ainda dormia em Nápoles, na madrugada de 10 de agosto, quando, em Velletri, Giordano foi chamado para uma reunião de emergência.

Dias antes, após os postos em vigília identificarem movimentos suspeitos das tropas austríacas, tiveram início os ataques. O exército inimigo, protegido pelo terreno montanhoso, vinha espionando os soldados de Carlo, controlando seu contingente de homens e armas. As tropas de Lobkowitz dispunham de água em abundância, porém lhes faltavam alimentos. Suas posições aparentemente privilegiadas, entretanto, não lhes davam total vantagem. Para atacarem o campo inimigo, teriam de levar as fileiras ao fundo dos vales dominados pelo exército oponente, muito mais forte. Astuto, Lobkowitz optou por avançar desenhando cercos às tropas, encurralando o inimigo em ataques-surpresa. Perseguiu a partir de uma colina, a quinhentos passos da cidade, um regimento espanhol, ocupou-lhe o campo e cavou trincheiras ali. Continuou com ataques-surpresa durante o dia e a noite, exaurindo as tropas. Esperava que Carlo, vendo seus homens atacados, batesse em retirada para evitar a dizimação.

Carlo anteviu o perigo, por isso convocou o conselho de guerra. Reuniram-se sobre o mapa os cérebros da batalha. Giordano acompanhava as discussões com o olhar tenso. Não parecia haver outro caminho senão acabar com as forças inimigas em sua origem. Foi então que o conde de Gages propôs e executou uma manobra ousada. À noite, com quatro mil soldados, marchou cautelosamente pelas vias desertas da colina, alcançando, ao amanhecer, o monte Artemisio. Mil soldados inimigos o aguardavam lá. Todavia, o cansaço, o excesso de vinho e a negligência natural, após tanto tempo em suposta segurança, fez com que as tropas relaxassem. Gages, tomando-as de assalto, atacou — o comandante foi pego na tenda; outros oficiais resistiram, mas foram vencidos e acabaram presos ou mortos; aqueles que conseguiram fugir contaram o ocorrido a Lobkowitz.

Imediatamente, o campo alemão levantou armas; porém, do lado de Carlo, outras fileiras se moviam, e Gages, descendo do Artemisio, tomou o Monte Spino, fazendo novas prisões, predando artilharia e suprimentos. Muitos fugiam para Roma. Velletri fechou as portas da cidade, tomada de terror, aguardando a chegada dos dois exércitos.

A perda do Artemísio irritou Lobkowitz que reuniu seus comandantes e declarou:

— Esperamos em vão por motins, desânimo, deserdação e penúria nos exércitos de Carlo, mas o fato é que temos como adversário uma armada forte e bem-sucedida. A cada dia nossas tropas diminuem, vitimadas por doenças, mortes, fugas. O adiamento do confronto é contra nós! — E concluiu, num tom de comando — Agora, só nos resta a vitória numa empresa extraordinária ou o retorno vergonhoso para a Lombardia! — O plano era o mesmo que Lobkowitz havia anteriormente desenhado. Atacar o lado esquerdo, pouco equipado, guarnecido e, portanto, vulnerável, do exército borbônico. — Atravessando a velha muralha em ruínas, o caminho estará livre para a cidade, para os acampamentos e para o castelo do rei — continuou Lobkowitz, explicando aos oficiais seu plano de ataque. — Pois muito bem! Uma coluna de nossos melhores soldados marchará em silêncio, entrando por essa muralha antiga, e atacará. Vou eleger um oficial para entrar no palácio do rei e prendê-lo. Se tivermos sucesso, venceremos e encerraremos esta noite mesmo os trabalhos de guerra. É o que tenho em mente desde o dia em que perdemos o Artemisio. É isso que proponho a vocês. E então?

Todos aplaudiram. Lobkowitz passou à distribuição de postos e tarefas. Aos generais Novati e Broun confiou o comando de seis mil homens para atacarem o lado esquerdo do campo inimigo. Ele mesmo atacaria, com nove mil, o lado direito.

A noite de 10 de agosto de 1744 caiu com seu ar pesado, de insuportável expectativa, sobre ambos os exércitos. Giordano mantinha guarda no palácio Ginetti, onde Carlo dormia.

— O que há, tenente? — Giordano perguntou, percebendo tensão e certa palidez no rosto de Pietro.

— O ar está pesado, não? Sinto mesmo alguma dificuldade de respirar. — respondeu ele, estalando os dedos das mãos.

— Não é sem razão.

— Por quê? — perguntou Pietro, os olhos esbugalhados de mal disfarçado pavor. — Acha que seremos atacados?

— Bem, as coisas não vão se manter dessa maneira para sempre, não é, tenente? Estamos aqui há mais de um mês, dois exércitos inimigos separados por um vale, buscando cada qual fortalecer seus postos e ocupar os do inimigo.

— De certa forma, a guerra já começou.

— Não. Esses pequenos conflitos contínuos que estouram aqui e ali funcionam mais como ameaças, mas não decidem nada. Essa demora é uma vantagem para nós, sem sombra de dúvida, porque cansamos o inimigo. Mas em algum momento teremos de decidir a guerra. E algo me diz que esse momento está próximo.

— *Capitano*! — chamou um tenente, aproximando-se em continência.

— Tenente Angelo, quero que reforce a guarda.

— Sim, senhor.

— E troque o turno durante a noite. Não quero ninguém cochilando aqui.

— Sim, senhor. Mais alguma coisa?

— Não, obrigado. Está dispensado.

Angelo fez nova continência e se afastou. Giordano passou em revista as tropas que montavam guarda dentro e fora do palácio e verificou a segurança dos aposentos do rei. Buscou, então, uma caneca de chá forte para se aquecer. Desceu até o terraço interno, recostou na parede de pedra fria e deixou o pensamento vagar nas lembranças de tudo o que, por último, vivera. E era de novo a reação de Luigia na estrada, o tudo de amargo e de desprezo que a ele dissera; depois o rosto de Arrabal colorido da mancha de sangue que se refletira no espelho e por último, talvez por consolo, a visão de Vittoria retirando a cigarrilha de entre os seios. Sorriu levemente. Abriu os olhos e respirou fundo o ar pesado da guerra, carregado do cheiro antecipado de sangue que, na espuma, pressentira. Foi então que de súbito aquela certeza avassaladora lhe sobreveio. A constatação de que, além do guerreiro, nada nele existia. Era, como Arrabal, uma espécie de personagem, porque a ninguém interessava o homem só, sentado ali naquela noite. O ser humano que ninguém sequer conhecia, com todas as suas fraquezas e imperfeições, não era capaz de despertar amor. Era desnecessário, talvez até mesmo um fardo, fora de seu papel. Tomou de um só gole o restante do chá já frio da caneca e travou, com todas as forças, o soluço que lhe forçava a garganta. Talvez por isso não temesse a morte. Não tinha para quem voltar.

Ia voltar à guarda quando sentiu sob os pés uma leve vibração. Estacou, quase prendendo a respiração, despertando no corpo, como um animal selvagem, todos os instintos. Sobreveio um novo vibrar, e teve certeza.

— O rei! — exclamou e correu.

Carlo dormia. Enquanto Giordano subia as escadas, ouviu a sentinela da torre do palácio gritar:

— *Austriaci*! *Austriaci*! — Ao seu anúncio, somava-se o sino estridente.

Lobkowitz executara seu plano, conduzindo o ataque pelo lado esquerdo do exército de Carlo.

Giordano entrou no quarto do rei feito um raio, jogando uma capa sobre sua roupa de dormir. Carlo di Borbone buscou a espada com as mãos trêmulas.

— Vamos levá-lo para o acampamento dos Cappuccini, majestade!

— E o duque de Modena? E o conde Mariani? Coitado, ele está doente! — preocupou-se Carlo.

— O duque já se foi, majestade. — disse Angelo, entrando.

— E o conde? — perguntou Giordano, calçando os sapatos do rei.

— Também partiu a cavalo, senhor!

— Vamos, majestade! Depressa! — disse Giordano, conduzindo o rei para fora do quarto. Em seguida exclamou, antes de desaparecer por uma escada lateral do corredor: — Tenente Angelo, faça a cobertura! Tenente Pietro, comigo!

Saíram pela parte posterior do palácio. Giordano abraçava o rei, que parecia menor. Havia muita fumaça no ar e um barulho ensurdecedor de tiros e gritos. Canhões explodiam, fazendo a terra tremer e produzindo incêndios e mortes por toda a parte. Cavalos assustados corriam em disparada. Os soldados de Carlo tentavam resistir, lutando por entre janelas, sobre os telhados, nas praças. Giordano queria estar entre eles. Era o que pensava enquanto conduzia o rei para o refúgio, seu corpo protegendo o dele. Era como se todos os humores do seu corpo vibrassem pela batalha. A Guarda de Corpo se dividia, parte à frente de Giordano e do rei, parte na retaguarda. A subida para os Cappuccini era íngreme, e o terror das explosões e o vapor das armas esquentavam o ar. Quando alcançaram certa altura do trajeto, avistaram a cidade já coberta de chamas.

Na praça principal, o general MacDonald, montado em seu cavalo, na tentativa de conter o desespero dos soldados que fugiam, levantou no ar sua espada e bradou:

— *Compagni, unitevi a me! Seguitemi...*

Uma bala de mosquete do lado austríaco o atingiu no peito antes que pudesse terminar a frase. Pietro viu seu corpo hercúleo tombar a distância, como numa lenta pantomima. Em seguida, como uma cruel resposta, um grito do inimigo se fez ouvir:

— *Moriemur pro Maria Theresia rege!*

Pietro não conseguia caminhar, os olhos esbugalhados ante a visão de terror, os pés presos no chão, o corpo trêmulo, ensopado de suor. Oficiais, capitães, todos os homens fortes e poderosos do exército caíam mortos naquela espécie democrática de fatalidade. Estava assim, enregelado de pavor, quando o chamado de Giordano o despertou. Correu pela escuridão da noite, para junto das tropas.

Na madrugada, Velletri já estava em poder do inimigo. Quando o dia amanheceu, a cidade estava deserta. Os corpos estirados na praça e o sangue que manchava as ruas davam notícia da destruição. Havia ainda focos de incêndio por toda a parte. À medida que o sol se fazia mais alto, era possível ver crianças chorando, mulheres procurando seus maridos. Os austríacos, confiantes na vitória, adiaram novos ataques, mais preocupados que estavam em pilhar a cidade. Aos prantos, os habitantes de Velletri imploravam a piedade dos vencedores, mas as tropas continuavam a saquear as casas e a matar prisioneiros e aqueles que lhes ofereciam qualquer tipo de resistência.

Lobkowitz recuperara o Artemisio. Planejava agora tomar o acampamento dos Cappuccini e fazer prisioneiro o rei, ou forçá-lo a bater em retirada. Mas Carlo, aproveitando-lhes o excesso de confiança e a consequente distração, mandou Gages reordenar as tropas e enfrentar o inimigo na cidade. A Castropignano ordenou arregimentar os quatro batalhões da Guarda Vallone e igualmente invadir.

— Lembrem-se de seu rei e de sua virtude! Sejam fiéis em honra e obediência e venceremos! — disse Carlo, passando as tropas em revista.

Giordano sorriu sem perceber. Era como se as palavras de Carlo dessem, naquele instante, significado à sua existência. Não errara em lhe ser fiel, afinal.

As tropas começaram a descer a colina em direção à cidade. Pietro ia um pouco atrás de Giordano, pálido, os olhos sempre arregalados, as mãos escorregando no couro das rédeas. Gages ladeava o rei. Giordano os seguia logo atrás.

O pelotão de terra estava a poucos metros da entrada de Velletri. Na praça deserta, o corpo de MacDonald jazia como um estandarte. Gages contraiu o rosto ante a visão triste. Ficaram assim por um instante, ocultos pela mata, homens e animais de respiração suspensa, até que Carlo ergueu a espada e gritou:

— *Avanti*!

Os austríacos, desprevenidos, tentaram uma reação desordenada, mas os exércitos de Carlo, avançando em fúria sobre a cidade, desarticularam-lhes qualquer movimento de defesa. Giordano comandou a Guarda de Corpo, fazendo uma barreira em torno do rei e levando-o para um ponto mais alto, de onde era possível ver toda a operação, os acampamentos em chamas, os companheiros rasgando o peito nas espadas do inimigo. Diante daquela visão dantesca, o corpo de Giordano involuntariamente se retesou como o das feras na preparação do ataque. Sentiu sua carne estremecer sobre os ossos e o rosto avermelhar como se concentrasse em si todo o sangue do corpo. Carlo o observava e viu quando trouxe para si as rédeas do Árabe e instintivamente reclinou para frente o corpo, numa prontidão de sentidos.

— Capitão! — Pietro chamou Giordano e calou-se no mesmo instante, percebendo-lhe a respiração curta, os olhos apertados como os de um gato.

Carlo também percebeu e respeitou, até que Giordano se voltou para ele, os olhos injetados de um tipo estranho de vigor e pediu.

— Majestade!

Carlo compreendeu e assentiu com o movimento da cabeça.

— Tenente! — disse Giordano a Angelo. — Você está no comando agora! Confio-lhe a guarda do rei!

— Deixe-me ir com o senhor, capitão! — pediu Pietro.

Giordano aquiesceu, mais por pressa que por convicção, e disparou rumo à cidade. Entrou na praça desembainhando a espada e atacando os austríacos que avançavam em sua direção. Pietro parou, catatônico. Só conseguia defender-se dos ataques que lhe vinham de todas as direções. Giordano continuava a abater, com golpes de espada e pontapés os soldados de terra que tentavam derrubá-lo do Árabe, até que a visão de Pietro, tombando do cavalo, num embate com um soldado alemão, o fez apear e abater o oponente, puxando Pietro pela mão para pô-lo de pé.

— Vá! — gritou, estalando a mão aberta nas costas de Pietro. — Lute! — ordenou e mergulhou novamente na guerra. Não pensava. Era todo reflexo e fúria. Manejava a espada como uma extensão do braço, que dançava, suspenso no ar, a coreografia da batalha, espalhando no entorno corpos, membros, jatos de sangue. Era um guerreiro lendário, supra-humano, um semideus.

Pietro, ao contrário, tomado de terror pela visão da chacina, mergulhou na janela que avistara entreaberta e se escondeu. A casa estava vazia, destruída pelos saques do inimigo. Encolheu-se no chão, num ângulo do quarto, abaixo da janela, abraçou as pernas trêmulas e desabou num choro convulsivo. Ficou um tempo assim, o corpo sacudindo no pranto e no impacto dos bombardeios, até que avistou alguém debaixo da cama. Tremendo e chorando igual a ele havia um menino. Devia ter algo em torno de cinco anos. Seus olhos, negros e redondos, fitavam-no, esbugalhados de espanto. Abraçava um cãozinho imóvel. Tinha sangue na testa, mas não parecia gravemente ferido. Pietro sentiu-se consolado e chorou com o menino todo aquele horror. Mas então, diante da fragilidade do pequeno, envergonhou-se de sua fraqueza e se pôs no lugar de adulto novamente. Enxugou as lágrimas, aproximou-se da criança e estendeu-lhe a mão. O garoto encolheu-se, mas Pietro permaneceu com a mão estendida, até que o menino acabou saindo devagar de debaixo da cama, para mergulhar em seu peito.

— *Calmati! Calmati! Io sono qui con te!* — disse Pietro, tomando o pequeno no colo e voltando para o canto de onde podia espiar a praça. E só então, quando o menino relaxou, ele pôde perceber que o sangue na testa do garoto era do cãozinho, morto em seus braços.

As tropas de Carlo avançavam, tomando a cidade. A reação inesperada dos exércitos borbônicos desestabilizara os inimigos, que se enfraqueceram. Giordano experimentava agora, no corpo, uma espécie de euforia. Sentia-se leve sobre o cavalo árabe, como se, pela ação dos hormônios, seu corpo estivesse alerta e entorpecido ao mesmo tempo. As imagens tornavam-se embaçadas, os sons pareciam abafados à sua volta. Sobrevinha em tudo aquela claridade que excitava os sentidos. Retalhos de lembranças emergiam dela. Cenas da infância, as marionetes do avô, o pai e sua brincadeira bruta, e depois Luigia e seu olhar de ódio. A mãe chamando por ele, Vittoria em seus braços, e o ódio de Luigia mais uma vez. Naquela espécie de transe que o envolvia, não sentiu o primeiro golpe de espada na altura do ombro. Continuou a lutar, mesmo depois que o impacto o levou para o chão. Seu sangue, quente da disputa, bloqueou-lhe ainda a dor de um novo golpe, mais sério e profundo, que penetrou seu abdômen e encharcou de imediato, de sangue, o uniforme. O árabe empinou em desespero e correu. Giordano levantou-se, cambaleante, tentando empunhar a espada, que agora pesava toneladas em sua mão. O oponente avançou para um novo golpe, mas então um soldado napolitano surgiu e arremessou-se contra o inimigo, cortando-lhe a garganta. Giordano caiu de joelhos e soltou a espada. O soldado o amparou.

— Vá, vá! — disse com dificuldade, tentando conter com as mãos o sangue que jorrava. — A batalha ainda não terminou, soldado! Lute! Temos de expulsar esses vermes daqui! Vá!

O soldado arrastou Giordano para perto da Porta Romana, pondo-o em meio a corpos de soldados mortos, como forma de protegê-lo de novos ataques.

— Vou buscar socorro, capitão! Aguente firme, por favor! Precisamos muito do senhor! — disse o soldado, olhos úmidos, enrolando em torno do abdômen de Giordano tiras de pano que rasgava das camisas dos cadáveres ao redor.

Giordano não conseguiu responder. Um suor gelado cobria seu corpo que tremia sem que ele pudesse controlar. Viu quando o soldado fez continência e se afastou e então tudo se tornou turvo até por completo escurecer.

O socorro não tardou. Logo *colonnello* Raimondo di Sangro surgiu com alguns homens para resgatá-lo e deparou-se, emocionado, com a cena: ao lado de Giordano, entre os mortos da batalha, estava o árabe, fiel como rezava a lenda. Balançava a cabeça como um pêndulo e relinchava numa demonstração de desespero. Vez por outra, batia o focinho no rosto de Giordano, tentando fazer com que acordasse, para voltar ao movimento pendular e desesperado logo depois.

Os soldados retiraram Giordano do chão e ele entreabriu os olhos. O coronel Raimondo disse, em vão, alguma coisa que Giordano não conseguiu compreender. Sentia agora uma dor lancinante na ferida e uma sensação generalizada de dormência. Ia morrer, teve certeza. Ia morrer e nunca falaria, ninguém jamais saberia de toda a sua dor. Abriu novamente os olhos e buscou em torno alguém que o pudesse abraçar. As imagens embaçaram e fugiram num rodopio para a escuridão, mas então algo lhe empurrou com força o rosto e fez despertar. Era o seu árabe, negro e majestoso, pendulando a cabeça como se lhe implorasse para resistir! Sorriu, embora a intenção não se tivesse materializado no rosto. Quis acariciar o animal, mas o cérebro já não mais comandava o desejo da mão.

Montaria em seu árabe, se pudesse, sem farda, sem amarras, sem camisa e escaparia da dor. Cruzaria com ele as campinas, percorreria as cidades, cantaria nas praças. Sim, cantaria como os cantastorie nas praças, como sempre quis fazer. Porque se um'outra vez da vida tivesse, certamente morreria de amor! Mas estava morrendo e nada podia de si. Olhou para o árabe mais uma vez e, no torpor da despedida, as palavras da lenda lhe saltaram como eco da memória: "Serão teus à noite os olhos do leopardo, te orientarás como falcão, que sempre volta à sua origem e terás do cão ao teu dono, o mesmo amor." Suspirou e se entregou à escuridão.

* * *

Lobkowitz não teve outra coisa a fazer a não ser ordenar a retirada das tropas para seus antigos acampamentos, deixando homens, bandeiras e artilharia para trás. O Artemisio foi retomado por Gages. Velletri, reconquistada por Castropignano. Depois de nove horas de luta, a vitória coube definitivamente a Carlo di Borbone.

No dia seguinte, Carlo contabilizou as perdas: três mil soldados. Pouco menos que o lado inimigo. Em artilharia e bandeiras, a perda fora equivalente. Agradeceu ao exército, elogiou a tradicional excelência dos espanhóis e a fibra dos napolitanos na defesa dos fortes. Distribuiu honrarias e iniciou os preparativos para a ida de Giordano para Roma. Os médicos tinham conseguido operá-lo em campo e detido, com esforço, a hemorragia, mas uma nova cirurgia se fazia necessária, e só era possível lá. A viagem em si já representava o perigo de uma nova hemorragia, além do risco iminente de uma infecção. Carlo gostaria de levá-lo pessoalmente, porém ainda se ocuparia por algum tempo da guerra, até que Lobkowitz se retirasse por completo.

Esperaram alguns dias e partiram, levando Giordano como um bibelô, cercado de cuidados, ao mesmo tempo em que uma pequena tropa chegava à Nápoles com a notícia

CAPÍTULO XVII

A vigília

— Infelizmente, as notícias não são boas — iniciou Di Medinacelli para Luigia. — O ferimento foi profundo. Giordano perdeu muito sangue. Foi levado para Roma, mas é impossível prever as consequências de uma viagem nesse estado.

— O que o senhor quer dizer?

— Que devemos nos preparar para o pior. — E abrindo um sorriso inadequado, concluiu: — Mas foi uma vitória esplêndida! É isso que importa. — Luigia permaneceu estática, apertando a pequena chave entre as mãos, a frase da despedida ribombando em seus ouvidos: "Vou dedicar esta batalha a você, Luigia di Medinacelli! Será em sua honra a minha vitória ou o meu sangue". Filippo di Medinacelli ia sair, mas então voltou e completou o que lhe faltara dizer, com sua insensibilidade habitual: — Não se preocupe! Se o pior acontecer, vou pensar em outro noivo para você. Você não queria mesmo se casar com ele, afinal.

Sem que Luigia pudesse evitar, um soluço largo se lhe eclodiu do peito impondo-se na garganta. Sequer sabia pelo que chorava. Sentia tão somente aquela dor contraditória, cortando quase sarcástica as suas certezas. Não sabia o porquê das cenas, dos momentos tão seus que eram dele saltarem agora da lembrança para as paredes do quarto. Ou talvez soubesse. Talvez sempre soubesse, e fosse essa consciência que a fazia soluçar agora.

* * *

A notícia não tardara a chegar ao acampamento da trupe. Caterí e Gigi a trouxeram da cidade. Mamma ficou pálida e se sentou.

— Mamma! *Cosa succede*?! O que está sentindo? — perguntou Caterí, segurando-lhe a mão fria.

— Arrabal... Arrabal não vive sem o irmão... não vive — respondeu num fio de voz, as lágrimas correndo independentes pelo rosto.

— *Calmati*, Mamma, ele não morreu ainda, hã? — disse Gigi. — *Magari non succede nulla*!

— Vou buscar um chá — disse Caterí.

— Melhor um gole de conhaque! Ainda tem um pouco na garrafa — recomendou Dottore, segurando as mãos frias de Mamma entre as suas.

Arrabal não vive sem o irmão, ela dissera. *Caspita*! E viviam às turras, mal se falavam, pensou Dottore, tirando o lenço de linho do bolso e enxugando o rosto de Mamma. Talvez Arrabal houvesse confidenciado a ela coisas que ela não dividia com ninguém. Talvez toda aquela rivalidade não passasse de amor mal-amado. Talvez, igual a ele, Arrabal também tivesse medo de *sentir*, cogitou.

❊ ❊ ❊

Vittoria soube da notícia na cidade. Estava no teatro, na reunião de prestação de contas com Giovanni Brancaccio, quando este lhe contou. Não conseguiu se concentrar mais. Levantou-se, atônita, e saiu, deixando Brancaccio falando sozinho e os livros abertos sobre a mesa. Montou o cavalo branco que dera a Arrabal e que agora era novamente seu e partiu em disparada, deixando para trás um rastro de comentários de toda a sorte. Precisava de mais informações, e não hesitou em procurar quem — ela sabia — poderia dá-las.

— Ela está lá fora! Eu não ia deixar essa mulher entrar! — disse Angelina.

— Mas que disparate é esse? Como você deixa a marquesa esperando do lado de fora? Faça com que entre agora, Angelina! — ordenou Luigia.

— Seu pai não vai gostar. Se a vir, a expulsa e *m'ammazza*!

— Pois faça com que ele não a veja!

— E eu a conduzo para onde?

— Para a sala de leitura. Ele nunca vai lá. E ofereça-lhe um chá!

Depressa, porque deve estar frio lá fora! *Dai, dai*, Angelina!

Angelina obedeceu a contragosto. Conduziu Vittoria pelos corredores com o cenho franzido, sem trocar palavra. Vittoria, por sua vez, não se intimidou. Caminhou com seu porte altivo pelo palácio dos Di Medinacelli como quando ali era bem-vinda.

Quando Luigia entrou na sala de leitura, Vittoria estava de costas. Admirava, por detrás das portas de vidro do balcão, a campina que se abria à frente. Luigia aproveitou para observá-la. Muito se falava de suas roupas exóticas e de suas famosas luvas pretas. Ela usava um casaco masculino que lhe cobria todo o corpo, até um pouco abaixo dos joelhos. Sob ele, um vestido ou uma saia que lhe deixava à mostra os tornozelos. Luigia riu da ousadia, compreendendo o porquê de tantos comentários sobre a marquesa. Usava botas e tinha os cabelos ruivos presos de maneira displicente no alto da cabeça. Ela se voltou, e Luigia lhe sorriu.

— *Buongiorno*, Luigia!

— *Buongiorno*, marquesa! Sente-se, por favor.

Vittoria assentiu com o movimento da cabeça e tirou o casaco.

— Que interessante o seu vestido! — exclamou, sorrindo.

Era um tecido simples, bege, algo fino como organza, forrado com outro cru por baixo. A saia tinha poucas anáguas e o decote deixava os ombros à mostra, à moda das camponesas. Na cintura, uma faixa larga, do que parecia ser seda, num tom de cobre intenso, conferia estilo ao conjunto.

— São sobras do nosso figurino. Remodelamos para usar. Você sabe, não temos como andar na moda.

— Por isso é curto assim? Por falta de pano? — perguntou Luigia, rindo, já mais à vontade.

— E para ficar confortável também. Temos de ensaiar, montar a cavalo. Andamos bastante todos os dias. Vestidos longos sujam e embaralham-se nas pernas.

— Todos falam de suas luvas.

Vittoria meneou a cabeça e riu da ironia.

— Está aqui a razão das luvas! — disse, tirando-as e estendendo as mãos à Luigia. Lá estavam as manchas de tinta na ponta dos dedos. — Retiro o máximo que posso, mas, como sujo todos os dias, é difícil remover por completo.

— A *signora* também escreve?

— *Signora*? Por favor! Se me chamar de *signora*, vou achar que pareço ter cem anos! — E prosseguiu, com um sorriso embevecido no rosto: — Sim, escrevo.

— Peças, como Arrabal?

— Não, estou trabalhando em outra coisa. Mas ainda é cedo para falar sobre isso.

Luigia suspirou, numa pausa triste, e perguntou:

— Notícias dele?

— Arrabal? Não. Mas não perdemos a esperança.

— Acreditam que ele volte?

— De onde tiraríamos força para continuar se não acreditássemos?

— Você se acostumou mesmo com essa vida, não? — indagou Luigia, após nova pausa.

— Acostumar talvez não seja exatamente o termo, porque sugere uma dose de sofrimento, e eu não sofro. Acho que aprendi a viver com o essencial e considero isso um grande benefício. Não que tenha deixado de apreciar o luxo e o requinte, mas optei por outro tipo de refinamento, o da arte, que me faz mais feliz, por incrível que possa parecer.

Olharam-se no silêncio por instantes, o sorriso desmaiando nos cantos da boca, até ficarem sérias. Luigia a fitava com admiração. Nem aquela vida precária, nem a escassez de recursos, nem a discriminação que sofria, nada lhe tirara a distinção. Estava ali, sentada à sua frente, com a mesma elegância com que, no passado, visitava sua casa. De súbito, Luigia notou-lhe os brincos de pequenas esmeraldas circundadas por brilhantes. Vittoria percebeu e, acariciando as orelhas, esclareceu:

— Eram da minha mãe! Nunca os tirei desde que a perdi.

— São lindos!

E como novo silêncio ameaçasse se instalar, Vittoria prosseguiu.

— Vim saber notícias de Giordano, Luigia.

— Giordano? Desculpe, mas por quê? Quero dizer, não sabia que eram próximos.

— Somos amigos — respondeu Vittoria, mantendo o olhar firme.

Por alguma razão, a frase provocou em Luigia certo desconforto.

— Perdoe-me, mas, se é amiga da família, por que não procurou o pai dele?

— Não sou amiga da família. Apenas a conheço socialmente. Tornei-me amiga de Giordano, como lhe disse. Ademais, o pai dele nunca me deixaria entrar, como você deve saber. Você, ao contrário, ia se casar com Arrabal. Ele a amava. Você iria fazer parte da família, razão pela qual concluí que me receberia. Fiz mal em vir?

— Não, de forma alguma! — respondeu Luigia, sem conseguir desfazer a expressão reticente no rosto. — Essa deve ser a pior parte, não é?

— Qual?

— A discriminação, a rejeição das pessoas.

— Ah! Bem, não é nada agradável ver uma mãe virar o rosto dos filhos quando cruza com você na rua, ou ouvir as obscenidades que alguns homens se acham no direito de lhe dizer quando passam por você. Todos queremos ser aceitos, respeitados e se sentir um pária, em alguns momentos, abala o nosso senso próprio de valor, mas temos uns aos outros na trupe. Somos, como eu disse, uma família. Juntos, somos uma força. Então, no fim do dia, quando estamos lá, em volta do fogo, tudo parece valer a pena. Mas me fale de Giordano. Como ele está de fato?

— Infelizmente as notícias não são boas — iniciou Luigia, e um nó inesperado na garganta a obrigou a pausar. — O ferimento foi muito grave. Ele foi operado em campo, mas precisou ser levado para Roma para uma nova cirurgia. Deve estar chegando lá hoje, *se piace a Dio*. Mas meu pai disse que devemos nos preparar para o pior.

À frase, um novo silêncio se fez e sem que nada fosse preciso explicar, se abraçaram e choraram um pouco, baixo e delicado.

— Quando teremos novas notícias? — indagou Vittoria, interrompendo o silêncio.

— Não sei. Mas tão logo saiba de algo, faço-lhe avisar

— Eu agradeço. Bem, *io me ne vado*. Não quero correr o risco de ser surpreendida por seu pai aqui. Minha fibra não chega a tanto — disse e levantou-se, vestindo o casaco e as luvas. — Obrigada por me receber.

— Foi um prazer! — disse Luigia e. sem pode conter a pergunta que lhe borbulhava na garganta, iniciou: — Desculpe, não quero ser inoportuna, mas vejo que realmente se importa com Giordano. Você disse que se tornaram amigos. Quando se deu? Porque Arrabal me disse que vocês todos conheceram Giordano naquela apresentação aqui em minha casa.

Vittoria suspirou, controlando certa irritação que a pergunta lhe causou.

— É verdade, todos nós o conhecemos naquela noite. Mas depois Giordano começou a apoiar o nosso espetáculo. Não sei se sabe, mas ele é o mecenas que nos garantiu a temporada no San Carlino. Eu o conheci melhor por conta disso e ficamos amigos. Mas por que a pergunta? Acaso também partilha da opinião popular sobre as mulheres que fazem teatro?

— Não, claro que não! Mas Giordano é meu noivo, afinal. É natural que eu pergunte.

— Seria se o amasse, mas, até onde sei, você ia fugir com o irmão dele para se casar.

— Meus sentimentos são de ordem particular, marquesa — respondeu Luigia, contraindo o rosto.

—Também os meus! — rebateu Vittoria. Entreolharam-se num enfrentamento tácito que Vittoria desfez, respirando de modo profundo e compassado.— Mais uma vez, obrigada, Luigia! — disse numa reverência, e saiu.

Luigia a viu afastar-se no cavalo branco, como Ártemis, em liberdade. Uma certeza íntima e triste se foi solidificando, conforme a imagem de Vittoria desaparecia na névoa do caminho. Mesmo que Giordano sobrevivesse, não mais voltaria para os seus braços.

* * *

Giordano foi operado em Roma, mas uma infecção havia se instalado. Pietro não saía de sua cabeceira, renovando-lhe as compressas, na luta contra a febre que não cedia. Vigiava-lhe o sono agitado de pesadelos e alucinações. Vez por outra, Giordano gritava palavras de ordem, como se ainda estivesse na batalha, fazendo Pietro reviver os horrores daquele dia — a entrada na cidade, Giordano cavalgando em fúria sobre os inimigos, e agora aquele corpo enfermo, frágil, coberto de suor à sua frente. Agradeceu a Deus por sua covardia. Em razão dela, voltaria para casa, poderia ver Francesca de novo e, quem sabe, ser feliz. Mas Giordano era como um guerreiro lendário, lembrou. A frase porém soou-lhe equivocada no pensamento. Não sabia exatamente explicar, mas sentira quando o vira sobre o cavalo, distribuindo sangue à sua volta na praça de Velletri. Havia algo além naquela sede que só bravura. Havia mais que o amor que dedicava a Nápoles e ao rei. Era como se buscasse, em desespero, alguém que lhe golpeasse o peito e, de alguma forma, o aliviasse ou fizesse parar. Era como Aquiles, caminhando para o seu destino inexorável; era aquele, sem dúvida, o seu calcanhar.

* * *

Em Nápoles, o povo organizara uma vigília de orações pela recuperação de Giordano. Mamma preferiu seu oratório improvisado no canto da carroça. Caterí, Francesca, Vittoria e Gigi ajoelharam-se junto a ela. Ela esteve lá durante todo o dia, chorando e deslizando entre os dedos as contas do terço. Estava sempre lá em algum momento, desde que Arrabal partira, pedindo a Santa Chiara que ele voltasse. Mas agora também chorava. E para consolá-la, antes de qualquer religiosa intenção, Dottore aproximou-se e ajoelhou-se a seu lado. Vincé o imitou, fazendo o sinal da cruz. Passara calado todo o dia. Naquela noite, tivera um sonho ruim com Francesca, que não teve coragem de partilhar. Via-se acordando no meio da madrugada por um barulho vindo de fora da carroça. Chamava pelos outros, mas ninguém despertava. Então, saía para ver o que estava acontecendo e se deparava com Arrabal de pé, ao lado da fogueira, com Francesca desmaiada nos braços.

— O que aconteceu? — perguntava. Mas Arrabal não respondia. Apenas olhava para ele, e Vincé entendia que pedia para que cuidasse dela.

Vincé balançou a cabeça para afastar a lembrança e aproximou-se lentamente de Francesca, segurando-lhe a mão. Ela não entendeu por quê, porém gostou do carinho e sorriu. Depois fechou os olhos e acompanhou a prece.

— *Padre Nostro che sei nei cieli, sia santificato il tuo nome...* — Os olhos de Vincé encheram-se de lágrimas que ninguém viu. Sentia saudade. Saudade de Arrabal e de sua loucura; saudade da certeza que ele lhes dava de que a vida era mágica e de que tudo era possível; saudade de Dottore, de suas citações e de todo aquele seu palavrório pernóstico que tanto o irritava; saudade das lágrimas teatrais de Mamma e até da cegueira de Caterina. Há quanto tempo não riam, nem se implicavam. Há quanto não brigavam por um sem importância qualquer. Lembrou do sonho triste e abraçou Francesca. Ela arregalou os olhos sem compreender, mas então, vendo que ele chorava, o abraçou. — ... *Dacci oggi il nostro pane quotidiano, rimetti a noi i nostri debiti come noi li rimettiamo ai nostri debitori, e non ci indurre in tentazione, ma liberaci dal male. Amen.*

A prece navegou no ar e se uniu às vozes súplices da cidade e viajou na dimensão numinosa do céu até que, em Roma, Giordano serenamente adormeceu.

* * *

Carlo Romanelli chegou na manhã seguinte ao hospital San Gallicano. Relutou um pouco, a mão presa à maçaneta da porta do quarto, temeroso do que teria de enfrentar, até que finalmente entrou. Giordano dormia. A febre baixara, embora não tivesse cedido por completo. Ele, entretanto, parecia melhor, apesar da palidez e da magreza. Carlo beijou-lhe a testa, os cabelos, as mãos, como se ainda menino fosse; como se com o gesto pudesse mantê-lo a salvo junto de si. Depois, lembrou-se de Pietro e da notícia triste que fora encarregado de lhe participar. Sua mãe morrera de repente, de uma dor aguda no peito. O pai pedia que ele voltasse o mais depressa possível a Nápoles. Pietro agradeceu e saiu do quarto. Nunca tivera de fato muita intimidade com a mãe nem afinidade que justificasse aquela imensa tristeza. Era uma senhora que lhe proibia tantas, tantas coisas e que, ao que se lembrasse, nunca lhe acariciara os cabelos. Entretanto, a notícia súbita de sua perda e a certeza de nunca mais rever seu rosto, intensificaram sua decisão. A morte provara quão fugaz podia ser a existência, e era, de fato, uma estupidez perdê-la sem ter vivido coisa alguma que lhe desse sentido. Naquele mesmo dia, comunicou a Angelo sua decisão. O tenente, porém, pediu-lhe que esperasse por uma melhora no quadro clínico de Giordano. Ele ainda era seu superior, e uma decisão daquele quilate competia a ele autorizar.

Seguiram-se dias de intensa vigília. A febre estava num ir e vir que torturava o coração do velho pai, até que numa manhã cedeu por completo, e Giordano abriu os olhos.

CAPÍTULO XVIII

Pausa para a dor

Foi apenas em novembro, após Lobkowitz bater definitivamente em retirada, que Carlo di Borbone ordenou o retorno das tropas e de Giordano, já fora de perigo, a Nápoles. A cidade os esperava em clima de festa. O povo, orgulhoso, comemorava a vitória de seu rei e a volta de seu herói à vida. Era a bonança sobrevindo à tempestade, e talvez por isso todos se sentissem invadidos por um novo influxo de esperança.

Na trupe não era diferente. Mamma os despertou às primeiras luzes da manhã, batendo com força a colher na caçarola do leite que fervia e, como havia muito não ouvissem aquele som de per si tão estridente e familiar, levantaram-se de um salto. Em segundos, estavam em torno do fogo como estiveram sempre e antes de todo o mal acontecer.

— Sinto que hoje será um dia esplêndido! — iniciou Dottore após respirar profundamente o ar da manhã. Então, elevou de súbito a voz e exclamou: — *Carpe diem quam minimum credula postero*!

Vittoria riu. Os outros olharam para ele, surpresos. Era como se uma mão invisível tivesse feito girar a roda do tempo para trás pondo as coisas todas de volta a seu lugar. Vincé resmungou, intimamente feliz.

— *Cazzo*! Estava demorando!

— Colhe o dia, confia o mínimo no amanhã! — traduziu Dottore, abaixando-se e projetando propositalmente a voz no ouvido de Vincé. — *Odes*, Horácio.

Vincé fez-lhe um sinal obsceno e se levantou. E, então, iniciou-se uma barulhenta discussão de como iriam para a cidade.

Vittoria comprara uma pequena charrete, para facilitar a locomoção da Mamma e do Dottore, e mesmo dos demais, evitando usar a velha e desgastada carroça nas viagens curtas à cidade. Também evitavam assim sacrificar demais Adônis, nome com o qual Dottore batizara o cavalo branco, único de que até então dispunham além daqueles que levavam a carroça. Apenas Francesca se mantinha à parte do clima de festa. Havia muito não conseguia sorrir. Não bastasse aquela tristeza que a acompanhava e abatia, há dias tinha febre. Não dissera a ninguém para não alarmar, ou talvez porque, no íntimo, desejasse de alguma forma desistir. Havia tempo, uma ideia insistente e macabra se fortalecia em seu íntimo. A esperança de que Arrabal voltasse se lhe esvaíra por completo e agora a alegria renovada da trupe, parecia encerrar definitivamente toda e qualquer possibilidade. Aquela aceitação conjunta era o fim de todas as suas esperanças, por isso a ideia insistente e sinistra tornara-se decisão naquela manhã.

— *Eu vou depois* — *disse ela*. — *Arrumo as coisas e vou depois. Não tenho mesmo muito interesse nessa festa*.

Caterina ia insistir, mas Mamma lhe fez um sinal, e ela se calou.

— Fique com o Adônis, então. Mamma e Dottore vão na charrete! — disse Vittoria, ao que o Dottore sorriu, devolvendo o gesto obsceno a Vincé. — E Vincé também vai com eles. — acrescentou ela, fazendo-o rir sarcástico para o Dottore e devolver o gesto. — Eu, Gigi e Caterí vamos a pé.

Mas Francesca não arrumou a carroça. Partiu, assim que os viu desaparecer na estrada e não foi para a cidade. Posillipo! Sim, pensava em ir a Posillipo havia dias e aquela era a melhor circunstância. Fora lá, havia exatos seis anos, numa das estradas que partiam do centro da cidade e se arrojavam sobre o mar, que vira Arrabal pela primeira vez.

Posillipo, ou Pusilleco, como carinhosamente o chamavam os napolitanos. Bairro de Nápoles, situado em uma colina donde se podia ver, majestoso, o mar. Foi numa manhã, nesse cenário idílico de moradas elegantes, penhascos pendendo sobre o oceano e o mais belo pôr do sol, que o conhecera.

— *Pausa dal dolore*! — murmurou para si mesma o significado em grego da península que se projetava sobre o mar, separando o golfo de Nápoles do de Pozzuoli. *Pausilypon*, Arrabal lhe ensinara, refúgio de poetas e artistas hipnotizados pela sua majestosa beleza. Era tudo de que precisava agora. *Pausa dal dolore*! Era o que buscava cavalgando e sentindo um suor frio estremecer-lhe o corpo.

Apeou no alto da colina, enrolou-se o mais que pôde na manta de lã e se sentou, vendo o sol continuar sua subida lenta e cheia de poesia anunciando o dia. Ficou assim, o corpo percorrido vez por outra de tremor, repassando na memória os dias, todos os dias, desde o primeiro em que o vira ali. Abaixo do precipício, o azul convidativo do mar. Suspirou. Talvez como Parténope, no abissal do mar, fosse mais feliz. Como a sereia que dera nome à terra, também ela cantara para seduzir o seu amor. E assim como Ulisses, Arrabal não se deixara encantar. Sequer precisara, como o herói grego, fazer-se amarrar ao barco para resistir. Não a amava, tão somente. Nunca a amaria! Era para ele sua *bambina*, sua *bambola*, um tipo de irmã mais nova que gostava de mimar. Um novo tremor, e aquela dor no peito, aquele fraquejar. Levantou-se e caminhou claudicante até a beira do abismo. De pé, na beira do abismo, como a Partenope frustrada e infeliz. Só lhe cabia mergulhar e buscar no mar o bálsamo para a sua dor. Foi quando estava assim, a um passo do fim trágico da lenda, que viu, por entre as rochas, como escombros, farrapos, restos mortais, as roupas de Arrabal. As roupas e o baú de viagem estraçalhados pela queda. Eram dele, reconheceria a qualquer distância. Eram as roupas, as coisas dele, do seu amado, do seu amor, espatifadas entre as rochas pontiagudas.

— Mamma! — gritou, mas estava só, e ninguém a ouvia. — Mamma! — tentou novamente, andando em círculos.

O mar. O abismo azul do mar em que seu Ulisses se atirara. Sim, ele se arremessara. Lembrou-se do cavalo branco que Vittoria encontrara perdido e assustado na estrada. Atirara-se! Tal como ela, tivera a ideia insistente e macabra. Tal como ela, não suportara a dor.

Tentou voltar à beira do penhasco, desejou novamente o mar, mas as pernas lhe faltaram e caiu de joelhos. O sol já se ia da manhã mais alto no céu. A alba se fazia, indiferente aos escombros e à dor, sobre o mar do Posillipo.

— Mamma! — tentou gritar mais uma vez e, sem forças, desfaleceu.

* * *

O povo aglomerara-se na praça desde a manhã, mas foi somente no fim da tarde, quando a noite de novembro já caíra precoce, que a comitiva real apontou na estrada. A praça se cobrira de festa, como se dia santo fosse. Havia em tudo guirlandas de flores. Um coro cantarolava versos havia tempo ensaiados, e que seriam entoados por todos na chegada do rei. Estavam lá, os rostos inocentes e rudes iluminados pela luz das velas das varandas e das que todos traziam nas mãos. Eram camponeses, vendedores, comerciantes e senhores, era a Nápoles unida em sua mais clara expressão, a de democrática alegria.

Carlo di Borbone veio a cavalo à frente, ladeado pelo conde de Gages e pelo duque de Castropignano. Ao vê-lo, o povo gritou de euforia, atirando flores à sua passagem. De súbito, a praça se tornou um mar de lenços brancos acenados de gratidão e de ventura. Então, a primeira voz do coro iniciou em solo a canção antiga que todo o povo acompanhou.

Seguindo Carlo, vinha a carruagem real com a rainha e seus filhos, e, depois dela, ladeado por Angelo e Pietro, Giordano surgiu. À sua visão, toda a praça se ergueu num brado. Giordano estremeceu. Estava abatido e magro, o braço esquerdo e o abdômen envoltos em ataduras. Acenou e sorriu timidamente, percorrendo os rostos, procurando por ela. Avistou Teresa, que lhe sorria lacrimosa, e depois Mamma, a querida Vittoria e toda a trupe. Estava lá também Maria, com o calor indisfarçável de seu entusiasmo, além do *maccaronaro*, do vendedor de peixes, do taverneiro, das prostitutas — todos lhe acenando em explícita euforia. E por que ela, somente ela não havia? Avistou Medinacelli, no palanque reservado à nobreza, e seu coração de novo se acendeu, mas então, era só a corte, era só o formal da festa. O povo gritava seu nome e, como ao rei, atiravam-lhe flores. Toda a gente lhe acenava e o gostaria de abraçar. Mas ela, justo ela, não estava.

Uma recepção os esperava no palácio, mas Giordano foi direto para casa. Estava exausto e queria ver Gioconda. Ela o abraçou como se nada se passado houvesse e aquela foi a única indiferença que o deixou feliz. Depois, entrou em seu quarto e fechou a porta atrás de si. Fechou o mundo atrás de si e, por um momento, conseguiu respirar. Suspirou. Caminhou até a cama, evitando o barulho dos próprios passos, como temendo afugentar aquele instante de liberdade, e se sentou. Foi quando avistou, acomodada sobre os travesseiros, a marionete *il feroce Saladino*. Sua mãe certamente andara brincando com ele por ali. Tomou o boneco entre as mãos e o passado se lhe retornou no movimento. Por causa daquele guerreiro brigara com o irmão havia muito tempo. Correu o indicador pelos detalhes carinhosamente entalhados e pintados pelo avô. O rosto, o bigode e o cavanhaque negros, a pele morena, o turbante vermelho sob a coroa de metal, a armadura. O Saladino de Giuseppe, que vencera os cristãos, mas evitara seu massacre. O herói que perdoava os inimigos, mas era implacável com os arrogantes, os fanáticos e os traidores. O que todos acreditavam feroz, mas que o Nonno garantia ter um grande coração. O pensamento o fez se identificar, em alguma instância da alma, com o guerreiro lendário. Talvez fosse mesmo aquela a razão de tanto querê-lo no passado para si. Novamente suspirou do silêncio e do vazio imenso de seu quarto de dormir.

Teresa surgiu na porta entreaberta e espichou o rosto como criança, pedindo permissão para entrar. Giordano convidou-a com um aceno da mão. Ela caminhou até ele e ficou de pé a seu lado quieta, disponível, pronta para afagar. Porque Teresa soube, assim que o vira entrar na cidade. E teve certeza quando viu seus olhos vasculharem a praça buscando em vão aquela presença. Giordano precisava desaguar de si todas as coisas que esmagavam seu coração. Mas Teresa, de seu íntimo, tudo sabia de cor e, por isso, Giordano se limitou a estender a ela o Saladino, depois enlaçou, como menino, sua cintura e assim, verdadeiro, desarmado, soluçou alto todo o drama do seu existir.

CAPÍTULO XIX

Agonizantes

A trupe retornava da festa na cidade quando Mamma avistou estranhos no acampamento.

— Quem são aquelas pessoas? — perguntou a Dottore e a Vincé, pondo-se de pé na charrete. — Vittoria! Gigi! Quem é *quella* gente? — alarmou-se.

A fogueira estava acesa, e também havia luz no interior da carroça.

— *Calmati*! Já vamos saber! — disse Dottore, sacudindo as rédeas e fazendo o cavalo acelerar. Vittoria, Gigi e Caterina correram.

Eram camponeses de Posillipo. Haviam trazido Francesca tão logo os habitantes da cidade a reconheceram. Passaram ali todo o dia, esperando que chegassem. Ela ardia em febre e delirava, revirando os olhos num tipo de quase convulsão que fez Caterí cair num pranto descontrolado.

— *San Gennaro*! — exclamou Mamma, espalmando a mão sobre a testa de Francesca. — Ela está queimando! Dottore!

Dottore fingiu não ouvir e saiu da carroça.

— Dottore! — gritou Caterina.

Mamma levantou-se de um salto e foi atrás dele.

— Escuta! — disse, segurando-lhe o braço. — Ela está doente e você é o único médico por aqui! Não diga que não vai cuidar dela porque eu não vou aceitar, *capisci*?! Não vou aceitar! — E prosseguiu, depois de uma pausa em que buscou se controlar: — *Per l'amore di Dio*! Não podemos perder mais ninguém!

Dottore suspirou e então voltou para perto de Francesca, que se debatia, a pele quente e encharcada de suor.

Foram dias e noites de tormenta. Sangrias, compressas e quinino na luta contra a febre que ia e vinha, deixando Francesca extenuada. Quando cedia, de tão fraca, não conseguia articular palavra, embora a Mamma tivesse sempre a impressão de que havia algo que queria lhe dizer. E havia. Era o baú estilhaçado no penhasco; era aquela dor. Mas, então, a falta de forças e o medo de verbalizar a cena e tornar a tudo realidade, fazia com que se limitasse a choramingar um pouco e voltar a adormecer.

Dottore não tinha um diagnóstico preciso para a enfermidade, e isso o desesperava. A ausculta dos pulmões sugeria uma pneumonia, mas podia ser mesmo a tísica ou a malária — *mala aria*, como era chamada pelo que se acreditava ser a origem da doença: a má qualidade do ar. Havia dias Dottore não dormia. Vigiava o sono de Francesca e pesquisava, nos poucos livros médicos que trouxera, uma certeza e uma cura para aquele mal. Foi numa noite assim que, inesperadamente, sentiu a mão de Mamma sobre a sua enquanto tentava, com dificuldade, manter os olhos abertos sobre os livros.

— Por que não se deita um pouco? Fico com ela. Qualquer coisa eu o acordo.

— Eu não encontro, Mamma! Não encontro um diagnóstico preciso.

— Talvez esse tal diagnóstico que você tanto procura não esteja nos livros.

— Como assim?

— *Forse* essa doença não seja só do corpo, Dottore. *Forse* seja *una malattia d'alma*. Tristeza, remorso, saudade!

Dottore balançou a cabeça. Não acreditava naquele potencial que Mamma costumava atribuir às emoções, por isso continuou debruçado sobre os livros, até adormecer entre as páginas abertas.

Era Gigi quem dava água a Francesca com a ponta da colher, pelos cantos da boca, porém naquela manhã conseguira fazer com que tomasse um pouco do caldo forte que Mamma preparara. Parecia melhor, estava havia dois dias sem nenhuma febre, o que fez com que Dottore concordasse em dormir um pouco e dar a todos alguns momentos de tranquilidade.

Lavavam roupa no rio quando Caterí resolveu contar a Vittoria:

— Estou para lhe dizer uma coisa há dias, Vitty. Encontrei Sophie na praça.

— Sophie! Que saudade sinto dela! Como ela está?

— Bem. Quem não está bem é o marquês.

— O que aconteceu?

— Está muito doente.

— Nicola? — murmurou Vittoria, lembrando-se por alguma razão de quando o vira pela primeira vez. — O que ele tem? Por que ela não veio até aqui falar comigo?

— Estava esperando por um bom momento. Parece que ele está muito mal, Vitty. Segundo Sophie, pode não durar muito.

Vittoria largou as roupas sobre as pedras e sentou-se pesadamente à beira do rio, fazendo as saias formarem uma bolha que a fez parecer uma marionete. Ficou assim, o olhar perdido nas águas que cintilavam ao sol, até que exclamou:

— Preciso ir até lá.

— Está louca? Ele manda te prender, Vitty! Te matar, até! Aqueles guardas dele... desta vez Arrabal não está aqui para te proteger!

— Mas, se estivesse, se fosse com ele, certamente iria, não?

Caterí meneou a cabeça.

— Sim, mas Arrabal é Arrabal.

— E eu sou eu. Vou lá, Caterí!

— Bem, então *io vado con te*! Gigi vai conosco, com certeza, e Vincé também, se pedirmos.

* * *

Esperaram mais de meia hora, de pé, do lado de fora do palácio, até que Sophie apareceu, rindo, resfolegante.

— Madame, que saudade! Vamos entrar! — disse a criada, ao que todos deram um passo à frente. — Apenas, madame. Ele só autorizou a entrada dela! *Excusez-moi*!

Vincé xingou, resmungou um pouco, depois se imiscuiu no jogo de cartas da guarda de Nicola e se distraiu. Gigi sentou-se com Caterí na grama fria, brincando de enfeitar com miosótis os cachos de seus cabelos. Vantagens de viver ao relento, o frio não fazia amedrontar.

O quarto estava escuro quando Sophie abriu a porta. Um cheiro forte de cânfora e de alguma mistura de ervas lambeu o rosto de Vittoria. Nicola estava deitado na cama, oculto pelo breu do ambiente.

— Por que está tudo fechado assim?

— Ele não quer que abra nada, madame!

Vittoria ficou parada à porta, tentando divisar a figura de Nicola entre tantas cobertas e a escuridão.

— Pode abrir, se quiser — disse ele, com voz fraca, e tossiu.

Sophie arregalou os olhos. Em meses, apesar de todas as recomendações, Nicola jamais se permitira ver de novo a luz do dia.

Vittoria acenou para Sophie, que correu para abrir a porta da varanda.

— Devagar, Sophie. Aos poucos. Está frio lá fora, e a luz repentina pode incomodar.

Sophie o fez, e o sol de inverno, tênue, penetrou o quarto como um facho de esperança. Vittoria então o viu: magro, muito pálido, os cabelos subitamente brancos, a barba e as unhas compridas. Parecia menor assim, encolhido entre as cobertas. Vittoria aproximou-se, e, à visão de seu rosto, os olhos miúdos de Nicola encheram-se de lágrimas. Continuava cheia daquela beleza majestosa que nem as roupas baratas eram capazes de conspurcar. Continuava iluminada, como Nicola sempre soubera. Estava ali, novamente diante dele, a sua Vittoria, tão melhor que ele, tão superior! A que fora sempre como o sol, fulgurante e inalcançável! Tentara prendê-la em uma caixa, mas seu brilho escapara por cada fresta mínima e se fizera notar. Sentiu vontade de estender a mão e entrelaçar uma outra vez seus dedos entre os cachos ruivos dos cabelos dela e sentir-lhe o cheiro bom da pele e o mel da boca. Mas tudo o que conseguiu fazer foi suspirar.

Sophie fez uma reverência e saiu. Vittoria aproximou-se, sentando-se ao pé da cama.

— Como você está?

— Mal, como pode ver.

— O que você tem, exatamente?

— É o coração. Uma doença que o faz crescer. Canso-me só de mexer o braço.

— Quem está cuidando de você?

— Uma porção de médicos imbecis da corte.

— Não seria melhor estar no hospital?

— Não. Prefiro morrer aqui.

— Não pense assim. Deve haver alguma esperança.

— Não, não há — atalhou ele, e prosseguiu após uma pausa, em que a olhou novamente com ternura. — Não se culpe! Eu já sentia muitas coisas quando você ainda estava aqui.

— E por que nunca me disse?

— Por medo de acabar assim como estou.

Um novo silêncio se fez, em que Vittoria deixou o olhar vagar uma outra vez pelo quarto. Em seguida, foi até a varanda e abriu a porta um pouco mais.

— Deixe que abram. O ar precisa circular aqui — disse e sentou-se de novo, agora ao lado dele.

— Por que você veio? — perguntou Nicola.

— Não sei — ela respondeu, dando de ombros. — Senti vontade.

— Bom... — murmurou ele, a mão trêmula levando o lenço à boca. — Foi bom! — E então, reiniciou com esforço, depois de uma pausa longa: — Eu te odiei tanto, Vittoria! Como te odiei! Nem sei como este meu coração de boi não explodiu de tanta fúria no dia em que você fugiu e me abandonou aqui! E naquele dia infeliz na praça, aquele Arlecchino, aquela vergonha... Eu te amaldiçoei mil vezes! Desejei que você morresse! Desejei matá-la com minhas próprias mãos para acabar com aquele horror! E a teria matado! Teria matado se tivesse te alcançado! — Vittoria permaneceu em silêncio, olhando para ele. Era seu direito desabafar. — Mas então os dias se passaram e, numa noite, eu me disfarcei e fui ver o espetáculo na praça. — Vittoria arregalou os olhos, surpresa. — Fiquei lá, vendo você fazer aquelas macacadas todas, e pensei: Nicola, por que você não permitiu que ela fizesse isso em casa? Por que não deixou que tocasse o maldito cravo e enchesse o palácio dessa gente esquisita? Afinal, é só uma palhaçada e até o rei gosta disso! — Vittoria sorriu e segurou-lhe a mão. Nicola não esperava e ficou por um momento sem saber o que fazer. Ao que se lembrasse, nunca na vida se haviam dado as mãos. Então, cheio de um tipo de pudor, escorregou os dedos por entre os dela e chorou. — O que você anda fazendo para manchar as mãos assim? — disse, depois que se acalmou.

— Estão horríveis, não é? Parecem sempre sujas.

— Como se alguma coisa ficasse feia em você... — murmurou e fechou os olhos. Vittoria se alarmou, mas, então, um longo suspiro sobreveio e ele novamente os abriu. — Leve suas joias!

— Eu não preciso...

— Leve! Pelo menos as de sua mãe. Não tem sentido ficarem aqui, e você deve estar precisando. Leve seus vestidos também. Logo que você foi embora, mandei essa Sophie fazer uma fogueira com eles, mas ela, é claro, não obedeceu. Estão todos trancados naquele seu quarto lá em cima. Se as traças não os comeram, leve tudo com você.

Vittoria permaneceu um tempo em silêncio, enxugando as lágrimas com as costas da mão, até que, de repente, se levantou. Nicola arregalou os olhos. Ela já se ia dele novamente. Se ia, talvez, para sempre desta vez. Mas Vittoria foi até a porta, chamou Sophie e lhe disse qualquer coisa num tom baixo, que Nicola não pôde ouvir. Logo, dois serviçais entraram no quarto trazendo lençóis, uma bacia e jarras com água, toalhas e tesoura.

— O que você vai fazer? — perguntou Nicola, assustado.

— Fique quieto e colabore — disse ela, tirando-o da cama com a ajuda dos criados e colocando-o em uma cadeira, mais próxima da janela.

Sophie trocou a roupa de cama e, enquanto os criados lhe preparavam o banho na sala lateral, Vittoria lhe aparou a barba, cortou-lhe as unhas e os cabelos.

— Vou mandar meus amigos entrarem para comer alguma coisa. Posso? — perguntou Vittoria.

Nicola deu de ombros. A morte e sua proximidade punham todas as questões em perspectiva. A morte relativizava a vida. — Há uma coisa que eu gostaria de levar.

— O quê?

— Os meus livros. Estão aqui, não estão? Você não os jogou fora, jogou? — Vittoria perguntou, temendo a resposta.

Nicola suspirou e balançou a cabeça.

— Não. Estão todos lá, no mesmo lugar. Bem que tive vontade de fazer uma boa fogueira com eles, mas depois imaginei aquelas estantes todas vazias e concluí que me sentiria ainda pior — disse e puxou novo e profundo suspiro de cansaço. — Pode levar. Vai dar um bom trabalho carregar todos! Não sei como você tem cabeça para ler tanta coisa, mas pode levar.

Vittoria sorriu aliviada e prosseguiu em seus cuidados, sem perceber o olhar embevecido de Nicola percorrendo-lhe os detalhes do rosto. Nunca, em todo o tempo em que estivera casado com ela, fora tão feliz. Reclamou quando os criados lhe tiraram a roupa e o levaram para a banheira, e quando lhe esfregaram o corpo e as orelhas. Não era muito dado à higiene, menos ainda agora, doente e só. Mas então, Vittoria fez com que o acomodassem na cama limpa e lhe deu a refeição na boca, como se criança fosse, e ele foi novamente feliz.

— Estou escrevendo um livro.

Nicola arregalou os olhos.

— Livro? *Mamma mia*! Sobre o quê?

— É um romance.

Ele riu, não mais o riso antigo de sarcasmo, de desdém. Riu como o pai que ri condescendente de um filho preferido, após uma traquinagem qualquer.

— Se ainda me restasse tempo, gostaria de ler.

— O quê? — A pergunta escapou da boca de Vittoria, tão inusitada parecia a frase.

— É... gostaria de saber o que se passa aí dentro dessa sua cabeça, que nunca consegui compreender.

Vittoria esperou que Nicola adormecesse para partir. E, antes de deixar o quarto, olhou para ele novamente da porta, agora limpo e sereno, e prometeu:

— Volto para ler o livro para você.

Antes de sair, fez recomendações a Sophie e aos criados, como se senhora da casa ainda fosse. Gigi e Vincé puseram os vestidos entre lençóis, amarraram-nos como grandes trouxas e levaram-nos para a charrete. Os livros iriam depois. Vittoria precisava primeiro que frei Arturo concordasse em guardá-los. Já ia sair quando Sophie a alcançou com o baú de joias nas mãos.

— *Monsieur* já tinha mandado separar, madame. *Je crois* que ia mandar lhe entregar de qualquer jeito.

— Leve, Vitty! São suas — incentivou Caterina.

Vittoria assentiu, olhou inda uma vez para o topo da escada e se foi.

❊ ❊ ❊

Havia um mensageiro no acampamento quando chegaram. Mamma e Dottore falavam com ele.

— Quem é? — perguntou Vincé a Dottore, saltando da carroça com dificuldade pelo exíguo de espaço que lhe reservavam as grandes trouxas de vestidos de Vittoria.

— Da parte do capitão Giordano. Ele está nos convidando para o seu casamento! — respondeu Mamma, animada, sacudindo o convite.

Feito de uma placa de cobre, o convite tinha os dizeres gravados em letras caligrafadas, emoldurados por uma guirlanda de flores.

— Por que ele fez isso? — perguntou Gigi a Mamma. — Ele mal nos conhece!

— É a maneira de o capitão agradecer a todos que tão calorosamente o receberam quando retornou da batalha — explicou o mensageiro. Em seguida, inclinou-se num cumprimento e partiu.

— Ele está mentindo — disse Vincé. — Todo mundo na cidade está dizendo que Giordano Romanelli voltou louco da guerra.

— O que você quer dizer exatamente? — perguntou Dottore, num tom de irritação. — Que só um louco nos convidaria para o seu casamento?

— *Caspita*! Vai começar! — Vincé gritou. Dottore ia retrucar, mas Mamma interrompeu-lhe a frase.

— Acho que devemos ir. É uma atenção que ele está tendo conosco. Uma, *come si dice*, Vitty?

— Deferência?

— *Ecco*! Deferência! Devemos ir, nem que seja por educação.

— Eu concordo! — Vittoria apoiou. — Somos a família de Arrabal, não somos? Então temos de o representar.

Todos aquiesceram. Não sabiam, porém, que não tinham sido os únicos convidados. Integravam a lista os taverneiros, os donos de *trattoria*, os vendedores de macarrão e de peixe, os comerciantes e até algumas damas de Chiaia, a zona de meretrício.

Giordano enlouquecera, sentenciavam os nobres, num tom de repulsa. Enlouquecera, lamentavam os populares, ainda que eufóricos com os convites nas mãos. Enlouquecera, temia Carlo, velando seu sono, evitando contrariá-lo.

Luigia não acreditava nos boatos, e foi essa a razão, ou a desculpa, de que necessitava para tomar coragem de visitá-lo pela primeira vez. Ele dormia quando entrou no quarto.

— Tenha paciência com ele, por favor — pediu Carlo, em voz baixa. — Ele anda dizendo umas bobagens; o médico explicou que é normal após uma grande comoção. Ele vai ficar bem, mas temos de ser pacientes — concluiu e deixou o quarto.

Teresa trouxe uma cadeira e fez sinal a Luigia para que se sentasse. Sorriram timidamente uma para a outra. Luigia gostaria de conversar com ela, mas não sabia como proceder. Giordano suspirou. Assim, relaxado pelo sono, os cílios dourados repousados nas pálpebras, era Arrabal dormindo como os justos e, ao mesmo tempo, o próprio Giordano e aquela dor que a atraía. Porque, de fato, quando assim, quieto e adormecido, eram os dois, ou a síntese de ambos que a atormentava e dividia. Luigia não conseguiu evitar que um olhar de amor se instalasse e vagasse pelo rosto dele no instante. Mais um suspiro e Giordano abriu os olhos. Luigia desviou os seus. Ele teria sorrido ao vê-la se pudesse, e a teria abraçado e beijado de saudade, mas não podia, não queria. Por isso, simulou contrariedade.

— Mas quanta honra! — disse, espreguiçando-se. — Minha noiva veio me ver dez dias depois da minha chegada!

— Vejo que está melhor.

— Estou, sinto muito. Sei que a senhora preferia estar no meu funeral, mas sobrevivi. O que posso fazer?

— Nunca desejei que morresse.

— Disse que me odiaria para sempre. É fácil deduzir.

— Não pude perdoar o que você fez!

— E o que eu fiz? O que foi que eu fiz, Luigia? Diga-me! — exclamou, sentando-se num movimento brusco. — Quem fez foi você! Foi você quem se intrometeu em nossa vida! Vivíamos em paz, cada um à sua maneira! Nós nos respeitávamos! Mas então você apareceu e nos fez perceber, pela primeira vez, que não há como nós dois sermos felizes!

Teresa segurou o braço de Giordano e gesticulou, lembrando-lhe dos ferimentos e pedindo que se acalmasse.

— Eu não fiz nada disso! Nem sequer sabia que vocês eram irmãos! Não sabia que meu pai ia me apresentar a você! Não pode me culpar por isso! — rebateu Luigia. — É um absurdo o que está dizendo! — E algo compreendendo de súbito, emendou: — Foi por isso, não foi?

— Por isso o quê?

— Foi por isso que você convidou todas aquelas pessoas para o casamento... Para me punir!

— Ah, então foi por isso que veio! Agora entendi! Claro, não haveria de ser por mim! Não gostou da minha lista de convidados.

— Você queria me punir. Por isso os convidou, não foi?

— Não, não foi! Não se dê mais importância do que você de fato tem! (...) O taverneiro, os vendedores de rua, o maccaronaro, pessoas que mal conheço, mas que rezaram por mim, pela minha recuperação e me receberam com carinho quando cheguei.— E acrescentou, com um sorriso algo sarcástico: — Mas achei que você não se importaria. Na verdade, pensei mesmo que iria gostar. Afinal, esteve prestes a se tornar saltimbanca!

— Eu não me importo no sentido que você quer atribuir. Mas meu pai, sim, e o seu também.

— Quem sabe não é exatamente esse o meu objetivo?

— Vai acabar sendo constrangedor para essas pessoas também.

— Duvido — concluiu, novamente sarcástico.

A entrada de Carlo Romanelli, seguido por uma criada que trazia a refeição, os interrompeu.

— *Figlio*, seu jantar. — Teresa o auxiliou a se acomodar, sob o olhar vigilante de Luigia. — Está tudo bem, *figlio*? Deseja mais alguma coisa? — perguntou Carlo, solícito.

Giordano correu o olhar sobre a bandeja, meneou a cabeça e então disparou:

— Sim. Há uma coisa de que preciso, pai!

— O que é?

— Uma mulher! Não tenho uma desde que parti para a batalha. Poderia trazer uma mulher para mim, meu pai?

— Giordano! — repreendeu Carlo.

Luigia levantou-se, indignada, e saiu. Carlo a seguiu, descendo as escadas.

— Luigia! Espere! Por favor, espere, *figlia mia*!

— *Perdonami, signore*, não fico nem mais um segundo aqui.

— Ele não está bem, eu lhe disse — prosseguiu Carlo, seguindo-a, mas Luigia continuou a descer as escadas até desaparecer.

Quando se viu sozinha, começou a chorar e a correr, cortando na passagem os fachos de sol de inverno que as janelas projetavam no chão do corredor, até que, de repente, Gioconda apareceu à sua frente e a fez parar.

— *Buongiorno*, Luigia.

— *Buongiorno* — disse, limpando as lágrimas. Adquirira certo medo dela depois da missa de San Gennaro, por isso olhou em torno, imaginando como escapar.

— Está com medo de mim? — perguntou Gioconda, deixando-a constrangida.

— Não, claro que não! É que estou com um pouco de pressa.

— Eu tenho um cravo, você sabia? Carlo me deu — disse, sem dar atenção à frase de Luigia. Estendendo a mão a ela, convidou: — Quer me ouvir tocar?

Luigia não teve como recusar. Estranha doença aquela, pensou. Gioconda parecia completamente normal, equilibrada, serena. Fez com que Luigia se sentasse e tocou para ela com perfeição. Parou só quando a percebeu tranquila.

— Também acha que meu filho está louco?

— Não, senhora! Acho que ele sabe perfeitamente o que está fazendo — respondeu, irritada. — Não está louco coisa nenhuma! Não há nenhuma demência ali! Ele quer se vingar de todos nós, de mim, principalmente por causa de A... — interrompeu, lembrando-se do incidente da igreja. — Está aproveitando a situação para se vingar!

Gioconda soltou um suspiro profundo, levantou-se e caminhou até a varanda. O sol entrava pelas portas de vidro fechadas, produzindo retângulos distorcidos no chão. Gioconda fechou os olhos, como se quisesse absorver para si todo o calor tênue da manhã de inverno.

— Quando eu era pequena, adorava pegar passarinhos para criar. Minha mãe tinha pena de vê-los presos, mas eu gostava de ouvi-los cantar. Então, meu pai me ensinava: não se pode assustá-los! Eles têm medo de que os possamos machucar! É preciso aproximar-se mansamente deles.

Qualquer movimento brusco eles fogem para o céu. Uma vez, consegui chegar bem perto de um, mas fui inábil e, quando tentei segurá-lo, ele se debateu e me bicou a mão para escapar. Doeu bastante e tive de soltá-lo, porém o curioso foi que não voou alto no céu. Ficou sobre a árvore, e pude jurar que foi só para me ver chorar. — Gioconda deu um novo suspiro e se voltou para Luigia. — Passarinhos... — disse, meneando a cabeça — ... é preciso fingir que não os notamos se quisermos chegar perto deles, e não fazer caso nem chorar se nos bicarem a mão.

E dizendo isso, acompanhou Luigia até a saída e se despediu.

***

Francesca não quis comer. Mal aceitou três ou quatro colheres de sopa. Mamma não insistiu. Fez com que tomasse água e a acomodou nos travesseiros. Depois, qual menina travessa, apanhou o convite de Giordano e mostrou a ela.

— Olha, *figlia*, não é lindo? É do capitão Giordano! Ele mandou convidar nós *tutto*! *Non é bello*? — Francesca estendeu a mão e deslizou o indicador sobre as flores entalhadas no cobre. — Até lá, você estará mais forte e vamos todos, já decidimos! E, quando você se casar, vou mandar fazer *uno uguale per te*! *Te lo giuro*!

Francesca sorriu e segurou a mão de Mamma com firmeza.

— Mamma — sussurrou, os olhos cheios de lágrimas —, eu vi!

— *Cosa, figlia*?

— No penhasco, em Posillipo. As roupas dele...

— *Cosa stai dicendo, figlia*? *Io non capisco nulla*!

— As roupas dele, o baú... no penhasco... em Posillipo... Posillipo — murmurou, desmaiando em seguida.

— Dottore! Dottore! — gritou Mamma.

— O que aconteceu? — Dottore perguntou, alarmado, entrando na carroça.

— Não sei! Estava tudo bem... Eu estava mostrando a ela o convite de Giordano e aí, de repente, ela começou a dizer coisas sem sentido, puxou-me pela mão e desmaiou.

Dottore espalmou a mão larga sobre a testa de Francesca e, ao toque, contraiu o rosto numa expressão de angústia. A febre de novo. Não sabia mais o que fazer. Tinham sido inúteis o quinino e as sangrias. O saber dos livros provara-se ineficaz. Não havia entre as letras nada que lhe trouxesse luz.

— De novo... — murmurou. — Tudo de novo...

— *Calmati*, vamos insistir com o remédio — disse Mamma, procurando o vidro.

— Não adianta. Ele vai fazer de novo — murmurou Dottore, caminhando até a pequena bancada na qual os livros estavam abertos.

— Do que você está falando? — perguntou Mamma.

— Eu lhe pedi tantas vezes, Mamma. Por que você insistiu? Por quê?

— *Tu sei* o único médico *qui*! O que eu podia fazer?

— Você não vê? — prosseguiu, olhando para Francesca em desespero. — Ele nunca vai me deixar ganhar!

— Ele quem, *caspita*? *Cosa stai parlando*?

— Ele! — gritou, batendo as palmas das mãos sobre a mesa e atraindo a atenção de todos. — *Dio*! — apontou para o alto. — *Dio*! — disse e saiu da carroça. Vincé o seguiu.

— *Calmati*, Dottore! Ela vai sarar, calma! — consolou Vincé.

— O que você está tentando me mostrar desta vez? — perguntou, olhando como um louco para o céu. — Que eu não sou nada? Que eu não sei nada? Eu já sei! Você já me provou isso antes! Pensei que tivesse sido suficiente!

— Calma! — exclamou Vittoria, sacudindo-lhe o braço. — O que é isso? O que está acontecendo? O que deu em você?

— Ele já fez isso comigo antes! Vocês não sabem... — respondeu a ela, os olhos aguados, o rosto vermelho como se fosse explodir. — Ele a tirou de mim!

— De quem ele está falando? Está ficando *pazzo*? — perguntou Vincé a Mamma, que lhe respondeu com um tapa no ombro.

Dottore sentou-se na banqueta perto do fogo e esfregou a cabeça, desalinhando os cabelos.

— Ela se parecia com você — disse a Vittoria —, a minha *figlia*, Bionda, a coisa mais importante da minha vida! A mãe morrera quando ela ainda era *piccola così*! — mostrou com o gesto da mão. — Ficamos só eu e ela. Fui pai e mãe, e ela era tudo o que eu tinha! Era independente *come te*. Era cheia de ideias, e eu morria de medo de onde toda aquela inteligência ia dar. — — E depois de uma pausa em que chorou como criança, explicou: — Eu a vi definhar dia após dia nos meus braços e não pude fazer *nulla*! Nada! — Todos se entreolharam, surpresos. — Eu achava que sabia tantas coisas! Estudei a vida toda e tinha tanto orgulho disso! Mas quando ela precisou de mim... eu falhei. Falhei como agora!

— Não falhou coisa nenhuma! Está fazendo o que pode! Você não é Deus! — argumentou Mamma. — Pode saber *tutto i libri* de cor, mas não é Deus! Não pode se culpar pela morte da sua *figlia*, *neanche* pela doença da Cesca.

— Mamma tem razão! — disse Vincé, esfregando o ombro de Dottore num carinho. — *Anche perché, io penso* que essa doença da Cesca é tristeza. Só Arrabal poderia curá-la! E a *tua figliola... bene*, era o destino dela. As coisas são como são.

Dottore olhou para Vincé com ternura. De alguma maneira, suas palavras lhe apaziguaram o coração. *Porque é pelo amor, Dottore, não pelo intelecto, que se alcança o coração*, dizia Arrabal, e, naquele instante, Dottore realmente compreendeu.

— Eu tentei me matar — prosseguiu sem que indagassem. Devia a eles a história toda. — Mas até para isso fui incompetente. Fui internado às pressas por um vizinho e sobrevivi. Ia tentar novamente, mas então Arrabal apareceu.

Dottore deixou os olhos boiarem na cena que viu se desenrolar novamente no vazio. O consultório, a casa, os livros postos em sacos. Ia se desfazer de todos, como se pudesse assim igualmente se livrar daquela parte de si mesmo que passara a detestar. Arrabal o tinha abordado na tarde anterior, quando deixava o hospital e feito o convite. Precisava de um ator no espetáculo. Artistas... gente maluca! Já nem se lembrava mais do inusitado da conversa quando Arrabal apareceu à porta, na contraluz do dia, iluminado como um anjo pelo reflexo emprestado da manhã.

— Pensou no meu convite?

— Você de novo? Não sou ator, rapaz, sou médico! Quer dizer, era. Agora... agora só quero morrer!

— Mas a ideia é exatamente essa! — exclamou, saltando na ponta dos pés sobre as pilhas de livros no chão.

— *Come*?

— Morrer! Você morre para o personagem poder viver, ele me disse! — contou Dottore, sorrindo da lembrança.

— Daí, ele tirou a máscara do Capitano Matamoros de dentro da sacola, colocou no meu rosto e exclamou — Bem vindo à vida! E eu vivi!

Depois da frase, houve silêncio que era respeito, compreensão, até que se acercaram dele, até amorosamente o abraçar.

* * *

A noite foi de agonia. A febre e o delírio de Francesca misturando-se às lágrimas e ao desespero das preces. Dottore estava desfigurado, atônito. Mas então, o dia amanheceu e a febre se foi novamente. Dottore sabia, entretanto, que ela voltaria à noite. Francesca dormia quase todo o tempo, sem forças sequer para falar. Se não reagisse e se alimentasse minimamente, não suportaria por muito mais tempo.

Giordano, ao contrário, estava quase restabelecido e preparava-se para sair quando Pietro chegou, aflito. Precisava falar. Queria deixar o exército. Decidira no campo de batalha, vendo Giordano lutar em meio a toda aquela miséria e destruição. Não nascera para aquela vida. Não se forçaria mais! Disse tudo de uma só vez, como num irrefletido espasmo. Depois, manteve a cabeça baixa, esperando a reprovação de Giordano ou uma palavra firme que o fizesse reconsiderar, mas quando levantou os olhos Giordano sorria.

— Não decepcionei o senhor?

— De forma nenhuma, pelo contrário! Admiro sua coragem, tenente! Não imagina o quanto! Venha! Preciso resolver alguns assuntos pendentes. Conversamos no caminho.

CAPÍTULO XX

As núpcias

Foi Caterina quem encontrou Francesca sentada na cama, recostada nos travesseiros, quando chegou. Estava só. Mamma aproveitara a tranquilidade da tarde para tirar as roupas do varal.

— Cesca! *Dio Santo*! Você está bem? — perguntou, entre eufórica e aflita. — Como conseguiu se sentar assim?

— Ele me ajudou. Ele voltou, Caterí! — disse na voz fraca.

— Ele quem, *carina*?

— Arrabal! Ele veio me ver! Disse que me perdoou, que quer que eu fique boa depressa e que vai encontrar uma maneira de estar sempre por perto!

Caterí sorriu, penalizada. Mamma entrou e, na surpresa, deixou a cesta de roupas cair no chão.

— Ela disse que viu Arrabal... — sussurrou Caterí, arregalando os olhos, sinalizando não crer.

— È *vero, figlia mia*? — perguntou Mamma. — Ele voltou?

— Sì. E *mi ha perdonato*, Mamma! Também me deu uma flor! — acrescentou e fez menção de procurar entre as cobertas, mas de fraqueza, desistiu.

— Dottore vai ficar tão contente! — disse Mamma, abraçando e beijando Francesca com vigor, fazendo seu corpo frágil estremecer. — Ele foi ao hospital com Gigi. Já ia internar você!

— E Vittoria? E Vincé? — perguntou Francesca, com esforço.

— Ela foi resolver as coisas do teatro. Ele foi comprar umas coisas de que estou precisando. — E acrescentou, sorrindo: — Agora temos *denaro* para fazer compras! Eles também vão ficar tão felizes, *figlia mia*!

Mamma conseguiu fazer com que Francesca comesse e até risse um pouco. Caterí, entretanto, continuava séria.

— Não está feliz por ela? O que há? — perguntou Mamma, levando o prato para a cozinha.

— Estou com medo, Mamma! — sussurrou. — E se for *quella* melhora da mor...

Mamma interrompeu-lhe a frase com um leve tapa na boca.

— Xiu! Não diga besteira!

— Você está acreditando mesmo que Arrabal...

— Por que não? *Stiamo parlando* de Arrabal, hã? Por que não?

Caterí meneou a cabeça. Por que não? Por que não?, endossaram Gigi e Vitty, mas Dottore não acreditou, muito menos Vincé.

— *Poverina*! — lamentou este último. — Não tira Arrabal da cabeça!

— *Almeno* essa alucinação a fez melhorar — murmurou Dottore.

Cesca ainda conversou um pouco e até pediu *zuppa*, que bebeu devagar, com prazer.

— Agora basta! *Bisogna dormire, figlia*! — recomendou Dottore. — Não vamos abusar!

Vittoria e Mamma trocaram as roupas de Cesca. E quando Caterí puxou as mantas para sacudir, uma flor de papel de um rosa intenso saltou, amassada, do emaranhado das cobertas.

❊ ❊ ❊

— Ma *quello* teatro é só um pouco *più grande di una cantina, cazzo*! — reclamou Vincé quando, à noite, Vittoria os informou o novo endereço das apresentações.

Com a doença de Francesca, a temporada precisara ser interrompida, e Giovanni Brancaccio fora obrigado a contratar uma nova companhia, de ópera, desta vez.

— Por isso o nome, Vincé! La Cantina! — irritou-se Gigi.

— Acho que está *benissimo*, Vitty! — defendeu Mamma.

— Conheço o lugar. Já estive lá com Arrabal *un sacco* de vezes! — continuou Gigi.

— È *quello* sob as escadas da Chiesa di San Giacomo degli Spagnoli? — perguntou Caterí.

— Sim. É óbvio que o lugar tem problemas, mas é disso que dispomos no momento. Os teatros só se interessam pela óperas, e nos maiores não chegamos nem à porta — explicou Vitty.

— Como é o La Cantina por dentro, Vitty? — perguntou Mamma.

— Bem menor que o San Carlino. A plateia fica uns dez degraus abaixo do nível da rua. Deve caber umas setenta, oitenta pessoas nele. Entrada a um *carlino*.[1]

— É bem pouco — murmurou Dottore.

— Mas há ingressos mais caros ao redor da plateia, num tipo de camarote. Há uns dez, doze deles — continuou Vitty — Cabem umas quatro pessoas em cada, com relativo conforto. Nesses, o ingresso custa oito *carlini*.

— O público é bem vulgar, preparem-se — iniciou Gigi. — O lugar é cheio daqueles homens em mangas de camisa e bonés sujos.

— Esses ficam na plateia, atrás dos camarotes — consolou Vittoria, enchendo a caneca com chá fresco.

— Mas o público como um todo é bem mal-educado — garantiu Gigi. E como Vittoria lhe arregalasse os olhos numa repreensão, acrescentou: — É melhor eles saberem logo para não lhe apoquentarem depois, Vitty! — E prosseguiu: — A maioria tem o mau hábito de cuspir em qualquer lugar; não usa lenço.

— E*h*, *bene*, isso infelizmente se vê bastante em toda a cidade — argumentou Caterina.

— É, mas no La Cantina a coisa é pior, porque não só se cospe em qualquer lugar como também em qualquer parede, de modo que é difícil não se sujar quando se cruza a plateia.

Todos contraíram o rosto e gemeram, numa expressão de nojo.

— N*on sarebbe meglio* voltarmos a nos apresentar na carroça? — arriscou Vincé.

— Vocês só estão vendo os problemas — argumentou Vitty. — A plateia não é composta apenas desse tipo de gente. Quantas vezes, quando chegávamos no San Carlino, vimos, você viu isso mais de uma vez comigo, Mamma, nobres descendo de carruagens e os serviçais indo comprar ingressos? Está certo; é um teatro vagabundo? É! Seus frequentadores assíduos não são precisamente aristocratas? Não, não são! Mas muitos intérpretes renomados da nossa *commedia* já se apresentaram lá!

---

1. Moeda de ouro e prata cunhada com a imagem de Carlo I d'Angiò, ao qual se deve o nome. Equivale a quatro centavos, aproximadamente.

— Além de tudo, é o que temos — atalhou Mamma, com firmeza, e prosseguiu para Vincé: — E, não, Vincé, não vamos nos apresentar de novo na carroça! Essa peça é feita para o palco de um teatro e faz parte da mudança que Arrabal quer fazer, que nós queremos fazer! E *punto e basta*! — Dizendo isso, bateu a concha de cobre na panela, pedindo os pratos para servi-los, e ninguém reclamou mais.

❋ ❋ ❋

Francesca melhorava a cada dia. Não tinha mais febre e já conseguia, com a ajuda dos outros, dar alguns passos, o que fez Vittoria lembrar-se de Nicola e decidir voltar ao palácio para vê-lo naquela manhã. Estavam a quinze dias do casamento de Giordano, e havia por causa disso um alvoroço natural na cidade. Além disso, Carlo di Borbone decidira promovê-lo a tenente-coronel, cerimônia que se daria um dia antes das bodas.

Vittoria apanhou seus manuscritos, enfiou-os na sacola e se foi. Acabara de escrever na noite anterior, mas não dissera a ninguém. Era seu livro, seu primeiro livro! Mas a cada vez que o lia consertava algo, mexia, remexia. Tinha a sensação de que nunca estava suficientemente bom. Se Arrabal estivesse com eles, leria e, se ele gostasse, ela se sentiria então recompensada. Mas ele não estava, e Vittoria tinha certo pudor de mostrar aos outros o que escrevia. Leria para Nicola, se ele quisesse. Ele era direto, rude até. Ia dar sua opinião sem rodeios. O pensamento a fez sorrir. Quando na vida poderia imaginar que Nicola seria seu primeiro crítico e leitor? Entretanto, quando se aproximava a galope e o palácio crescia a distância, sentiu o coração apertar. Puxou as rédeas e diminuiu o trote. A guarda estava em formação à frente dos portões abertos, e a bandeira, com o brasão Della Fontana, hasteada a meio mastro no pátio.

— Ele morreu nesta madrugada, madame, *dans son sommeil*! — explicou Sophie, o nariz muito branco agora vermelho de tanto chorar.

— Morreu dormindo... — murmurou Vittoria. — Ao menos não sofreu.

— As irmãs dele estão aí. Souberam que madame esteve aqui e deram ordem para não deixá-la entrar. Não fui eu quem contou, madame! *Je vous jure*!

— Eu sei, querida, eu sei. Não se preocupe! Não tenho mesmo mais nada a fazer aqui. — E, depois de um abraço forte e demorado, Vitty se despediu: — Venha me ver quando puder, no teatro ou no acampamento. Sinto muita saudade de você.

— *Adieu, madame*!

Vittoria caminhou entre a guarda, o vento frio lhe enregelando o rosto, o som dos sinos do Monastero di Santa Chiara atravessando sua alma e a campina num langor triste. Olhou inda uma vez o palácio e Sophie, que lhe acenava, e à visão, o tempo se fez dobrar sobre o instante e a retornou menina ao dia em que chegara ali. Suspirou da paixão e da esperança incipientes de então. Correu o olhar da cena e buscou a janela do quarto-de-sonhar, onde fora, por momentos, tão feliz. Estava lá Arrabal e o encontro, e logo era ela livre, fugindo pelo portão. Então, de novo, ela era agora sobre o cavalo branco, com as mãos manchadas de nanquim. Sacudiu as rédeas e correu o mais que pôde pela campina. O tempo se dobrara sobre si dando sentido a tudo. O tempo que não o humano, de inventados inícios e fins. O contínuo misterioso que nos fazia por vezes retornar, para poder de fato prosseguir.

❃ ❃ ❃

Vincé terminou o presépio na manhã do casamento de Giordano. Trabalhou nele às escondidas por meses, e foi essa uma das razões de ter abandonado o pobre Saladino no canto do baú. Todos pensavam que construía um palco para a marionete e que era o seu esqueleto que guardava detrás das panelas de Mamma na cozinha. Mas Vincé fazia o presépio, como o que fizera para os filhos e como gostaria de ter feito para os netos. Agora, ele o construíra para sua família amada, peça por peça em terracota, como era *di moda* na Nápoles *settecentesca*.

O amor de Carlo di Borbone pelas artes fez com que a Natividade saísse das igrejas, para entrar nas casas da aristocracia e fazer com que famílias nobres e ricas disputassem qual dentre si exibiria o cenário mais criativo e detalhado. Aos poucos, também o povo tomou gosto, e cada casa, por mais simples que fosse, inventava a própria Natividade.

A cena era cada vez mais laica e cotidiana, por vezes quase profana, deslocando o foco da Sagrada Família para dar vida a personagens coadjuvantes: pastores, vendedores ambulantes e até mesmo prostitutas.

Vincé gostava dessa invasão do povo na cena sacra e não a considerava sacrilégio. Pelo contrário! Estava certo de que *Gesù* a aprovaria. Afinal, ele comia e bebia com os publicanos; estendia a mão aos pecadores e aos ladrões. Todo o resto era invenção dos homens, pensava enquanto esculpia com dedos longos e delgados as minúsculas criaturas.

Foi depois do desjejum, naquela manhã fria de dezembro, que ele os chamou e com olhar maroto, abriu a portinhola lateral da carroça, que servia de depósito de baús e coisas sem importância.

— *Mamma mia*! È *tanto bello*, Vincé! — exclamou Mamma, emocionada.

— Giuseppe Sanmartino ficaria com inveja *di te*, Vincé! — exclamou Dottore, referindo-se ao escultor napolitano considerado por muitos o mais importante daquele século. A demanda por presépios cada vez mais sofisticados o consagrou e fez com que inaugurasse, com a produção de suas figuras em terracota, uma escola de artistas de presépio na cidade.

Mas Vincé não precisava de escola. Tinha amor na ponta dos dedos, como Arrabal costumava dizer. E foi com esse amor e um tanto de alma de criança, que felizmente nunca o abandonara, que preparara a surpresa. Ficaram todos mudos e emocionados diante da portinhola aberta, os olhos úmidos correndo as figuras todas que a fantasia de Nápoles ao longo dos séculos imortalizara.

Estava lá Benino, o menino pastor, adormecido na gruta. O Anjo lhe anunciaria durante o sono a boa-nova. Mas a tradição acautelava: que ninguém o acordasse! Do contrário, todo o presépio imediatamente desapareceria, como se, de maneira inconsciente e coletiva, o povo compreendesse as possibilidades do sonho e seu contraponto com a realidade.

Próximo a Benino ficavam Vinaio e Cicci Bacco em suas tendas. O primeiro representando a manufatura do pão, e o segundo, o vinho, ambos dons com os quais Jesus instituiu a Eucaristia.

Mais adiante, *il pescatore*, porque o peixe fora o primeiro símbolo dos cristãos em tempos de perseguição religiosa. Pescador de almas, como o Mestre convidara os apóstolos a serem.

Para demonstrar seu caráter democrático e genuinamente cristão, o presépio napolitano trazia nas vizinhanças da *osteria*, aos pés da Natividade, a meretriz. O erótico em contraponto à divina virgindade. Uma demonstração tácita de que, ao menos na alma, em Nápoles todos eram filhos de Deus.

E lá estavam ainda o *monaco*, zi' Vicienzo e zi' Pascale, personificações do Carnaval e da Morte, La Zingara, La Lavandaia e Stefania.

— Stefania? Quem é essa? — perguntou Cesca.

Foi Dottore quem explicou:

— É uma lenda antiga. Stefania era uma jovem virgem que quis adorar Jesus na manjedoura, mas foi impedida pelos anjos, que só às casadas permitiam a visita. Stefania então pegou uma pedra, enrolou-a em panos e pôs debaixo da roupa para fingir que esperava um filho. Assim, conseguiu, no dia seguinte, ver o Menino Deus.

— E foi então, na presença de Maria, que um milagre se deu — emendou Vincé, deixando Dottore vermelho de irritação. — A pedra se transformou numa barriga de verdade, e Stefania se viu grávida. Daí ela chamou o bebê de Stefano, e ele, depois de crescido, tornou-se santo.

— San Stefano? Por isso o dia dele é 26 de dezembro?

— *Ecco*! — exclamaram Dottore e Vincé juntos, para trocarem uma careta mútua depois.

Francesca correu os dedos sobre as imagens e sobre cada contorno das casas daquela cidade diminuta e colorida, os olhos negros mergulhados em lágrimas de riso e maravilha.

— Parece um brinquedo! — disse, rindo a Vincé — Sempre quis ver um assim de perto!

— *Ecco*! Este é *il tuo*! — respondeu Vincé, e apontou: — *Guarda il mercato* aqui! Cada *mestieri* representa um mês do ano. *Gennaio*, o açougue e a mercearia. *Febbraio*, o vendedor de ricota e queijo. *Marzo*, o vendedor de galinhas. *Aprile*, o de ovos. *Maggio*, *questa donna* que vende cerejas...

— Já sei! — exclamou ela, afastando a mão de Vincé. — *Giugno*, o padeiro; *Luglio*, o vendedor de tomates. *Agosto*... — procurou, correndo os olhos pela praça de terracota — ... esse que vende melões!

— *Ecco*! *Settembre*?

— *Settembre*... o agricultor ou semeador! *Ottobre*, o negociante. *Novembre*, o vendedor de castanhas, e *Dicembre*...

— E *Dicembre*, Cesca? *Chi è*? — perguntou Vincé.

— *Eccolo qua*! O vendedor de peixes!

— *Perfetto*! — exclamou, segurando e beijando o rosto de Francesca. — E aqui, no alto, La Meraviglia! *Guarda*, Cesca, *come é bello questo*!

La Meraviglia era a Natividade: José, Maria e o menino homem e santo. Era o fim da jornada que começava com Benino e da qual participavam todos os que ali estavam. O menino Deus, unia e abençoava, com seu nascimento, tudo de profano e de divino que havia em torno.

— É lindo! — disse Vittoria, abraçando Francesca pela cintura. — Mas agora temos de nos arrumar ou vamos nos atrasar para o casamento. E a *signorina* ainda precisa ajustar o vestido. Vamos lá, mocinha! Caterí está esperando!

Cesca saiu, enxugando as lágrimas no vestido. Ainda estava magra, mas já corada e novamente elétrica em seu movimentar pela manhã.

— Sua roupa já está passada! Você estará muito distinto, Vincé! — disse Vittoria.

— É roupa do defunto, é? — perguntou, referindo-se a Nicola. Sophie ficara encarregada de se desfazer do guarda-roupa do patrão e achara que Vittoria era quem deveria dar destino às vestes. Vitty separara uma parte pequena para o figurino e distribuíra o restante entre os mais pobres na cidade, para desespero das cunhadas.

— Não, ele não as usou depois de morto. São roupas boas, Vincé! Você vai fazer uma excelente figura com elas!

Vincé meneou a cabeça e sorriu. Logo estavam prontos e, assim, com as roupas reformadas de Vittoria e Nicola, pareciam membros da corte. Vittoria trouxe ainda algumas das joias que guardara com frei Arturo e enfeitou a si e às outras mulheres da trupe.

— Quero que se admirem de nós! — disse, colocando brincos de turmalina nas orelhas de Mamma.

Frei Arturo havia aceitado, após fingir-se reticente, guardar por um tempo os livros de Vittoria. No íntimo, estava exultante. Há muito não punha os olhos em volumes de tão boa qualidade e poder deles desfrutar lhe parecia um verdadeiro presente. Quanto às joias, de fato relutou. Era sempre coisa de temer ter na casa paroquial valores daquela monta. Mas Arturo tinha estima especial por Vittoria e, por mais que tentasse esconder, visível admiração. Assim, ficaram livros e joias, com a promessa de Vittoria de livrar o Frei de ambos assim que conseguisse por em prática umas tais ideias que, disse, vinha maturando.

❀ ❀ ❀

A igreja do Monastero di Santa Chiara estava repleta de gente de todas as classes sociais. Os nobres, acomodados nos bancos, olhavam com um misto de desconfiança e temor para os plebeus, que se acotovelavam, de pé, nas laterais e nos fundos da nave. Nem mesmo as roupas finas dos Della Fontana deram à trupe o privilégio de se sentar entre eles.

Mas, quando Vittoria surgiu à porta no vestido de veludo escarlate, os brincos de diamantes, pequenos, pendendo das orelhas delicadas, de novo marquesa, como de direito e de alma nunca deixara de ser, os comentários cruzaram a nave à baixa voz. Vittoria engoliu em seco, discretamente, algumas vezes, o suficiente para Dottore perceber-lhe a apreensão. Então, galante em sua veste negra, as rendas da camisa fina de Nicola lhe explodindo no peito, ele ofereceu o braço a ela e entraram. Uma emoção inesperada o envolveu no ato. Era um sonho que inadvertidamente se realizava. Conduzia Vittoria e, com ela, a filha querida, e podia-se dizer que morria de orgulho de sua soberba beleza. Gigi o imitou e deu o braço a Caterina, e Vincé, vaidoso de sua indumentária cintilante de fios dourados e seda, conduziu, como se lorde fosse, Mamma e Cesca.

Duas fileiras de oficiais ladeavam o corredor central, terminando na grande rosácea que decorava o chão do largo à entrada principal. Logo, os sinos dobraram e encheram a igreja medieval de uma espécie de saudade.

Giordano surgiu, trazendo Gioconda pelo braço, e um novo murmúrio de assombro percorreu os bancos. Carlo quis impedi-lo, mas Giordano nem sequer permitiu que falasse. A mãe iria com ele. Era o dia mais importante de sua vida e a queria ao seu lado. Devia a ela aquele instante de felicidade.

Ela estava radiante, devolvida ao natural de sua nobreza, bela como fora um dia. Os olhos muito azuis, aquosos de emoção indisfarçada, ora pareciam a tudo perceber, ora navegavam numa vaga invisível de felicidade.

Giordano também estava feliz, era fácil perceber, Vittoria avaliou, vendo-o passar, no uniforme de gala, o peito largo exibindo as condecorações e a nova patente que a quase morte lhe tinham outorgado. Seus olhares se cruzaram, e ele percorreu-lhe o rosto com ternura. Se não houvesse Luigia... seriam os dois, com certeza, ele pensou. Vittoria sorriu e discretamente bateu as pontas dos dedos, simulando carinhoso aplauso. Só então, Giordano notou. Todos garbosos, em roupas finas. Sorriu largo, agradecido por toda aquela dedicação. Eles retribuíram, como se íntimos dele fossem, e Mamma... bem, Mamma chorou.

As espadas cruzavam-se na passagem, as lâminas cintilando como estrelas. Gioconda gostou de olhar para elas e por pouco não interrompeu o cortejo, distraída pelo brilho que lhe provocavam nos olhos.

O coro das clarissas entoou *Panis Angelicus*, e Luigia entrou. Giordano sentiu o coração desmanchar. Era ela deusa e sob o véu sua beleza oculta. Era o vestido em branco e ouro fazendo dela majestosa e o deslizar seu passo lento sobre as pedras frias do chão. Era ela fada e flutuava como música, era ela vaga, imensidão.

Um turbilhão de emoções desencontradas fez Luigia estremecer quando avistou Giordano no altar. Quis correr e abraçar. Quis implorar, depois cessar, se possível fosse, o existir. E quanto mais se aproximava, e o rosto dele e sua épica figura se destacavam do conjunto que já de muito não mais percebia mais, sorriu de amor por sob o véu do rosto e de amor, um pouco, lacrimou. Não fosse o medo, ter-se-iam dado as mãos. Não fosse a mágoa, ter-se-iam se declarado quando Giordano dela levantou o véu. Mas eram tristes e eram fracos e assim, o. amor, acanhado, se calou.

Na festa, Giordano desapareceu tão logo cumpriu o protocolo dos cumprimentos. Bebia vinho a goles largos quando Angelina se aproximou.

— *Signore*, há uma grande agitação lá fora. Aquelas pessoas que o senhor convidou para a cerimônia religiosa estão nos portões dizendo que também foram convidadas para a festa.

— Sim, é verdade — respondeu ele, sorvendo o vinho, agora devagar.

— Mas...

— O que você está esperando? Faça-os entrar!

— Sim, senhor! — respondeu Angelina, afastando-se, contrariada.

— O que você pretende com isso? Posso saber? — perguntou Luigia, surgindo às costas dele.

Giordano suspirou e olhou para ela simulando indiferença.

— Animar a nossa festa, querida! O que mais poderia ser? — respondeu e afastou-se.

Os portões foram abertos, e uma multidão multicolorida e barulhenta adentrou os salões. Os nobres, instintivamente, aglomeraram-se em cantos, como se protegendo da turba. Di Medinacelli olhava furioso para Carlo Romanelli, que balançava a cabeça sem saber o que fazer. Gioconda, ao contrário, sorria. Filippo caminhou na direção de Giordano para cobrar-lhe uma explicação, mas então o povo simples cercou o casal de noivos e, calorosamente, os parabenizou. Luigia, apesar de confusa e um tanto amedrontada, ficou enternecida. Talvez Giordano tivesse razão. Estava certa de serem aqueles os cumprimentos mais sinceros que recebera na noite.

Maria se divertia observando a confusão, quando ouviu senhoras da corte embrulhadas em sedas e penachos comentarem:

— Já tinha ouvido falar que Giordano Romanelli voltou perturbado da guerra, mas ele está completamente louco! Como teve coragem de trazer essa gente aqui?

— Pobre Luigia! Essa não tem sorte mesmo!

Carlo estava arrasado, atônito, preocupado com o desastre iminente, quando Gioconda lhe tocou o ombro e, com voz doce, aconselhou:

— Peça aos músicos que toquem, *carino*! A música iguala a todos e a tudo sana. Peça música!

Carlo seguiu o conselho da esposa e logo pares bailavam pelo salão, diminuindo a tensão no ar. Gioconda... Como desejava que fosse sempre assim, lúcida, pensou. E num arroubo do carinho antigo, estendeu a ela a mão e também ele convidou.

— Dar-me-ia a honra?

Dançaram como se fossem, uma outra vez, os dois apenas. Tinham de novo a música e o brilho dos salões. E pelo menos por pouco, por um tanto de tempo indefinido, a tristeza e loucura haviam ficado para trás.

Vittoria cruzou o salão, e Giordano a seguiu com o olhar. Estava magnífica! Até mesmo as senhoras da corte foram obrigadas a concordar. Caminhava soberba entre a nobreza, como se de fato nunca se tivesse afastado dela. Luigia sentiu certo incômodo ao ver a cena. Mais ainda quando Giordano caminhou em direção a Vittoria e estendeu-lhe a mão, convidando-a à valsa.

Vittoria aceitou, mas viu Luigia e seu olhar enciumado no canto da sala.

— Melhor não. Sua esposa parece aborrecida.

— Não se preocupe com ela — disse ele, deslizando com Vittoria pelo salão, antes que pudesse articular palavra. — Você está linda!

— Obrigada! Você também, capitão. Quer dizer, tenente-coronel, não é? Parabéns! Foi uma bela atitude do rei. Você merece todas as honras.

— Obrigado! Ouvi dizer que vocês vão apresentar a *Cantata dei Pastori* na noite de Natal, na praça. É verdade?

— Sim, vamos! Frei Arturo nos contratou assim que Arrabal partiu. Você vai nos assistir?

— Se puder, vou, sim. Mas e a peça? Soube que tiveram problemas.

— Quando o público começou a gostar do espetáculo, Francesca ficou doente e tivemos de deixar o San Carlino. Mas estamos no La Cantina.

— La Cantina? Não é aquela taverna?

— É. Mas foi o teatro que nos aceitou, e no momento estamos felizes com isso — respondeu ela, contraindo o rosto de leve.

A temporada não ia bem. Era o público errado ou o espetáculo errado para o lugar, mas Vitty, percebendo-lhe a preocupação, preferiu ocultar.

— Entendo. Que bom que não desistiram.

— Não! Desistir jamais! Mas por que está tão preocupado conosco?

— Remorso, talvez — disse ele, parando de súbito e conduzindo-a pela mão para a varanda. — Ele nunca mais apareceu?

— Arrabal? Não.

— Mas vou trazê-lo de volta, Vittoria! Prometo!

— Como? Ninguém sabe onde ele está!

— Também não sei, mas vou encontrar uma maneira. Dou-lhe minha palavra!

Vittoria debruçou-se no parapeito da varanda, e o perfil de seu rosto desenhou-se contra o céu de inverno em rosa e azul. Giordano suspirou.

— Por isso nos convidou para o seu casamento? Por remorso?

— Não. Convidei-os porque vocês são, de fato, a família do meu irmão. De alguma forma, é como se ele também estivesse aqui. E você... bem, você dispensa explicações.

Sorriram e no sorriso e no tão próximo dos rostos, houve que lembrar a noite na taverna e a lua fazendo seu percurso no céu em direção ao amanhecer.

— Quem entre vocês é o *cantante*? — perguntou ele, despertando ambos da letargia.

— Gigi. Como sabe que há um *cantante*?

— Mostre-me quem é.

De volta ao salão, Vittoria apontou.

— Aquele lá! Mas ainda não entendi. Por que quer saber?

— Você já vai entender. — Dizendo isso, fez parar a música e chamou a atenção de todos. — Por favor, *signore e signori*, gostaria de apresentar a todos um novo músico e *cantante*. Ele vem fazendo grande sucesso nos palcos de Roma e Veneza, e hoje veio abrilhantar este casamento com sua voz. — Estendendo a mão a Gigi, que o olhava estupefato, chamou: — *Signore... Signore...*

Foi Mamma quem completou.

— Luigi Tomanesi!

— Luigi Tomanesi! — Giordano repetiu, com ênfase. — Por favor, cante para nós!

Gigi olhou em torno, apavorado. Nunca cantara para uma plateia de fato, muito menos, para uma como aquela, que o media cima abaixo, como se fosse exemplar de uma raça exótica qualquer. Mas então Caterina soprou um beijo e lhe sorriu, e tudo serenou. Gigi ainda engoliu em seco algumas vezes antes que sua voz pungente subisse e se espraiasse pelo ar, calando todas as bocas e fazendo os olhos desdenhosos cintilarem.

Luigia buscou Giordano com o olhar e no magnetismo indecifrável dos sentidos ele voltou a ela o rosto, do extremo oposto da sala. Tudo ficou suspenso no instante. Era só a voz de Gigi, amolecendo a alma e os olhos dela que nos seus assim pousados, pareciam adorá-lo. Ele quis fugir e voltar novamente o rosto à música, mas o olhar dela, levemente lacrimoso, manteve-o preso ao seu. Numa ironia poética, foram os versos de Arrabal, os que a ela dedicara na noite primeira na praça, que saltaram em sua lembrança resumindo o instante: "O *amor vazou irremediável pela íris e interrompeu o ritmo do universo e nos deixou assim, num átimo suspensos, no torpor do encontro cúmplice das órbitas, até que um piscar de olhos sobreveio e pôs todas as coisas de novo a se moverem e fez a vida, pequenina, voltar exatamente ao que era antes*".

Uma onda de aplausos febris e ruidosos encheu o salão assim que Gigi se calou.

— Um brinde ao seu remorso, tenente-coronel! — disse Vittoria a Giordano. — Ele produz maravilhas!

Giordano sorriu para ela e se dirigiu a Gigi, aplaudindo-o.

Mamma, ainda lacrimosa, puxou Vittoria pelo vestido e reclamou:

— A *moglie* dele não para de olhar para cá! Que diabos estão fazendo vocês dois?

— Nada, Mamma! Deixe de bobagens! Giordano é meu amigo. Vou me despedir dele e depois vamos embora.

— *Grazie a Dio*! Já é mesmo hora! Se é que vamos conseguir arrancar Gigi do meio *di quello sacco di gente*!

Era mesmo difícil divisar Gigi entre a nobreza que o cercava de cumprimentos e mimos. Caterina observava, constrangida, as damas da corte embrulhadas em seus vestidos de festa sorrindo para Gigi, sedutoras; não fosse por ele manter-lhe a mão entrelaçada à sua, já se teria afastado.

Vittoria caminhou para Giordano a fim de se despedir. Luigia teve um ímpeto de correr para ele, vendo-a se aproximar e percebendo no ar sinais de visível intimidade, mas não o fez.

— Devia parar de beber agora — aconselhou Vittoria, tirando das mãos dele a taça recém-servida e devolvendo-a à bandeja.

Ele sorriu.

— Não se preocupe. Estou melhor do que aparento estar. Preciso fazer um pouco de cena na minha saída triunfal.

Vittoria não entendeu, mas sorriu. Ficaram um instante em silêncio observando o povo que se servia, voraz, dos pratos à mesa. Então Giordano, aproveitando-se da distração dela, puxou-a para o corredor, num movimento inesperado.

— Não faça isso! Luigia já está sentida! Devemos respeitá-la! — disse Vittoria, dirigindo-se novamente ao salão. Mas Giordano fez que não ouviu a frase e a deteve, colando-lhe as costas no mármore róseo da parede.

— Quero que você saiba... — disse ele, os lábios quase nos dela — ... Se eu não a amasse, e nem ao menos sei por que amo essa mulher, mas se não a amasse...

Vittoria pousou o indicador sobre os lábios dele. Depois acariciou seu rosto e deslizou as mãos para seu peito largo. Giordano a puxou para junto de si e a beijou longa e lentamente, e Vittoria, esquecida dos princípios e de toda a correção que lhe norteava o existir, entregou-se àquele último beijar. Depois, abraçaram-se com ternura.

— Seja feliz, Giordano! — murmurou ela, sem disfarçar as lágrimas que lhe inundavam os olhos, e partiu.

Luigia o procurava entre os convidados quando ele surgiu inesperadamente seu lado e a tomou pelo braço, num movimento brusco.

— O que é isso?

— Desculpe — disse ele, simulando um torpor exagerado que, de fato, não sentia e conduzindo-a até seus pais. — Está na hora de partir! — concluiu, abraçando-a com certa brutalidade.

Luigia o encarava assustada.

— É cedo ainda! — argumentou Carlo, preocupado com o estado das coisas.

— Não para um casal apaixonado, não é, querida? — perguntou a Luigia, apertando-a nos braços ainda mais. — Olhe para ela! — disse alto, chamando a atenção das pessoas ao redor. — Veja como está feliz! Ela mal pode esperar!

— Pare com isso! — pediu ela, envergonhada.

— É melhor irem agora — interrompeu Di Medinacelli, temendo um escândalo maior.

— É, acho que sim — concordou Carlo.

Sem que Luigia pudesse evitar, Giordano a tomou nos braços e a rodopiou. Gioconda riu e bateu palmas, e o povo humilde no salão a imitou. Luigia estava prestes a chorar.

— Ponha-me no chão, por favor — pediu.

Giordano começou a subir as escadas com Luigia nos braços. De repente, parou e voltou-se para o salão.

— Obrigado, meus amigos! Muito obrigado por tudo! Agora a festa é de vocês! Comam e bebam à vontade! — concluiu e desapareceu no alto da escadaria, entre os aplausos ingênuos dos plebeus.

CAPÍTULO XXI

A chave

O quarto estava enfeitado para a noite, mas Giordano não percebeu. Entrou e colocou Luigia sobre a cama num gesto bruto.

— Não se preocupe! — disse ele, recobrando o normal de seus sentidos. — Eu não vou ficar! Só queria deixar aquela festa!

— Não está embriagado, então?

— Não — respondeu e caminhou para a porta.

— Espere! — pediu ela. — Por favor!

Giordano se manteve de costas, a mão presa à maçaneta da porta.

— O que você quer? — perguntou.

Luigia puxou um suspiro profundo, tentando escolher palavras que pudessem lhe tocar o coração.

Giordano impacientou-se e abriu a porta.

— Se queria me punir, você já conseguiu — arriscou ela, para evitar que ele saísse. — Estou me sentindo devidamente miserável. — Giordano ameaçou amolecer e considerou-se estúpido logo depois. — Sei que não pode me entender. Arrabal também não pode. Nem mesmo eu consigo compreender o que se passa comigo, mas queria que acreditasse em mim.

Giordano suspirou e voltou-se para ela.

— Do que você está falando?

— Não menti para você. Não o enganei quando disse o que sentia, quando disse... que o amava.

— Ora, pelo amor de Deus! — Giordano irritou-se e fez menção de sair.

— Mas eu amo os dois! — disse alto. — Eu admito! Essa é a verdade! Eu amo os dois! Não sei como é possível, mas é o que sinto! Amo vocês dois de maneiras diferentes, porém com a mesma intensidade!

Giordano fechou novamente a porta, sem se virar para ela.

— Admiro você, respeito-o, tenho-lhe confiança, total confiança, que não nutro sequer pelo meu pai. Meu falecido marido era um canalha, todos sabem! Então, quando meu pai me falou sobre você e sobre esse novo casamento arranjado, pensei que ia conhecer um tipo desprezível outra vez, ao lado do qual teria de passar o resto da vida, a quem teria de submeter minha vontade de novo. Mas então era você! Honrado, reto, digno, cheio de coragem. O homem mais nobre que conheci na corte. — Giordano sentiu o coração se desmanchar e instintivamente afrouxou a mão em torno da maçaneta. — E com Arrabal... — continuou Luigia — ... bem, com ele é outra coisa. Com ele eu posso sonhar. Ao lado dele sou livre como nunca fui na vida. Posso rir alto, brincar como uma criança sem modos, sem me preocupar com protocolos, boas maneiras, com o que é de bom-tom — ironizou. — Não sou obrigada a desempenhar nenhum dos papéis que destinaram a mim. Com ele, não há convenções. O certo é o que dita o coração! Ele me aceita e não pede nada em troca além do meu amor! E mais: estar ao lado dele foi uma escolha minha! A primeira livre escolha que fiz na vida!

— Você não precisa me dizer mais nada — disse Giordano, com a voz já enternecida.

— Mas por você... — Luigia continuou como se não o tivesse ouvido — ... por você sinto essa paixão que me apavora. Você sabe, eu sei que sabe. Por você tenho esse sentimento avassalador que me mostra a mulher que eu nem sequer sabia que existia em mim — e prosseguiu, após uma pausa, desistindo da escolha de palavras: — De alguma forma, ceder a tudo isso me dá a sensação de me perder e nunca mais me reencontrar. É como se, de tão forte, isso me dragasse até me fazer desaparecer. Não sei explicar muito bem.

Giordano soltou de vez a maçaneta e espalmou a mão larga sobre a porta. Balançou de leve e afirmativamente a cabeça. Podia compreender. Também ele se sentia assim.

— Por que está me dizendo essas coisas? — perguntou ele, finalmente voltando-se para ela. A voz já saindo doce e amolecida da garganta.

— Porque eu quero que fique! Quero que fique esta noite comigo! Você disse que só me tocaria de novo se eu lhe implorasse. Pois bem, estou implorando agora.

Giordano não queria ceder, não podia. Tentou reviver as mágoas, agarrar-se à lembrança do olhar de ódio na partida para a guerra, ao desprezo total na chegada, mas tudo o que conseguiu fazer foi murmurar:

— Você é louca! E eu também! — dizendo isso, mergulhou nos braços dela.

As velas bruxuleavam sobre o criado-mudo, projetando a silhueta do amor nas paredes do quarto. O fogo da lareira crepitava do calor dos corpos, da dança atávica das pernas, do descobrir de curvas e sentidos. Era felicidade tanta e tão intensa que a temiam fugidia, por isso repetiam num contínuo de amor a coreografia, até que o cansaço trouxe o sono e o amanhecer.

Foi Luigia quem primeiro despertou. Deixou por instantes o olhar vagar no rosto dele, que, sereno no sono, parecia um menino. Correu de leve o indicador nas sobrancelhas, no retilíneo do nariz, na boca entreaberta como se pedisse um beijo. Giordano remexeu-se, virou-se de lado e acomodou-se sem despertar. Luigia levantou a coberta e, como menina travessa, vasculhou-lhe o corpo aos detalhes, como para conhecer o que supunha seu. Ele ainda usava uma atadura no abdômen sobre o ferimento recém-cicatrizado. Luigia alisou-lhe os cabelos, as costas largas, e deslizou as mãos pela cintura. Giordano virou-se novamente e abriu os braços. Foi aí que ela viu. Ficou por um momento petrificada, sem saber o que fazer. Estava lá, na parte superior do abdômen, a cicatriz em forma de meio coração, a que vira em Arrabal e que ele dissera ser sua marca de poeta. Estava ali, no mesmíssimo lugar.

Instintivamente, Luigia recuou e encolheu-se. Quis gritar, correr, pensou em fazê-lo acordar e se explicar. Era a cicatriz, tinha certeza, era a mesma! Era Arrabal quem estava ali, deitado ao seu lado. Por isso o comportamento inusitado; por isso os pobres como convidados; por isso Gigi e a música! Matara Giordano, como jurara que o faria no dia em que soubera que o casamento fora marcado! Fingira ir embora e voltara sem aviso para matar o irmão ainda fraco! Ou talvez antes — antes mesmo da batalha!

Tentou levantar a atadura que cobria o ferimento de guerra. Talvez nada houvesse ali. Talvez fosse tudo forjado, tudo falso, simulado. Giordano se mexeu de novo, e Luigia encolheu-se ainda mais, escorregando para fora da cama. De repente, lembrou-se da chave que Giordano lhe dera e do segredo que, dissera ele, Mamma guardava. Se Arrabal voltara, ela com certeza sabia. Buscou a chave pé ante pé no pote de porcelana da penteadeira, cobriu-se com a capa, calçou as botas e saiu.

— Maria, apronte uma carruagem, depressa! Preciso sair!

— Mas o que aconteceu, *signora*? Está de roupas de dormir!

— Não faça perguntas! Me ajude! Depressa!

A trupe tomava café no acampamento quando Luigia desceu da carruagem, olhos vermelhos e arregalados, agitando a pequena chave nas mãos.

— O que é isso, Mamma? A senhora sabe?

Mamma reconheceu a chave. Ela a reconheceria em qualquer lugar.

— Quem lhe deu isso?

— Giordano, eu acho. Já não sei mais. — Como todos olhassem espantados, arriscou: — Vocês sabiam que ele tinha voltado, não sabiam? Sabiam que ele tinha voltado?

— Arrabal? — perguntou Vittoria, já esboçando um sorriso. — Está falando de Arrabal?

— Claro! De quem mais poderia ser? Não se faça de sonsa! — gritou para Vittoria.

— Eu sabia! — atalhou Francesca, orgulhosa. — Ele veio me ver dia desses!

— Então é ele mesmo! É ele, *Dio Santo*, eu estava certa! Ele matou Giordano! — disse e iniciou um caminhar em círculos. — Matou!

O grupo reagiu.

— *Ma* que maluquice é essa agora? — disparou Vincé. — Arrabal não matou ninguém! Do que você está falando?

— Arrabal não mataria nem *una* mosca, quanto mais o irmão! — afirmou Dottore.

— *Calmati, figlia mia*! Vem comigo! — Fazendo sinal ao grupo, Mamma afastou-se com Luigia na direção do rio.

— Giordano me deu a chave e disse para procurar a senhora. — Ela falava depressa, a respiração curta, o rosto transfigurado. — Ele ainda estava vivo, foi antes da batalha. Coitado!

— Arrabal não matou ninguém, *figlia mia*! *Credi a me*!

— Ele tem a mesma cicatriz, aqui no mesmo lugar! — disse, revoltada, apontando para o próprio abdômen. — Como se explica isso? Não se trata de um traço qualquer que se possa confundir. É a mesma, em forma de meio coração. É ele quem está lá, dormindo na minha cama, se fazendo passar por Giordano Romanelli. É ele! Ele é um assassino! Ele matou o irmão! — Luigia disparou chorando, descontrolada. — Ele disse que o faria e fez! Fingiu que aceitou a perda, fingiu ir embora para pegar Giordano desprevenido e matá-lo! Foi isso que ele fez! E a culpa é minha, *Dio Santo*, a culpa é toda minha!

— Não aconteceu nada disso, eu garanto! — Mamma disse, segurando-lhe os pulsos, já também tensa por não conseguir contê-la. — Olhe para mim! Garanto a você que ele não matou ninguém!

— A senhora quer protegê-lo! — continuou Luigia, alterada, puxando as mãos. — Todos vocês querem protegê-lo! Mas a menina disse que ele esteve aqui! Não adianta mais! Sei a verdade e vou contar a todos! Ao meu pai, ao pai dele, ao frei Arturo, até ao rei! — Dizendo isso, correu.

Não havia mais saída; não havia mais como evitar. A hora chegara. Por isso, Mamma, mal contendo a respiração ofegante, gritou:

— Espere! Vou lhe contar a verdade!

Luigia parou e demorou um instante para se voltar a Mamma. Aquela disposição repentina a fez recuar. A verdade, depois de dita, seria irreversível. Seria, de alguma forma, o fim.

— Fale! — disse, voltando-se.

Mamma aproximou-se lentamente dela, respirou fundo, buscando coragem e inspiração, e falou:

— Arrabal não matou Giordano porque Arrabal *semplicemente* não existe.

— O quê?

— É isso mesmo que você ouviu. Você não queria a verdade? Essa é a verdade. Arrabal não existe! Não existe! — gritou Mamma.

— Que loucura é essa? O que a senhora está dizendo? Não sabe mais o que inventar para protegê-lo?! Não vê que é patético? Como assim Arrabal não existe?

— Arrabal é uma invenção de Giordano, Luigia! Uma personagem que ele criou para si — disse Mamma, divisando o rosto estupefato da trupe por entre as árvores.

— Pare com isso! O que pensa que eu sou? Algum tipo de idiota? — gritou Luigia. — Arrabal vivia aqui com vocês! Convivi com ele; convivi com Giordano...

— Ao mesmo tempo? Alguma vez esteve com os dois juntos, no mesmo momento, em algum lugar?

Luigia buscou na mente qualquer recordação que fosse. Um momento durante todo o ano que passara em que tivesse estado com os dois. Não havia. Simplesmente não havia.

— Se não crê em mim, pergunte ao pai dele, à aia Teresa. Todos vão lhe dizer que só existe Giordano — insistiu Mamma.

Luigia viu igual surpresa na expressão perplexa dos outros e então calou-se. Ficaram por um instante todos quietos, tentando ordenar os pensamentos àquele quinhão de realidade. Foi Luigia quem primeiro se moveu. Aproximou-se lentamente de Mamma, evitando quebrar os gravetos sob os pés, como se temesse que qualquer ruído pudesse espantar a disposição da matriarca de esclarecer toda a verdade.

— Por quê? — perguntou, sem conter os soluços. — Qual foi o propósito de uma loucura dessas?

— Explique isso, Mamma, pelo amor de *Dio*! — Vittoria também pediu. — Se isso é verdade, todos nós temos o direito de saber!

— Foi a maneira que ele encontrou de sobreviver — Mamma iniciou a prosa, olhando com tristeza para os amigos, penitenciando-se por tirar deles a melhor das fantasias.

— Mas falei com a mãe dele sobre Giuseppe na presença de Teresa. Depois falei com meu sogro, que inclusive me repreendeu por falar sobre ele com a duquesa. Existe um Giuseppe! — insistiu Luigia.

— Giuseppe morreu quando ainda era criança. Foi um acidente. Ele e Giordano brigavam por um brinquedo, aquela marionete, *il feroce Saladino*, que o avô dera a Giuseppe. A mãe deles já era uma pessoa doente dos nervos e, para tentar apartar a briga, puxou o brinquedo das mãos deles, mas empregou tanta força que a marionete escapou das suas e foi arremessada num precipício. Num movimento rápido, desses nos quais as crianças são capazes de nos cegar, Giuseppe correu e mergulhou atrás do brinquedo. Não houve tempo para nada. Foi numa fração de segundo!

Luigia pôde compreender Gioconda e sentiu pena.

— Por isso o pai falou em um filho morto... — murmurou.

— *Ma* então esse boneco que Arrabal carregava não era o que o avô fez. — perguntou Vincenzo, meio atordoado com tudo.

— Não. Ele mandou fazer outro igual para substituir aquele que se destruiu na queda — Mamma explicou e, após breve silêncio, prosseguiu: — Ninguém teve culpa! Mas a pobre mãe nunca se perdoou, e Giordano, de certa forma, vem dividindo essa culpa com ela ao longo da vida.

— Quer dizer... — prosseguiu Luigia, atônita — ... que existe apenas um homem? Giordano e Arrabal... apenas um?

Mamma assentiu com um movimento de cabeça.

— Não é possível! — Luigia resistiu. — Não pode ser! Isso é loucura! Não pode ser!

— Mas é a verdade, *figlia*! Sinto muito, *ma è la verità*!

Uma lufada de vento frio sacudiu-lhes as roupas e a alma.

— E o nome? — perguntou Vittoria. — De onde vem esse nome, Arrabal?

— Arrabal foi um soldado espanhol que Giordano conheceu quando entrou para o exército. Enrico Arrabal era um ex-saltimbanco. Ingressou no exército em busca de segurança, porque estava cansado da vida dura de artista itinerante; queria garantir uma velhice sólida para ele e uma vida melhor para a família, *ma*, uma vez saltimbanco, sempre saltimbanco. Ele costumava frequentar minha taverna, e era lá que lia os poemas de Giordano. Nessa época, Giordano mostrava a poucos o que escrevia. Arrabal o incentivava a deixar a carreira militar e correr atrás de seu sonho. Mas Giordano adorava o exército, os treinos, as provas, aquele era também um sonho pelo qual tinha deixado sua casa. Só que não conseguia abandonar os versos e aquela vontade de subir no palco. Ele acreditava que não podia ter tudo, e, se tinha escolhido ser soldado, tudo o mais deveria ser esquecido. Até que Arrabal morreu nos braços dele e lhe deu sua máscara de Arlecchino. Foi a última coisa que fez. Deu-lhe a máscara e pediu: "Não deixe o Arlecchino morrer dentro de você!".

Giordano ficou desconsolado e por dias muito perturbado com as palavras de Arrabal. Então o tempo foi passando, ele parou de falar no assunto e pensei que tivesse se esquecido, até que um dia, quando eu menos esperava, apareceu vestido de Arlecchino na minha porta e me convidou para essa aventura.

— E essa chave? — perguntou Luigia.

— Ah! — Mamma sorriu, sacudindo a pequena chave entre os dedos — É do tesouro do poeta!

Luigia não conseguiu compreender, e Gigi completou:

— É do baú de versos dele.

— *Dal momento* em que ele decidiu ser só Giordano, teve de matar Arrabal, e foi o que fez — prosseguiu Mamma. — Enterrou o baú e antes de partir me disse que o segredo estava trancado com *questa chiave*, que ele ia dar para alguém guardar. E que, se algum dia esse alguém me trouxesse ela de volta, era a hora de contar toda a verdade.

— Então, as roupas dele que vi no penhasco em Posillipo... — iniciou Francesca.

— Você viu roupas dele no penhasco em Posillipo? — perguntou Caterí.

— Vi e tentei contar para Mamma quando ainda estava doente. Achei que ele tivesse se matado, atirando-se no mar depois que abriu mão dessa aí pelo irmão... irmão! — ironizou Cesca. — Era ele mesmo, *Santo Dio*! Isso chega a fazer doer minha cabeça!

— Quem mais sabe dessa história? — perguntou Luigia.

— Teresa, frei Arturo...

— O frei sabe? Ele contou ao frei e não contou nada para nós?! — indignou-se Gigi.

— Eu e talvez Gioconda, na sua loucura — completou Mamma, sem dar importância à irritação de Gigi.

— Certamente... — murmurou Luigia.

— Ainda não entendi como ele fazia para ser os dois. *Cazzo*! *Come è possibile*? — resmungou Vincé, matutando, apertando os dedos da mão um a um, como se coletasse situações, tentando matar a charada.

— E agora? — perguntou Caterina a Mamma. — Como vai ser daqui para a frente?

— É. O que vai acontecer agora, Mamma? — emendou Gigi. — Ele volta? Vai ser Arrabal de novo? Vai ser *strano* olhar para ele sabendo de tudo.

— Por que ele fez isso? — perguntou Luigia a Mamma. — Matou Arrabal, tentou ser só Giordano. Foi por mim? Ele fez isso tudo por mim?

— Acho que fez por ele mesmo. Estava tentando ser feliz sendo quem realmente é. Mas esse é, afinal, todo o problema. Quem ele é, de fato?

— É Arrabal, claro! É o artista! — disparou Luigia, com a concordância de todos.

— E também é o soldado! — afirmou Vittoria. Luigia ia reagir, mais por ciúme que por convicção, mas Mamma a interrompeu.

— E também é o soldado. Vitty está certa! Ele é metade soldado. E também ama esse papel. É esse o drama!

Luigia levantou-se e caminhou claudicante, os pensamentos em turbilhão. Então, ajoelhou-se em frente a Mamma e perguntou:

— E agora? O que eu faço agora? Ele disse para a senhora nos contar a verdade por quê? O que ele vai fazer?

Mamma suspirou e segurou as mãos de Luigia entre as suas.

— Ele já fez. Não foi por acaso que ele revelou a você um segredo que guardou por toda a vida. Foi um pedido de ajuda.

— Pedido de ajuda? Como assim? O que posso fazer para ajudá-lo? Diga-me que eu faço! O que posso fazer?

— Escolher — respondeu Mamma. — É o que você pode e deve fazer.

— Escolher o quê? — perguntou Luigia.

— Também não entendi, Mamma. Escolher o quê? — intrometeu-se Francesca.

— Um entre os dois! Um entre Giordano e Arrabal. Ele quer que você faça a escolha que ele não consegue fazer.

— Mas isso é um absurdo! — Luigia exclamou, puxando as mãos do afago. — Não tem o menor sentido!

— *Guarda, figlia* — iniciou Mamma, segurando novamente as mãos dela com carinho —, você foi a única pessoa que o fez lembrar que ele é um só. Ele vinha sendo dois havia tanto tempo que já tinha se esquecido. Agora ele está pedindo que você termine o que começou.

— Como, Mamma? Como vou fazer isso?

— Escolha aquele de quem você mais gosta. Deve haver um. Escolha esse e faça-o feliz!

❋ ❋ ❋

Giordano estava debruçado na varanda, sentindo a chuva fina e fria que descia enviesada cair sobre si e a campina, quando Luigia entrou no quarto. Hesitou por um instante em olhar para ela. Sentia um misto de vergonha e tristeza. Luigia caminhou até ele e o puxou pelo braço, fazendo com que se voltasse. Tomou-lhe a mão, pôs nela a chave e a fechou. Depois, beijou-lhe suavemente o rosto. Só então Giordano conseguiu olhar para ela. Não houve palavras. Apenas a chuva que, mais pesada, entrava com o vento pelo quarto de dormir. Então se abraçaram e, dividindo agora o peso da verdade mútua, começaram a chorar.

CAPÍTULO XXII

Prelúdio

Já era noite quando parou de chover. Fazia um frio cortante, que tornava impossível se afastar um milímetro que fosse da fogueira, maior e mais alta nessa época do ano. Mamma encheu uma caneca de conhaque, que passou de mão em mão, à exceção da de Vincé.

— N*on* me posso, Dottore! M*a come* ele fez isso? Era o chefe da Guarda de Corpo do rei, *caspita*! — exclamou Vincé, ainda matutando o estratagema que Arrabal arquitetara para ter aquela vida dupla.

— E *dai*, Vincé, pare de falar nisso! Se ele voltar, pergunte a ele, e ele mesmo te explica! P*unto e basta*! — irritou-se Mamma.

— *Tu lo sai* — disse Dottore a Mamma, o dedo em riste, olhos apertados num tom de denúncia. — Ele te contava *tutto*! Ele te disse como fazia!

— Ah, *mio* San Gennaro! — reclamou Mamma, entrando na carroça.

— Ele não viajava toda hora para escrever a peça? — sugeriu Vitty, enrolada ao cobertor. — Ficava dias fora. Era o tempo de ser o outro. Se bem que... — iniciou, lembrando-se da noite que passara com Giordano na taverna. Na manhã do mesmo dia, tivera de brigar com Arrabal para que parasse de beber e reagisse.

— O quê, Vitty? — perguntou Gigi, tentando algumas notas na flauta.

— Ah, não sei. Realmente, não sei o que pensar.

— O Mestre é um gênio! Q*uesta è la verità*! Um gênio! — exclamou Dottore. — Eu sempre soube disso!

— Fico me perguntando como vai ser agora se ele voltar — murmurou Gigi. — Quero que ele volte, mas como vamos olhar para ele sabendo de tudo?

— Ele deve estar sentindo a mesma coisa, Gigi! — respondeu Vittoria, e completou, depois de um suspiro: — Coitado do meu amigo!

— Coitado? Eu não tenho pena! Tenho raiva! — disse Francesca, categórica, empurrando Vincenzo e sentando-se entre ele e Vittoria, por pouco no colo dela. — Sofri tanto *quello* dia no palácio dos Di Medinacelli! Quase morri quando dei de cara com o outro, que não era o outro nada! Fiquei doente de remorso, pensei que ele tivesse se matado por causa do que fiz! Eu podia ter morrido! E ele, fazendo a gente de bobo, enganando *tutti noi*! Palhaçada!

— Não fale assim! Depois você se arrepende! — ralhou Gigi. — Não aprendeu a lição?

— Ele não quis fazer ninguém de bobo, Francesca! Está sofrendo também! Não viu Mamma explicar? — argumentou Caterina.

— Se estava sofrendo, por que não contou a verdade? A gente ia entender! Ia amá-lo do mesmo jeito! Ele devia saber disso! — insistiu ela.

— Não é tão simples assim, Cesca! — disse Vittoria. — Você ainda é muito nova para compreender.

— Compreender o quê? Que ele é mentiroso? P*azzo*? Eu já compreendi!

— Quem de nós pode dizer que é de fato um só? — murmurou Vittoria.

Cesca franziu a testa. Não conseguira entender o sentido profundo do que Vittoria dizia. Ela falava das coisas sufocadas na alma. Dos desejos, dos sonhos, e até mesmo de ódios, medos, mágoas e tristezas que por vezes fazem de nós outra criatura. Um anjo ou demônio, cujo rosto tememos olhar. Fora assim com ela e seu quarto-de-sonhar, até o dia em que Arrabal aparecera e abrira a porta. Fora a forma como descobrira o mundo das palavras, a própria força e o feminino intenso de sua alma. O que aconteceria se não tivesse se libertado e olhado fielmente para dentro de si? Pensava nisso quando seus olhos cruzaram com os de Dottore, cheios daquela dor que neles residia. Talvez todos os fantasmas, bons e maus, se ignorados, um dia acabassem por arrombar a porta e se impor à realidade.

— Bem, se você está tão zangada com ele, não deve estar preocupada com quem Luigia vai escolher, não é? — provocou Caterina.

— Só penso nisso — respondeu Cesca, subitamente séria. — Se ela escolher o capitão, como será?

Era a pergunta que todos se faziam sem verbalizar, por isso se calaram.

— Bem, vou dormir porque não me aguento em pé! — disse Caterí, bocejando e levantando-se de um salto. No movimento brusco, viu girar tudo ao redor e, não fosse Gigi, teria caído sobre as chamas da fogueira.

— Caterí! *Amore mio*! — gritou Gigi, vendo-a desfalecida nos braços. — Mamma! Mamma! Acuda!

— Mamma! — gritou Francesca. — Caterí desmaiou!

Dottore esfregou as mãos no casaco, num sinal de apreensão. De novo não, repetiu de si para si. Não outra vez.

Levaram-na para dentro da carroça e, mal a puseram na cama, Caterí despertou.

— Cesca, traga o chá! — gritou Mamma.

Todavia, à aproximação da caneca fumegante, o cheiro forte de jasmim do chá de Mamma que Caterina tanto adorava a fez nausear.

— Não, *per l'amor di* Dio! Não posso, Mamma! — disse, empurrando a caneca e tampando o nariz.

Mamma sorriu e trocou olhares cúmplices com Dottore.

— Acho que foi fraqueza! — iniciou Caterina. — Hoje não consegui tomar nem o caldo de manhã. Não consegui tomar nem uma gota sequer!

— Está enjoada? — perguntou Dottore.

— Estou. Até vomitei um pouco de manhã.

— E por que não me disse nada? — preocupou-se Gigi.

— Achei que ia passar. Deve ter sido alguma coisa que comi.

— Ou não comeu. Isso é mais provável! — disse Vincenzo, esfregando a boca do estômago.

Dottore sorriu levemente para Mamma e piscou os olhos.

— É melhor vocês saírem. Tem muita gente aqui! Deixem só Vittoria — ordenou Mamma.

Cesca saiu a contragosto, batendo os pés, e sentou-se pesadamente perto da fogueira. Dottore achou graça da zanga. Depois da doença, passara a mimá-la mais que Arrabal em qualquer tempo fizera.

— Gigi! — gritou Mamma, abrindo a porta da carroça num estrondo.

Gigi voltou-se para ela, petrificado.

— *Cosa*? — perguntou, pálido.

— Gigi, *figlio, io sono tanto felice*! — continuou, abraçando Gigi com força e estalando beijos barulhentos em seu rosto!

— Você está dizendo que Caterí... — murmurou ele enquanto Vittoria assentia com um movimento de cabeça e sorria.

Um turbilhão de pensamentos desencontrados o fez paralisar. Lembrou-se do início, dos incentivos de Vincenzo e de Dottore, que tanto o constrangiam, da ópera que não conseguia compor. Depois, dos conselhos carinhosos de Arrabal, que se confirmaram em Caterina. Enfim, sua Caterí! Sentiu-lhe esquentar as maçãs do rosto e o corpo todo perpassado por uma espécie de euforia. Chorou, sorriu, pulou na ponta dos pés, até que conseguiu balbuciar:

— Eu vou, eu vou ser...

— *Sì*, pai! — gritou Mamma, sacudindo-o no abraço novamente e chorando no melhor do drama, como ninguém sabia fazer. — Você vai ser pai, *figlio mio*!

— Um *bambino*? — gritou Gigi. — Um *bambino qui*, com a gente? *Cazzo*! — disse e abraçou Dottore.

Logo todos pulavam feito loucos. Cesca correu para ver Caterina. Apenas Vittoria parecia um pouco triste.

— O que foi? Não gostou da notícia? — disse Dottore, tocando-lhe o ombro.

— Não é isso. Claro que gostei. Mas estou preocupada. Essa carroça já é pequena e velha para nós. Como vamos cuidar de um bebê aqui? Sem recursos, sem conforto?

Dottore abraçou-a e beijou-lhe a testa.

— Vamos encontrar uma saída. Sempre encontramos!

Vittoria ficou em silêncio. Pensava nos planos que havia algum tempo elaborava.

— Vamos esperar passar o Natal. Decidimos o que fazer depois — disse.

O que de fato Vitty esperava, Dottore sabia, eram notícias sobre a insólita escolha de Luigia, na qual residia a possibilidade única de ver Arrabal outra vez, mas não era só isso. Havia o livro e o sonho de torná-lo realidade. Um suspiro profundo traduziu a angústia daquele desejo.

— O que foi? — perguntou Dottore.

— Posso lhe contar uma coisa? — perguntou Vittoria, sem olhar para ele.

— Claro.

— Terminei de escrever. O meu livro. Terminei.

— Terminou? — perguntou ele, surpreso, em voz alta.

— Xiu... fale baixo! Não quero que ninguém saiba por enquanto.

— Por quê?

— Não sei. Acho que tenho medo.

— De quê, Vitty?

— De não ser boa o suficiente, acho.

— Posso ler?

— Você gostaria? — perguntou ela, animada.

— Claro que sim.

— Espere aqui — disse Vittoria, e saiu correndo feito menina, para voltar logo depois com o amarrado de papéis. — Aqui está! Fiz como romance, mas é a nossa história; quer dizer, a minha história com vocês.

— O *quarto-de-sonhar* — Dottore leu o título e sorriu. Depois se acomodou perto da fogueira e começou a ler. Não conseguiu parar, nem mesmo com os chamados insistentes e malcriados de Mamma, apesar do frio que chegara ao ponto máximo na madrugada, embora Vitty tenha adormecido a seu lado para despertar às primeiras luzes da manhã.

— E então? — perguntou Vittoria, levantando-se num sobressalto e deparando-se com Dottore com o olhar meio alienado e o manuscrito nas mãos.

— Vitty, isto é excelente! Não consegui largar! Tenho de reler, especialmente os dois últimos capítulos, porque queria tanto ler o fim que pulei algumas coisas, confesso, mas o livro é muito bom! Você é uma grande escritora!

— Jura? Pensa isso mesmo? Não está dizendo isso apenas para me entusiasmar?

— Eu não faria isso! Estou falando o que penso! — depois continuou, atropelando as próprias palavras num entusiasmo juvenil: — E agora, o que se faz? Como se publica? Quem temos de procurar?

— Os Stasi — respondeu ela, sorrindo. — Sabe quem são?

— Sim, os *librai editori*. A editora deles é conhecida em toda a Nápoles.

— Pensei em procurar Gabriele Stasi, filho de Michele. Pai e filho estão lançando uma série de publicações e reedições de qualidade, com recursos próprios, que vem influenciando a elite cultural e até mesmo homens da lei e religiosos.

Era exatamente isso o que mais entusiasmava Vittoria nos Stasi. Não viam o livro somente como mercadoria, mas como instrumento de formação do pensamento. Em contrapartida, era essa a mesma razão pela qual Carlo di Borbone andava de olhos atentos neles: pela difusão de ideias, em especial as maçônicas.

— E o que estamos esperando? — insistiu Dottore.

— Estou planejando essa visita há dias, sem coragem de ir até lá.

— Mas hoje você vai! E eu vou com você! — disse ele, sem deixar que Vittoria pensasse. Partiu com ela apressado para a cidade assim que o comércio abriu as portas.

— Pronto! Agora é só aguardar! — disse Dottore, dando o braço a Vittoria quando saíram da livraria. — Se ele for igual a mim, não vamos demorar a ter a resposta.

— Não sei. Ele tinha uma pilha de manuscritos para ler antes do meu. Deve demorar, mas o importante é que, graças a você, consegui vir e entregar meu material a ele. O primeiro passo já foi dado!

— *Ecco*! — exclamou Dottore, conduzindo-a para a charrete. Mas então Vitty parou. — O que foi?

— Tem uma coisa que quero lhe mostrar. — Puxando Dottore pelo braço, Vittoria o levou para o lado da Via Toledo. Pararam defronte a uma casa de dois andares. O portão de ferro da entrada vinha num arco, como era comum na arquitetura da época. As paredes eram revestidas de pedras até a metade e caiadas na parte superior. Podiam-se ver duas sacadas pequenas no andar de cima, de onde pendiam flores. Ao lado do portão, outra janela indicava o que parecia ser uma sala ou um aposento inferior. — Gosta? — perguntou Vittoria.

— Que casa é essa?

— A nossa!

— O quê? — espantou-se Dottore.

— Venha! Vamos entrar. Tenho as chaves. — Vittoria estava quase decidida. Tinha suas joias e havia algum tempo considerava uma maneira de utilizá-las para o benefício do grupo, mas não queria se precipitar nem fazer nada estúpido de que pudesse se arrepender. Afinal, era tudo o que lhe restara. As terras de sua família, que ironicamente constituíam a maior parte do patrimônio de Nicola, não conseguiria ter de volta. Até então, isso não a incomodava, porém as recentes dificuldades que haviam enfrentado com a doença de Francesca e a gravidez anunciada de Caterina a fizeram perceber que era fundamental terem, ao menos, um teto que os abrigasse. — Não é grande, mas para nós acho excelente! — disse Vitty, rodopiando no espaço vazio. — E ainda temos esta sala! Olhe isso, Dottore! Podemos ensaiar aqui! Quem sabe até promover saraus! E posso ter de novo os meus livros! Vincé pode fazer as estantes nestas paredes. Não vai ficar lindo?

— E a carroça? — perguntou Dottore, aturdido com a novidade inesperada. Havia aproximadamente sete anos aquela era sua casa, e a ideia de abandoná-la para sempre o assustou.

— A carroça vem conosco, ora! Vamos usá-la para viajar sempre que precisarmos, mas aqui vamos morar com um pouco mais de conforto! — Percebendo-lhe a indecisão, Vittoria desanimou: — Você não gostou!

— Não, não é isso! Adorei! É que é difícil mudar, não é? Você está mesmo decidida? — Vittoria aquiesceu. Dottore suspirou, caminhou pela sala a passos largos, medindo suas dimensões, abriu e fechou portas e janelas e, voltando-se para ela, que o acompanhava, ansiosa, disse: — Pois muito bem! Acho a casa ótima, Vitty! Quando vamos contar aos outros?

— Na noite de Natal! Vai ser o meu presente!

CAPÍTULO XXIII

A escolha

Mamma e Caterí terminaram de fazer as roupas das personagens do presépio na manhã da *Vigilia*, a véspera de Natal. Aproveitaram as sobras de sedas, rendas e outros tecidos finos dos vestidos de Vittoria para vestir as pequenas personagens de Vincé, que agora pareciam vivas no pequeno compartimento da carroça.

— Não criem expectativas. Não quero que se decepcionem — pediu Vittoria, depois de finalmente contar a todos sobre a visita ao editor, dias antes.

— Mas Dottore disse que você foi muito bem recebida pelos Stasi, Vitty. — incentivou Caterí.

— Sì, Vittoria é admirada por todos no mundo das artes e das letras, pelos tempos de mecenas e protetora dos artistas — enfatizou Dottore.

— É, mas agora sou eu quem escreve. Sou eu quem precisa de um patrocinador. Eles ficaram de avaliar. Vamos ver.

— Pois tenho certeza de que o tal Gabriele vai vir aqui correndo atrás de você depois de ler o seu manuscrito. Dottore disse que o livro é muito bom, e, do jeito como ele é nojento com essas coisas de cultura, tenho certeza de que é verdade! — disse Vincé, em alto e bom som, na carroça.

Dottore fez um gesto obsceno em sua direção.

— Hoje o rei abre o palácio para mostrar o presépio à corte — iniciou Mamma, como se quisesse, também ela, poder vê-lo. — Ele contratou artistas para fazerem, mas disse direitinho *come* queria, sabiam? E foi a rainha quem costurou roupinhas para as personagens! — concluiu, após correr os olhos sobre o diminuto figurino: — Ele ia gostar de ver o nosso! È *tanto bello*! — Então, suspirou fundo e murmurou: — Cinco dias e nada!

— Está falando de Luigia? — perguntou Caterina.

Mamma fez que sim.

— Faz cinco dias que ela esteve aqui, que contei a verdade, e até agora nenhuma notícia!

Vincé abriu a porta da carroça e o movimento brusco as assustou.

— Pronto! Estou com o texto da *Cantata* na ponta da língua! Adoro *questo* Sarchiapone que Arrabal colocou no roteiro! — disse e, vendo a tristeza das duas, incentivou: — *Coraggio*! *Eh*, Mamma!

— Vai ser tão *difficile* a noite de Natal sem ele! Nunca passamos um Natal sem *zampognari*, novena, *tombola*...

Arrabal adorava os *zampognari*, pastores que, naquela época do ano, desciam das montanhas e vinham para a cidade tocar a *zampogna*, um tipo de gaita de fole feita de madeira mediterrânea e pele de cabra, e a *ciaramella*, instrumento similar à clarineta. Andavam quase sempre em dupla, um jovem e outro mais idoso. Entravam nas casas tanto dos ricos quanto dos pobres para fazer a novena com o *padrone di casa*. A primeira, de 30 de novembro a 8 de dezembro, para L'Imacolata, e a outra, de 17 a 25 de dezembro, pelo Natal. Como garantia de sua volta pelos noves dias consecutivos da prece, deixavam uma colherzinha de madeira com o chefe da família. No último dia, o dono da casa lhes dava a retribuição que julgasse justa.

Os *zampognari* lembravam a Arrabal sua infância e todo o ritual natalino de sua casa. Quando a trupe se formara, era ele o *padrone di casa*, que respondia à saudação *Sia lodato Gesù*, puxando o coro do grupo, *Sempre sia lodato*. Eram seus olhos que primeiro se enchiam de lágrimas quando o som pastoral subia no ar. Depois, fazia a novena, contrito, e não deixava que os pastores partissem sem antes lhes pedir que tocassem mais um pouco de música. O pagamento na colherzinha vinha às vezes em moedas, mas frequentemente em poesia.

— Logo agora que temos o *presepe* ele não está aqui! — lamentou Gigi, debruçado na janela da carroça. — Pela tradição, só era possível convidar os *zampognari* depois que o presépio estivesse pronto. Então, os mais jovens da família os chamavam. A trupe não tinha presépio, mas Arrabal mandava Francesca convidá-los do mesmo jeito. — Este ano, com o *bello presepe* de Vincé, ia ser especial! — acrescentou Gigi.

— Em compensação, vamos ter uma ceia como nunca! — exclamou Vittoria, trazendo do varal a cesta com as roupas recém-tiradas. — Depois da apresentação da *Cantata*, voltamos aqui para nossa ceia. Vou agora com Gigi e Mamma à cidade comprar as coisas.

— Ceia? Jura, Vitty? — gritou Vincé por cima do ombro de Gigi.

— Mas você não estava preocupada com as finanças? — perguntou Dottore.

— E continuo. Entretanto, temos ainda algumas economias. Poucas, mas temos. — Como Dottore a olhasse sem compreender, argumentou: — Tivemos um ano tão difícil que sinto que vamos precisar de consolo nesta noite de Natal. Então, pelo menos vamos comer bem. Acho que merecemos esse presente! Depois, como dizia Arrabal, alguma coisa deve acontecer para nos ajudar.

— *Brava*! — gritou Vincé, batendo palmas.

Dottore balançou a cabeça e xingou qualquer coisa entredentes para Vincé, mas ele não deu importância.

— Estou mais preocupada com a *Cantata*. Ensaiamos muito pouco por causa da doença de Cesca. Depois que adiantarmos a ceia, acho melhor ensaiarmos novamente. Frei Arturo nos contratou para entreter a cidade, ricos e pobres, quem aparecer na praça. Vamos receber para isso. Não podemos falhar.

— Estou feliz que vamos nos apresentar na praça de novo — disse Caterí. — Gosto do teatro, mas estava com saudade da carroça.

— Eu também! — concordou Cesca. — Nada como a praça! O palco aberto, o vento soprando...!

— Então as duas podem ir passando o texto e ensaiando um pouco enquanto vamos à cidade — atalhou Vittoria.

Mamma, Vittoria e Gigi subiram na charrete e fizeram quase todo o trajeto em silêncio.

— Você também acha que ele não volta, não é, Vitty? — perguntou Mamma.

Vittoria demorou a responder. A pergunta fez um nó incômodo se insinuar na garganta. Engoliu em seco algumas vezes e então disse:

— Acho que devemos torcer para que ele seja feliz onde quer que esteja! É assim quando amamos alguém, não?

Mamma e Gigi assentiram, e ninguém falou mais.

❋ ❋ ❋

Giordano e Luigia olhavam maravilhados o presépio de Gioconda. Era aquela uma das ocupações que mais a acalmavam: ver montar o presépio e nele reproduzir, aos detalhes, sua cidade. Carlo Romanelli encomendara o seu a um artista, mas Teresa e a própria Gioconda fizeram e bordaram as roupas minúsculas para vestir as figuras que ela agora apresentava a Giordano e Luigia, levando-os como crianças pela mão.

— Parece que os dois se entenderam, afinal — disse Carlo, feliz, a Di Medinacelli.

— Parece. Desde a cerimônia estão sempre assim, rindo, trocando carinhos pelos cantos. Acho que podemos nos tranquilizar. Estão felizes.

Estavam, era impossível negar, Maria avaliava com certo ar de desconfiança. Depois daquela saída estranha de Luigia, no dia seguinte à noite de núpcias, pareciam ter-se acertado.

— Pare de se intrometer na vida dos patrões! — irritava-se Angelina, intimamente feliz por ver que sua menina parecia ter, por fim, se encontrado.

— Frei Arturo nos convidou para ir à cidade assistir à *Cantata dei Pastori*. Parece que aquela trupe do poeta Arrabal vai representar — disse Carlo.

Giordano e Luigia entreolharam-se, e Maria percebeu a ligeira tensão que se instalara.

— Eu gostaria de ir! — disse Gioconda, igual a uma menina travessa. — Leve-me, *figlio mio*! — pediu.

— Luigia quer ir à missa, não é, querida? — Giordano tentou escapar.

— É. Eu prefiro... — assentiu Luigia.

— À missa vamos todos os anos. A *Cantata* nem sempre temos na cidade — disse Di Medinacelli. — Gostei desses artistas. Dizem que esse Arrabal fez uma mudança na *Cantata* que a tornou muito interessante. Vamos, *figlia*!

Giordano e Luigia olharam-se de novo, constrangidos.

— Acho que podemos ir! Sua mãe quer tanto ver! Vamos à igreja depois! — disse Luigia, trocando um olhar cifrado com Giordano, que Maria testemunhou, sem conseguir compreender.

— E agora? — disse Giordano, puxando Luigia a um canto.

— Isso ia acontecer mais cedo ou mais tarde, meu amor.

— Sim, mas eu queria falar com a trupe primeiro, explicar... — continuou, enxugando o suor que de repente lhe encharcara o rosto. — Não podia ser assim! Não queria que meus amigos fossem pegos de surpresa! Vai ser um choque para eles!

— Escute — pediu Luigia, segurando o rosto do marido entre as mãos —, não acho que vai ser um choque! Eles devem estar imaginando que foi essa a nossa decisão. Afinal, desde aquele dia não demos notícias.

— Eu devia ter ido lá antes, mas era nossa lua de mel. Estávamos tão felizes...

Luigia sorriu.

— Eles o amam! Tenho certeza de que depois vão nos compreender e perdoar!

* * *

A praça estava repleta de gente quando a trupe chegou. O palco da carroça foi aberto em frente à igreja, e frei Arturo teve o cuidado de separar sobre um tablado, na lateral, algumas cadeiras para os nobres que porventura viessem assistir à *Cantata*. Giordano e Luigia sentaram-se ao lado de Gioconda e dos pais, Carlo e Filippo, na tentativa de não serem vistos de imediato pelos amigos, mas foi Francesca quem primeiro os viu. Identificaria Arrabal em meio a um exército. Entrou na carroça aos prantos e, sem que precisasse falar, todos compreenderam.

— Ele está lá fora, *figlia*? — perguntou Mamma.

Ela assentiu.

— Está com ela e *tutta la famiglia*! Perdemos ele, Mamma! Perdemos ele! — disse Francesca, num pranto convulsivo.

Ninguém conseguiu dizer nada. O soluço forte de Francesca pontuava o silêncio. Lá se fora a última esperança.

— Chega! — exclamou Vittoria, batendo com as mãos nos joelhos e pondo-se de pé. — Chega! — repetiu, enxugando as lágrimas do rosto. —

Basta dessa tristeza! Ele não morreu, afinal. Está aí na praça e está feliz! Não queríamos que ele fosse feliz? Então! É a nossa vida agora! Daqui para a frente somos só nós! Ficar aqui chorando não vai resolver nada!

— *Brava*! — exclamou Mamma, igualmente enxugando as lágrimas. — Vamos seguir em frente!

— Vamos seguir em frente! — repetiu Vincé, abraçando Dottore, que retribuiu, e depois Gigi, Caterí e Francesca, por fim.

Quando o espetáculo terminou, Giordano ficou ainda por um instante oculto no escuro da praça, observando-os de longe. Carlo levou Gioconda para cumprimentá-los. Luigia lhes acenou de longe. Todos responderam ao aceno, mas Francesca lhe deu as costas. Arrumava as coisas no camarim improvisado da igreja quando Pietro entrou.

— Ai, que susto! O que está fazendo aqui? — perguntou ela, enxugando com raiva as lágrimas que ainda lhe corriam pelo rosto.

— Vim ver você! — Pietro respondeu, amolecendo um pouco o coração dela.

Cesca limpou a maquiagem borrada no lenço de Dottore, suspirou fundo e sentou-se em frente ao espelho.

— Você está triste assim por causa dele? De Giordano? — Francesca empalideceu. — Sei de tudo, não se preocupe, ele me contou — esclareceu, diante da expressão alarmada dela. — Naquele dia, quando você ainda estava doente e fomos lhe ver, lembra-se? Eu e Arrabal...

— Lembro. Você e Arrabal... Você soube antes de nós, então. — Pietro confirmou. — É melhor você ir agora. Desculpe, não quero ser mal-educada, mas não estou para conversas hoje — disse ela, jogando os adereços do figurino dentro do baú.

Pietro não se intimidou.

— Naquele dia, Arrabal me disse que você pensava que o amava e que dependia de mim para descobrir que não.

Francesca sorriu, mas não deixou que Pietro visse. Lembrava-se da quase declaração de amor que ele lhe fizera antes de partir para Velletri.

— O que você quer de mim, afinal? — perguntou, simulando impaciência.

— Ajudar você a descobrir.

— E como pretende fazer isso?

— Podemos começar assim — disse ele, puxando-a para junto de si e beijando-a.

Era o beijo de homem que sempre desejara. Diferente daquele que Arrabal lhe dera, mais dado por pena e por ternura. Sentiu-se, naquele beijar, adulta e livre. Gostou do gesto e da impetuosidade dele, Pietro pôde perceber e intimamente agradeceu a Giordano por mais aquele conselho. Se dependesse dele e de sua atrapalhação, ela já lhe teria virado as costas.

— Não fez efeito, desculpe! — Francesca afirmou para provocá-lo.

— Tentamos outra vez! — Pietro disse, beijando-a de novo, agora mais seguro de si.

Na praça, Vittoria arrumava o figurino na carroça com a ajuda de Gigi e não percebeu quando Gabriele Stasi, o editor, aproximou-se.

— *Permesso*! — pediu, surpreendendo Vitty. — Posso falar um instante com você? — Vittoria assentiu, o coração aos pulos no peito, temendo ver por terra todas as suas expectativas. — Eu ia lhe chamar para conversar depois do Natal, mas acho que é uma boa-nova, então combina com esta noite.

— O quê? Fale logo, por favor!

— Fiquei muito impressionado com você, Vittoria! É um excelente trabalho! Conhecia sua sensibilidade de mecenas, mas não imaginava, sinceramente. Abri para ler as primeiras páginas, só por curiosidade. Ia deixar para depois dos outros que já tinha para ler e não consegui largar mais! É uma história envolvente, bem escrita, com trama e personagens bem construídos. Está fora da nossa linha editorial, porque não estamos trabalhando com romances, mas é tão bom que acho que vale o investimento. Estamos pensando em publicá-lo! — sentenciou.

A frase pairou um tempo sobre a cabeça de Vittoria, como se imaginação fosse. Ela sentiu o corpo percorrido por uma onda de eletricidade que a imobilizara e aquecera. Não era sonho, fantasia. Era a frase que todos aqueles meses desejara ouvir, dita com todas as letras da realidade.

— Publicar? — perguntou um tanto aérea.

A trupe ouviu a conversa e aproximou-se de Vittoria e Gabriele, contendo a euforia com igual dificuldade.

— Sim. São necessários alguns ajustes, uma revisão fina. Encontrei alguns problemas, mas nada que não se resolva. Passe depois de amanhã na *libreria* para conversarmos melhor. — Estendendo a mão, concluiu: — Parabéns, Vittoria!

Tão logo Stasi se afastou, todos pularam feito crianças sobre Vittoria e a cobriram de beijos.

❋ ❋ ❋

— Vai sair novamente? — perguntou Di Medinacelli, vendo Giordano e Luigia despedindo-se no pátio.

— Tenho de passar para ver o presépio do rei.

— Luigia não vai? — perguntou Filippo.

— Não, estou cansada. Vou me deitar.

— Mas o rei pode reparar nisso e...

— Sou uma mulher casada agora, pai. Esqueceu? Cabe ao meu marido se importar ou não com o que faço, e ele não parece nada aborrecido.

Giordano riu.

— Você não precisa viver às turras com ela, mas se deixar que ela faça tudo o que quer vai perder o comando, e isso pode ser um desastre — Filippo disse a Giordano, que se limitou a rir.

— Não se preocupe, duque! Trago as rédeas dela bem curtas! — caçoou Giordano, piscando os olhos para Luigia.

Di Medinacelli afastou-se, balançando a cabeça. Luigia aproximou-se de Giordano e enlaçou-lhe o pescoço.

— Vou ficar esperando você!

Beijaram-se repetidas e apaixonadas vezes, constrangendo Angelina, e então Giordano saiu.

❋ ❋ ❋

Vincé, Dottore e Gigi improvisaram uma grande mesa sobre os bancos. Vittoria acendeu velas e distribuiu com carinho os pratos, um de cada tamanho e cor, sobre o móvel improvisado. Fez entre eles um caminho de flores miúdas, de modo que a mesa, assim posta, lembrava mesmo aquela do Redentor.

Mamma fez na brasa *il capitone*, o peixe da ceia, de um aroma que, segundo Vincé, subia *come gli angeli al cielo*. A seu lado, *l'insalata di rinforzo*, chamada assim porque, de acordo com a tradição, a ceia devia ser leve. Portanto, a salada tinha a função de dar mais substância ao cardápio e, com seu colorido de couves, flores, escarolas, azeitonas verdes e pretas, alcaparras e anchovas, ajudava a enfeitar a mesa. Em outra travessa, brócolis no limão, e o primeiro prato, *spaghetti con le vongole*.

— E as economias? Sobrou alguma coisa? — Dottore perguntou a Vitty.

— Temos o pagamento da *Cantata*. É o que temos!

Terminavam de trazer as travessas para a mesa quando Francesca chegou com Pietro.

— Quem é esse, Cesca? É *il tuo fidanzato*? — provocou Vincé.

Francesca riu e sentiu o coração acelerar.

— *Buonasera a tutti*! — cumprimentou Pietro.

A trupe respondeu na costumeira efusão: — Buonasera!

— *Buonasera, figlio mio*! — disse Mamma, sacudindo-o no abraço. — Senta!

— Quem diria, hã, Cesca? Arrumou um namorado tenente! — brincou Vincé.

— Não sou mais tenente!

— Não? — todos exclamaram, praticamente em uníssono.

— Não. Pedi baixa. Depois de Velletri e de tudo que vi lá, não podia mais continuar.

A trupe ficou constrangida por um momento, sem saber se aquela era ou não coisa para lastimar, mas logo voltou à balbúrdia costumeira. Apenas Mamma estacou diante da mesa posta.

— Que foi, Mamma? — perguntou Vittoria.

— É que Arrabal se sentava *qui*, no centro. Não sei o que se faz agora. Acho que se senta você, Vitty!

— Não. Dottore senta! Esse não é o lugar do chefe da família? *Dunque*, senta Dottore!

— *Cazzo*! — resmungou Vincé, arrancando alguns risos.

Todos acomodaram-se, mas, apesar do excepcional momento de fartura, estavam tristes. Dottore serviu o vinho e fez um brinde à nova casa. Vittoria mostrara a eles a fachada, antes do espetáculo. Ficaram por um momento estáticos, no impacto da surpresa. Viviam havia tanto tempo na carroça que não conseguiam imaginar morar em outro lugar. Era o seu ranger, no balanço do caminho, que os acalmava quando se encaminhavam para uma apresentação. Era no estreito de seu interior que se protegiam do frio e em seu palco armado que dormiam no verão. Estavam ligados à carroça como os moluscos à concha. Não poderiam deixá-la! Quando não os transportasse mais, levariam-na nas costas.

— Vamos trazer a carroça conosco! — tranquilizou Vittoria. — Vamos continuar viajando nela! Só vamos morar aqui.

Aproximaram-se do portão, desconfiados como gatos, olhando por entre as frestas das janelas.

— E só uma casa, *Gesù*! Não é uma prisão! — exclamou Vitty.

Aos poucos, o temor transformou-se em curiosidade e depois em vibrante animação.

— Vitty disse que tem um quintal atrás. Posso fazer minha horta! — disse Mamma, de boca cheia.

— Vou ter um quarto só para mim! — exclamou Francesca e, como todos a olhassem indignados, completou: — Claro! Gigi, Caterí e o *bambino* dormem em um, Dottore e Vincé no outro, e Vitty e Mamma no terceiro. O outro é para mim, que sou a mais nova!

— Ah, que *bella*! — debochou Mamma. — Vittoria gasta as joias *tutto* para comprar a casa e a *principessa* é quem vai ter um quarto só para si! Que *bella*!

Vittoria ia dizer alguma coisa para apaziguar o calor da discussão, mas a reação foi imediata. Logo recomeçou o emaranhado de frases desencontradas, algumas vezes pontuadas pelos palavrões de Vincé. Foi quando a música distante dos *zampognari* se fez ouvir, descendo como uma névoa de tristeza sobre eles.

— Vamos comer! — disse Mamma.

Serviram-se numa estranha pantomima, o rosto voltado para os pratos, suspiros atravessando a mesa, vez por outra, na passagem das travessas. O som da *zampogna* e da *ciaramella* foi se aproximando.

— Estão vindo para cá! — disse Vincenzo, em voz baixa.

— Estão de passagem, indo para a casa de alguém — respondeu Cesca, também num quase sussurro.

— Casa de quem? Estamos no meio da estrada! — disse Gigi, no mesmo tom.

— *Perché* vocês estão falando *così* baixo? — perguntou Dottore, também instintivamente abaixando a voz.

— Porque não queremos que eles parem — concluiu Francesca.

— Não vão parar. Hoje é o último dia da novena. Estão indo para a casa de alguém, com certeza — afirmou Caterina.

Não estavam. Logo a dupla de *zampognari* parou ao lado da mesa da ceia e interrompeu a música.

— *Sia lodato Gesù*! — saudaram.

A trupe se calou e baixou os olhos. Não conseguiam responder. Havia apenas silêncio e vazio, e memórias de felicidade.

— *Sempre sia lodato*! — disse a voz. A querida e amada voz que eles reconheceriam em qualquer lugar.

Ficaram por um momento incrédulos, sem saber o que pensar, até que Francesca tomou coragem e se levantou.

— Vocês ouviram? — perguntou.

O meneio de cabeça foi coletivo.

— Veio de lá! — Vincé disse, amedrontado. — Do lado do *presepe*!

Francesca caminhou devagar, o coração batendo forte no peito, os olhos embaçados de antecipada euforia. Então, parou.

— Cesca! Quem está aí? — perguntou Gigi.

Ela não respondeu. Era tanta felicidade que lhe atravessava o corpo, como um frêmito, uma corrente de força, obrigando-a a pular.

— Não vai me dar um abraço? — perguntou Arrabal, metido nas roupas manchadas e um tanto sujas de Arlecchino, parado em frente ao presépio de Vincé.

Francesca gritou e atirou-se nos braços dele, cruzando as pernas em sua cintura. A trupe levantou-se e também correu. Era ele de volta! Era ele outra vez, belo e inesperado como o curinga do baralho! Ele, inocente como um menino, travesso como um demônio sonhador!

Todos jogaram-se sobre ele num confundir de abraços e afagos sufocantes. Arrabal riu alto e, ao mesmo tempo, soluçou. Não perguntaram nada. Nada precisavam saber. Ele estava de volta, e era o que bastava. Amavam-no e não iriam perdê-lo nunca mais.

Os *zampognari* fizeram a novena, e Arrabal encheu de moedas sua pequena colher de pau. Depois comeram, ávidos e felizes, esbarrando as travessas que corriam de mão em mão sobre a mesa.

— Depois vamos jogar *la tombola*, hã? — pediu Vincé, referindo-se ao jogo de víspora, tradição do Natal napolitano, quase tão importante quanto a ceia.

— Sì, *oggi faremo tutto*! — disse Arrabal. — Mas antes... — fez suspense e correu a buscar o grande saco que trouxera.

— O que tem aí? — perguntou Caterí.

— *Dimmelo tu*, curiosa!

Caterí deu de ombros. Arrabal olhou para os outros, que igualmente aguardavam como crianças a surpresa. Ele sorriu, passou a mão espalmada sobre a abertura do saco e num movimento rápido abriu-o. Uma pomba branca escapou dele e voou alto no céu. Quando todos se maravilhavam, acompanhando o voo místico do pássaro na noite da vigília, Arrabal bateu palmas, chamando-lhes a atenção. O saco estava aberto e nele havia presentes escolhidos a dedo para cada um.

Abriram os pacotes numa algazarra, mostrando uns aos outros seus presentes.

— E a peça, Vitty? — perguntou Arrabal. — Como estamos?

— É um sucesso, Arrabal! Como você disse que seria! Conseguimos! — exclamou, segurando as mãos dele entre as suas. — Mamma guardou os recortes de jornal para você ver... — Arrabal sorriu. Nunca haviam perdido a esperança, afinal. — Mas temos de sair do La Cantina — prosseguiu ela, mudando de tom. — Não é mesmo lugar para nós, mas depois de tantos problemas acho que o Brancaccio não vai querer nos produzir no San Carlino.

— Não precisamos dele!

— Como não?

— Precisamos só do teatro. Temos nosso próprio produtor!

— Temos? Quem?

— Pietro!

— Eu? — Pietro engasgou-se com a surpresa.

— Sim! — disse Arrabal, passando a mão sobre o ombro de Pietro e sacudindo-o num forte abraço. — Afinal, o que você vai fazer com todo aquele dinheiro que herdou da sua mãe?

— Bem, eu estava estudando algumas possibilidades...

— Pois agarre essa! Agarre essa, meu caro! Garanto que não vai se arrepender! Esta não é uma trupe de teatro qualquer. É a minha trupe! — E, subindo na mesa, gritou, como quem anunciasse novo espetáculo: — É *La Compagnia di Teatro I Trovatori Del Re*! A trupe do poeta Arrabal!

De cima da carroça, flutuando um pouco acima do real, Molière lhe sorriu, mas dessa vez não apenas a ele. Vittoria contemplava boquiaberta a visão. Balançou a cabeça e piscou algumas vezes para recobrar a consciência, porém, quando tornou a olhar, lá estava ele de novo, girando a mão no ar e fazendo-lhe uma reverência. Era o vinho, com certeza, pensou, deixando a taça sobre a mesa. Arrabal percebeu e piscou, cúmplice, para ela. Não era o vinho, então. Não, não era. Era o batismo. Molière bateu as pontas dos dedos, simulando aplausos a ela. E Vittoria, fazendo um leve aceno com a cabeça, agradeceu.

* * *

Luigia preparava-se para dormir e dava a Maria as ordens para o dia seguinte quando avistou a máscara de Arlecchino sobre o criado-mudo e enregelou.

— *Dio Santo*!

— O que foi? — Maria se assustou.

— A máscara, Maria!

— Que máscara, San Gennaro?! Isso não é do...

— Ele esqueceu a máscara! — disse, alarmada, andando de um lado para o outro sem direção.

— Ele? *Mamma mia*! Não me diga que o poeta esteve aqui!

— Nem percebi quando ele saiu. E agora ele está lá fora sem ela! Como vai ser? — exclamou Luigia, em desespero.

— Não se preocupe! Amanhã mesmo mando entregar ao poeta! Seu marido nem vai ver...

— Como ele pôde esquecer? — continuou Luigia, sem lhe dar atenção. — A pergunta trouxe em si mesma a resposta, que se configurou numa epifania. — Ele esqueceu... — ela murmurou, percebendo a beleza do instante. Um sorriso largo lhe iluminou o rosto.

— A senhora está rindo de quê? — perguntou Maria, assombrada com a súbita transformação de humor de Luigia.

— Isso não é maravilhoso? — prosseguiu Luigia, eufórica.

— O quê? Pare, *signora*, está me assustando!

— Ele esqueceu! Ele saiu sem máscara e nem se deu conta! — Maria a encarava atônita, e compreendeu menos ainda quando Luigia pôs a máscara no rosto e riu para o espelho. Depois, colocou-a de novo no criado-mudo e se deitou. — Pode ir se deitar, Maria.

— Mas não quer que eu mande entregar a máscara?

— Não. Esqueça isso. Apague as velas, por favor.

— Não vai esperar o capitão?

— Não. Ele está com a família, e, quando está com ela, costuma demorar. Só deve voltar amanhã.

fim

A quem interessar possa — a verdade

Não fosse Vincé e sua curiosidade, e este livro terminaria aqui. Fecharíamos as páginas e deixaríamos à imaginação a tarefa de elaborar o modo como as coisas se passaram.

Mas, depois que Vincé descobriu o truque de Arrabal para viver a identidade dupla, tornou-se no mínimo antidemocrático não dividir a informação com quem até aqui acompanhou essa história. E, uma vez que entregamos o artifício, não há por que não contar de vez toda a verdade.

Aqui, entretanto, se instaura um novo tipo de problema. Porque o dizer da realidade nua e crua dos fatos elimina o mistério e com ele um tanto da aura de magia que envolve Arrabal e sua existência.

A saída, nos parece, talvez seja estabelecer um novo tipo de segredo, um pacto de silêncio entre as testemunhas da narrativa que preserve a fantasia. Foi o que Vincé se propôs fazer quando compreendeu.

Arrabal é uma lenda. E, como todas, há de ser contada, de pai para filho, através dos tempos, até terminar um dia por se confundir com a realidade e cumprir o seu papel no coração dos homens. E, para que a fábula assim se desdobre, desconhecer a verdade é fundamental.

Por isso, Vincé guardou para si o segredo e pedimos a você que, depois de o conhecer, faça o mesmo, mesmo que alguém curioso insista em perguntar.

A gruta

Vincé passou dias tentando entender, mas nunca teve coragem de pedir a Arrabal para explicar. E como, aos poucos, a vida tivesse retomado seu ritmo, decidiu esquecer. Tudo teria ficado assim, o dito pelo não dito, não fosse aquela manhã, poucos dias depois do Natal, em que acordou antes de todos e viu Arrabal partir. Era o momento, a oportunidade, de descobrir toda a história. Vincé se levantou depressa e se preparou para sair. Mas então, a ideia de espreitar o amigo, de pronto sedutora, o fez sentir-se um traidor. Voltou a deitar, escondendo a cabeça por sob o cobertor. Só queria compreender, justificou de si para si a curiosidade e, sentindo-se assim absolvido pelo pensamento, empurrou a coberta e, deslizando sorrateiro para fora da carroça, seguiu-o.

Quase não acreditou no que viu. Tão simples providência que a todos escapara. Giordano tinha um esconderijo. Sim, um esconderijo próximo, onde podia trocar de identidade com a agilidade e segurança necessárias. Claro!

Vincé não sabia mas o lugar, a *Grotta di Seiano*, fora eleito mais em função da urgência do que propriamente fruto de pesquisa cuidadosa. Era um túnel de oitocentos metros, escavado dois mil anos antes. Fazia a ligação entre Pozzuoli e Posillipo, então, Pausilypon, terminando em seu parque verde, residência do cavaleiro romano Publio Vedio Pollione. A gruta abandonada ficava no caminho para a casa de Giordano em Posillipo. Era, portanto, o lugar adequado para esconder as roupas que precisavam ser trocadas na substituição.

Quando viu Arrabal fazendo a troca, Vincé teve que abafar, com a palma da mão, um riso de euforia que se lhe ensaiou alto na boca.

Mas logo deu-se conta de ter criado para si um dilema crucial. O que faria então? Poderia voltar ao acampamento e se gabar, ostentado a Dottore sua descoberta. Ele, na certa, morreria de inveja! Provaria ter sido, ao menos uma vez na vida, mais sagaz, e essa vitória certamente o livraria por um bom tempo de ouvir citações. Mas se o fizesse, se contasse a todos o que sabia agora, a magia se acabaria, a magia que o fizera um dia parecer uma visão aos seus olhos embriagados e o resgatara para a vida.

Caminhou depressa, vendo o dia amanhecer por entre as copas das árvores, a angústia da indecisão crescendo em seu peito de maneira igual. Já podia avistá-los quando pegou a estradinha lateral. Mamma preparando o caldo que tomavam como desjejum, Vittoria saindo da carroça, preguiçosa, Dottore gargarejando barulhento e acordando os demais.

— Vincé? Já de pé a esta hora? — perguntou Vittoria.

— Onde você estava? — quis saber o Dottore.

Era o momento, a oportunidade, novamente vindo ao seu encontro, de ter a tão desejada revanche, mas Vincé preferiu a magia, por isso deu de ombros, inventou uma desculpa e se calou.

De como (em capítulos) tudo se passou

Giordano e Arrabal nunca haviam ficado por um período tão longo juntos em Nápoles. Era o que sempre garantira a Giordano poder se revezar com tranquilidade nos dois papéis, o fato de não precisarem estar simultaneamente no mesmo lugar. E era assim havia tanto e de tal forma que ele perdera a noção exata de sua única identidade.

As viagens de ambos sempre ajudaram. Quando a presença de Giordano era insubstituível junto ao rei ou por alguma tarefa do exército, Arrabal saía de cena. A peça que estava escrevendo vinha sendo um álibi útil, como Vittoria já havia compreendido. A trupe se apresentava pela *Campagna* e viajava grande parte do tempo sozinha. Arrabal estava sempre naquele seu ir e vir característico, uma inquietude que acreditavam fazer parte de sua genialidade.

Tudo perfeito até o início daquele ano de 1744, quando, de um lado, a Guerra de Sucessão Austríaca e, de outro, Luigia mantiveram os dois presos na cidade. Giordano teve que se desdobrar então para ter sucesso na vida dupla, e essa foi certamente uma das razões que o levaram a despertar. O extremo desgaste físico e emocional então se instalou. Mas, enquanto precisou, Giordano se utilizou do esconderijo, ideia que lhe surgiu da primeira vez em que foi obrigado a abandonar Arrabal para ser Giordano junto ao rei, e que funcionou com total sucesso desde então.

CAPÍTULO II — *Pródigos*

Arrabal chegara com a trupe a Nápoles na noite em que foram roubados na estrada. Depois, no dia seguinte à primeira apresentação, partiu para escrever a peça e Giordano chegou à cidade. Até aí, tudo claro, mas antes Giordano estava com as tropas. Como podia ser?

A fama justificada de mulherengo de Giordano, como os soldados já haviam comentado, era o que lhe servia de perfeita cobertura. Depois que cumpria seus compromissos, ele dispensava as tropas e seguia viagem sozinho com o pretexto de relaxar. Era quando ia se encontrar com a trupe. Naquele dia não foi diferente.

Entretanto, quando Giordano enviou a mensagem a Pietro dizendo que os encontraria em quatro dias em Montesanto, já estava de fato lá. Tinha passado a noite em um bordel no bairro, uma das áreas para as quais Carlo di Borbone tinha banido a prostituição, impedindo que convivesse com a rotina da cidade.

Assim, poderia facilmente alcançar a trupe, à noite, em sua chegada a Nápoles. Os quatro dias que mencionara no bilhete eram o tempo de que necessitava para acomodá-los e fazer a primeira apresentação do espetáculo com eles.

Na Quinta-feira Santa, então, partiu como planejara, encontrou seus soldados em Montesanto e entrou com eles, novamente, na cidade como Giordano.

Não fosse Luigia, tudo teria transcorrido como planejado. Arrabal teria convencido a trupe a continuar viagem e se apresentar em cidades da região do Lazio e ele estaria seguro em seus dois papéis. Mas então, apaixonou-se e, pela primeira vez, desejou ficar eternamente ali.

CAPÍTULO VI — *O poema*

Não, não era verdade. A marionete *Il Feroce Saladino*, que Arrabal mostrara a Luigia na noite primeira depois do espetáculo, não era, de fato, aquela feita pelo seu avô. Essa se espatifara no abismo na queda triste e ficara com o passado, para trás. Mas, quando Giordano criou Arrabal, sentiu uma necessidade quase infantil de separar novamente os brinquedos e, assim, encomendou a um *marionetaio* da Sicília a cópia que Arrabal carregava consigo na carroça.

Rinaldo e Orlando, assim como Angelica, ficaram no palácio. Eram os mesmos, feitos por Cosimo anos atrás. Depois de um tempo, Giordano pensou em se livrar deles, em dá-los a uma criança qualquer, mas então lembrou que havia em sua casa alguém que jamais o perdoaria, porque não raro, quando Gioconda desaparecia, era no quarto de Giordano, com as marionetes, com que se escondia para brincar.

CAPÍTULO IX — *Da magia do palco e das armadilhas do amor*

Giordano chegou em casa aflito depois do primeiro encontro com Luigia. Era como se a infância, e a briga por bonecos e atenção, tivessem voltado naquela noite a lhe assombrar.

Teve a esperança de que o encontro anterior de Luigia com Arrabal não tivesse tido para ela nenhum especial significado. Teve mesmo a vã ilusão de que ela não se lembraria exatamente de seu rosto, visto naquela manhã na penumbra de seu quarto. Mas Luigia o sabia bem, e diante da sua surpresa foi obrigado a confirmar a existência do outro e o laço fraternal que supostamente os unia.

— E se ela falar com meu pai, ou com o pai dela? — Alarmou-se, desabafando com Teresa. — Como vai ser?

Teresa andou de um lado para o outro do quarto, como buscando uma solução definitiva. Depois, olhou para ele e gesticulou. Ficaria atenta. Não deixaria que ela jamais se aproximasse de Carlo, nem de Gioconda, nem do palácio, sem que estivesse por perto.

— E o pai dela? Se ela mencionar Arrabal para o pai dela? Ela é teimosa, Teresa, tem topete, não é como as outras. Não vai se conformar! Eu sinto que não vai!

Teresa sorriu, percebendo, pelo comentário, que a moça o impressionara. Depois pensou um pouco e bufou, como que entregando os pontos.

Teriam que contar com a sorte, ela gesticulou. Teriam que ter fé. E, então, abraçando-o, perguntou em seus sinais, por que ele tinha permitido que ela lhe tirasse a máscara. E Giordano se limitou a balançar a cabeça. Não havia resposta.

CAPÍTULO X — *Artimanhas de Arlecchino*

Giordano chegou de viagem quando todos já tinham saído para a cerimônia da liquefação do sangue de San Gennaro. Estava exausto, sentindo-se perdido, pela primeira vez, com medo de ser descoberto. Percebia que não poderia levar aquela situação adiante por muito tempo mais. Trancou-se na sala de espelhos e começou a esgrimar contra o vazio, as lágrimas correndo involuntárias pelo seu rosto. Se não amasse o teatro, tudo seria mais fácil. Esqueceria a trupe, deixaria o sonho para trás como capricho de juventude. Seguiria como Giordano, aceito por todos, respeitado, feliz. Mas havia o palco e aquele amor desmesurado pela cena e as palavras. Havia sua máscara e o Arlecchino que gritava, desde sempre, na sua alma.

Se então não amasse o reino e a cidade, se não fosse o povo e sua honra, abandonaria a farda, as armas e só escreveria versos. Mas restava assim, entre espada e a poesia, como numa triste paródia do ditado popular.

Tinha sido inútil inventar aquela saída mágica para si. Era um só corpo, a mesma identidade, quisesse ou não. O pensamento o fez golpear seu reflexo no espelho, num desejo íntimo de interromper a dor.

Se tivesse coragem. Se ao menos uma vez tivesse coragem de se deixar entrever. Quem sabe não lhe viesse, ao fim, a liberdade? O pensamento trouxe a ideia quase suicida. Depois, o cúmplice ideal.

Frei Arturo lhe acompanhava o drama há muito tempo, com grande desolação. No seu entendimento, tratava-se de um mal psíquico, desconhecido da ciência. Algo provavelmente de família, considerando os problemas da mãe. Mas temia contar ao pai e provocar nele uma reação que prejudicasse ainda mais o rapaz, a quem vira crescer. Giordano afinal parecia conseguir viver bem com aquela sua ilusão, era um alto oficial do exército, um nobre cavaleiro de tanta galhardia e distinção que o frei por vezes chegava a considerar não ser aquilo apenas uma perdoável excentricidade, como as marionetes o haviam sido ao avô.

Arrabal pediu ao frei que contasse a seu pai sobre os artigos críticos que Giordano vinha escrevendo sobre o governo, quase como um diário particular. O frei não entendeu.

— Meu filho, mas isso expõe Giordano! — disse, surpreso. Falavam como se se tratasse verdadeiramente de duas pessoas. Para o frei, uma maneira de se sentir menos constrangido naquela situação inusitada. Para Arrabal, nada mais do que sua simples condição interior.

— Ele quer ser exposto, frei. Acredite, ele precisa! O senhor vai fazer a ele um favor — disse.

Tinha esperança de que, após o choque, seu pai, percebendo o mundo que se lhe ia dentro, se interessasse em conhecê-lo melhor e pudesse mesmo absolvê-lo, admirá-lo talvez. Porque se conseguisse, enfim, dizer de si um pouco, se se sentisse amado contudo e apesar, talvez ousasse, em algum momento, confessar.

Depois, voltou para a casa, algo aliviado por ter aberto uma fresta de sua caixa de Pandora, e, defronte aos espelhos, viu refletida sua dupla intimidade e se permitiu falar consigo mesmo, como todos os mortais vez por outra costumam fazer.

CAPÍTULO XI — *O novo teatro*

Arrabal levou Gigi ao Teatro San Carlo, mas não conseguiu falar com o gerente, como Dottore previra. Quis voltar à taverna, mas Gigi alegou cansaço e voltou sozinho para o acampamento. Arrabal se despediu dele dizendo que iria ficar mais um pouco na taverna. Na verdade, queria voltar para casa e falar com o pai. Tinha se exposto, arriscando levantar uma ponta do véu de sua complexa identidade. Precisava conhecer a reação do pai.

Fez a troca de roupas na gruta e seguiu para a casa, mas chegando lá viu frustradas suas esperanças.

Na manhã seguinte, tinha que se apresentar ao rei e não podia voltar ao acampamento. Mas para a trupe, acostumada aos sumiços de Arrabal, acordar sem ele não era causa de preocupação. Depreenderam que acordara cedo e saíra. Mais tarde estaria de volta, como de fato apareceu para almoçar.

Uma vez que sua tentativa de revelar o lado mais rebelde de Giordano não surtira efeito, pensou em arriscar tudo como Arrabal e pediu Luigia em casamento. Precisava, de fato, de um compromisso que o prendesse a qualquer dos lados de seu existir. Se Luigia aceitasse, deixaria de vez Giordano para trás, e procuraria ser feliz assim.

Luigia aceitou, mas estranhamente isso não foi suficiente para que algo dentro dele se modificasse. Ao contrário! Sentia-se agora ainda mais dividido, tracionado pelas duas tendências de sua alma, cansado fisicamente pela necessidade constante de correr daqui para ali para a troca de identidade, mas incapaz de optar. Temia ser, em algum momento, descoberto e, ao mesmo tempo, desejava não precisar fingir mais.

A nova peça não lhe saía da cabeça. Era o projeto de Arrabal, era seu compromisso com o teatro e com Molière. Por isso, voltava diariamente para os ensaios regulares e, quando era possível, pernoitava com eles. No mais do tempo, porém, precisava voltar para a casa ou para os ofícios com o rei.

Até o dia, pouco antes da estreia, em que Carlo di Borbone decidiu entrar na guerra de sucessão, e Arrabal e Luigia combinaram fugir.

CAPÍTULO XII — *Da estreia e da guerra, as declarações*

Giordano não dormiu em casa na noite do jantar de seu noivado. Voltou com o pai para o palácio, mas saiu de madrugada sem que ele percebesse para dormir no acampamento. Precisava estar com eles, seus amigos. Precisava da liberdade da trupe e do seu aconchego para pôr os pensamentos no lugar.

Estava agora noivo de Luigia com ambas as suas identidades. Parecia que, quanto mais tentava definir para si uma via clara de existência, mais se complicava.

Do dia do noivado em diante, Giordano passou a dormir fora quase todas as noites. Os exercícios de guerra se tinham intensificado e lhe consumiam os dias quase inteiros. O tempo que restava, passava com a trupe.

Por muito pouco, não disse tudo a Vittoria naquela noite na taverna. Confiava nela. Podia mesmo dizer que sentia por Vittoria um tipo próprio de amor, mas nem mesmo esse carinho foi suficiente para que desabafasse. E se ela o rejeitasse? Se o considerasse uma aberração, como ele próprio se julgava o mais das vezes? E assim, a cada vez que percebia não ter coragem de dividir seu drama e se livrar de todo aquele peso, o desespero o devorava.

Depois que deixou Vittoria próxima ao acampamento, foi à *Grotta* cumprir seu ritual e voltou, como Arrabal, para dormir com eles. Não foi o noivado de Luigia com Giordano, nem o fracasso da peça, nem a culpa que sentia por tê-los exposto ao escárnio dos críticos a razão de ter se embriagado, na beira do rio naquela noite. Foi a constatação de sua infelicidade no exato momento em que trocava de roupas no esconderijo. Foi realizar que precisava do esconderijo para viver.

CAPÍTULO XIII — *Sobreviventes*

Arrabal dirigiu o primeiro ensaio depois das mudanças que ele e Vittoria fizeram no texto e deixou os demais ao encargo dela. Era assim que conseguia estar presente todos os dias nos exercícios das tropas. Foi também por conta desse sentido de urgência em que vivia que, esquecido da queda que levara no treino daquela tarde, trocou-se na frente de Vittoria, deixando que visse o ferimento nas suas costas. Ele disfarçou dizendo que tinha brigado com o assistente do teatro, mas sequer tinha estado no San Carlino.

CAPÍTULO XIV — *Para Luigia ser feliz*

Depois que Luigia deixou o acampamento com a fuga combinada, Arrabal se trocou em Giordano novamente. Estava em cima da hora para seus compromissos e era melhor que fosse assim. Precisava exatamente daquilo, uma atividade física intensa que o desobrigasse, ou mais, que o impedisse de pensar.

À noite, seria a reestreia do espetáculo e ele teria que, de alguma forma, deixar mais cedo os treinos. Treinos... para que fazia tudo aquilo afinal? Ia fugir com Luigia e existir como o poeta. Nunca mais os combates, a disciplina das tropas, a defesa do rei, nunca mais. Mas como, se a guerra estava tão próxima? Como se o reino, sua cidade, sua gente estavam ameaçados? Não podia, não queria deixar seu compromisso para trás.

Voltou para a casa no fim da tarde para ver Gioconda. Na verdade, para se despedir. Depois da decisão tomada, não sabia quando conseguiria vê-la novamente. Estava exausto, triste, mas então lá estava Francesca à sua espera. Odiou-a por obrigá-lo, com sua atitude, a uma ação qualquer. Porque, depois de tê-la ouvido e de assim conhecer oficialmente o fato, mesmo o nada fazer representava em si a ação de consentir. Por que se preocupava afinal? Giordano iria desaparecer e com ele toda a honra e bom nome que tinha conquistado.

Foi nesse torvelinho de emoções desencontradas que saiu para a *Grotta* para a que deveria ser sua última transformação. Voltou como Arrabal para o acampamento para arrumar suas coisas para a viagem de núpcias. A trupe já tinha partido para o teatro. Juntou poucas mudas de roupa, pena, tinteiro e papel, o baú de versos. O Saladino, pegaria à noite, depois do espetáculo. Ajustou a máscara no rosto defronte ao espelho e então se deu conta da barba por fazer.

Aproveitou-se da luz do fim de tarde para se barbear e, quando olhava sua imagem no espelho, a de Giordano igualmente surgiu. Começou a falar sozinho, alto, como se com mais alguém sobre suas angústias íntimas. Falava só com seus botões. Quem nunca o fez?

Do simples desabafo, porém, sobreveio a epifania. A vida não era o palco, por mais que diversas vezes se pudesse jurar ser. Não podia privilegiar uma personagem em detrimento do que era real. Luigia não era indiferente a Giordano, já tinha demonstrado isso. Sem Arrabal para interferir, iria conquistá-la. Sem Arrabal, Giordano iria em paz para a guerra e poderia ser feliz com a mulher que amavam. Com a decisão, um sentimento de alívio lhe sobreveio e em seguida um profundo pesar.

Chegou atrasado no teatro. Precisava ter sucesso aquela noite, precisava deixá-los encaminhados, com a perspectiva de uma coisa nova à qual pudessem se dedicar. Porque Arrabal, seu sonho de liberdade, o anjo de loucura santa que inventara, teria necessariamente que desaparecer. Esperou que todos dormissem para partir. Só Mamma teve direito a uma despedida e, por isso, Dottore a encontrara mortificada e banhada em lágrimas pela manhã.

— Fica com o Saladino, Mamma! A chave, vou dar a uma pessoa para guardar. Se ela, um dia, aparecer, é hora de contar a verdade — disse e se abraçou com ela, chorando baixinho para que os outros não ouvissem.

— *Figlio mio*! Vou sentir tanto a sua falta!

— *Perdonami*, Mamma! Não posso mais! Não posso mais!

Arrabal partiu do acampamento cavalgando como louco em direção à Posillipo, as lágrimas descendo copiosas pelo rosto, embaçando a visão. Trazia agarrado ao peito o baú de versos e, por causa dele, parou. Havia um carvalho, antigo, frondoso, sob o qual costumava descansar quando aquela troca de identidade parecia abater todas as suas energias. Foi ali, nos pés do carvalho que tão bem o acolhia e conhecia as duas facetas do seu ser, que decidiu enterrar Arrabal de vez.

Cavou, depositou o baú de versos na pequena cova. Depois cobriu, enterrou sobre ela miosótis e outras flores vulgares do caminho e, arrematando tudo, improvisou, com galhos pendidos da árvore, uma cruz.

— Aqui jaz o poeta que viveu para fazer versos! — disse entre lágrimas, como quem orienta um serviço. — Que seus sonhos decompostos fertilizem a terra e inspirem flores. Que sua letra morta, errante no ar, sussurre rimas nos ouvidos dos amantes e encha de prazer o verão. Benditos sejam os que vierem depois e contem as histórias que ficaram por contar. Pobre de mim, que preciso morrer para poder continuar!

Fez o sinal da cruz e partiu. A visão do mar, daquele azul quase verde, mediterrâneo, feito prata nos raios afiados do sol, o fez parar. Abaixo, o abismo. As pedras, as ondas arrebentando estrondosas a espuma. Por um momento, considerou tornar a morte alegórica uma saída concreta. Apeou, arrastou a mala de guardados e parou na beira do precipício, entre a vida e o profundo azul. Mas então os guizos dos sapatos de Arlecchino, um de cada cor, com suas pontas arrebitadas, tilintaram no movimento e o fizeram recuar. Ficou por um momento estático, a respiração acelerada, olhando para os próprios pés. Abanou em leque as pontas, como Arlecchino costumava fazer e os guizos novamente tilintaram. Sorriu e recuou. Arrabal o havia resgatado, como fizera a Dottore, depois, a Vincé e a todos os demais. Arrabal, que surgia agora maior que ele, como um arquétipo de vida. Arrabal, que dizia da esperança e da lógica de prosseguir. O pensamento o consolou e a ideia de que Arrabal era eterno e que portanto existiria para sempre apesar de si o fez, num impulso, empurrar a mala nas pedras do precipício e suspirar.

Foi até a gruta, trocou de roupa pela que imaginou ser a última vez, montou seu árabe negro e afugentou o cavalo branco de Arrabal. Pensou em destruir também aquela última muda de roupa do poeta, mas alguma coisa dentro dele, que justificou como sendo a urgência de impedir a suposta fuga de Luigia, impediu-o, e Giordano a escondeu novamente no mesmo lugar.

CAPÍTULO XIX — *Agonizantes*

Giordano não compreendeu por que contara a Pietro toda a verdade. Parou na última palavra da frase, sem coragem de olhar para o jovem tenente, que, por sua vez, fitava-o, catatônico. Quando deu por si, as palavras se lhe haviam saído da boca, sem restrição. Talvez se tivesse emocionado com a coragem do rapaz em abandonar o exército; talvez se tivesse sensibilizado com a confiança total que lhe depositava. O fato é que contara todo o drama do seu íntimo, que sequer a Vittoria tivera coragem de confessar, a praticamente um estranho!

Não estava suportando mais! Fora essa a razão! E aquela insustentabilidade, que crescia a cada instante, era como um acumulado de pólvora em seu peito, pronto para a qualquer momento pôr tudo pelos ares. Assustou-se, para sentir-se aliviado logo depois. De certa forma, partilhar havia feito com que o segredo, o grande segredo de sua vida, aquele que arrastava como um fardo, parecesse mais leve, menos grave, de menor proporção.

— Capitão... eu não sei o que dizer.

— Agora fui eu que o decepcionei, não é?

— Não! Decepcionou, não. De forma alguma! Eu estou surpreso, não poderia imaginar. É tão complexo... não sei o que pensar.

— Não é mesmo coisa de se pensar, tenente. É como é! Venha comigo. Já que comecei, vamos até o fim.

Giordano levou Pietro até a *Grotta*. A roupa de Arrabal estava amassada, enfiada em uma maleta guardada havia meses, atrás de uma rocha. Estava algo úmida, manchada de mofo pelo tempo de guardada, mas Giordano não fez caso. Sacudiu, provocando uma onda de espirros no tenente, e depois se vestiu. Então, pôs a máscara e os sapatos e assumiu o gestual característico de Arlecchino. Pietro sorriu de deslumbramento e fascinação.

— Aonde vamos, capitão? — gaguejou, sorrindo.

— Arrabal, meu caro. Eu sou o poeta Arrabal! — exclamou. — Ao acampamento, onde mais? Não quer ver sua amada?

— Quero! Quero muito! Soube que está tão doente!

— Pois eu também quero vê-la! Vamos! — e disse, voltando-se, num tom grave. — Não preciso lhe dizer que, se alguém souber disso tudo, estou morto, acabado.

— Fique tranquilo, capitão. Jamais direi uma palavra a ninguém.

Esperaram que Mamma se afastasse e Francesca estivesse sozinha.

— Veja ali a Mamma...— murmurou ele, acompanhando a mulher com os olhos cheios de ternura. Então, se recompôs e prosseguiu para Pietro. — Não fique com ciúmes, tenente! Hoje não! Francesca está precisando do meu carinho e é bem provável que não dê atenção a você. Mas o importante é que fique boa! Vigie, tenente! Se alguém se aproximar, assobie!

Francesca dormia quando Arrabal entrou, pé ante pé, na carroça.

— Cesca! — sussurrou, perto de seu rosto.

Ela abriu os olhos e, num primeiro momento, pensou ainda sonhar. Mas Arrabal pegou a sua mão e o contato com sua pele quente, viva, a fez constatar ser realidade. Quis se levantar, quis abraçá-lo! Chamar Mamma! Gritar de tão feliz! Mas Arrabal a impediu.

— Shhh! Fique quietinha! Não quero que me vejam aqui! Vim só para ver você!

— Por quê? Eles iam ficar tão felizes — sussurrou, sem forças.

— É melhor assim por enquanto.

Cesca assentiu, chorando de felicidade.

— Me perdoa! — pediu, num soluço que lhe cortou o coração.

— De quê? Não foi sua primeira e creio que nem a última travessura, foi? — E, dando de ombros, concluiu — Já nem me lembro mais.

Então, com cuidado de pai, levantou-a nos braços e a acomodou, mais sentada, nos travesseiros.

— Assim está melhor! — disse.

— Quando você volta?

— Não sei, *carina*. Não sei. — E, como Cesca tivesse ficado novamente triste, disse: — *Guarda*, quero que você fique boa depressa! Vim aqui para dizer isso a você. Quero que fique forte e alegre novamente. Se não, como vamos dançar a *tarantella*? — Girando as mãos no ar, passou a direita pelos cabelos de Francesca, fazendo surgir uma flor. Ela tentou segurá-la junto ao peito, mas estava fraca e Arrabal a auxiliou.

Só então Cesca viu Pietro, que lhe sorria. Sem entender como ele e Arrabal podiam estar juntos, por um momento, imaginou novamente estar tendo uma alucinação.

— Eu o encontrei aí fora, tentando te ver — disse Arrabal, pressentindo-lhe a dúvida. — Ele está apaixonado por você! — sussurrou no ouvido dela, fazendo-a sorrir. Pietro sorriu também, mas, então, um barulho, como o de alguém se aproximando, fez Arrabal se apressar.

— Prometo que vou encontrar uma maneira de estar sempre por perto! — disse, beijando estalado o rosto dela. — Confia em mim!

— Confio! — disse, esforçando-se para que a voz saísse alta — Claro que confio! Sempre!

E, saltando a janela da carroça, desapareceram.

CAPÍTULO XXIII — *A escolha*

Estava nas mãos de Luigia o destino daquele homem deitado na cama a seu lado. Ele quis assim. Foi a única coisa que disse, depois do abraço longo e sofrido em que se deixaram ficar quando Luigia voltou do acampamento. Precisava que ela escolhesse. Implorou que o fizesse. Não tinha preferências, garantiu. Não podia ter. Era, como asseguraram Mamma e Vittoria, cinquenta por cento cada um dos dois. Ia ser feliz, afirmou. Enterraria o outro e viveria aquele que ela escolhesse com toda a intensidade. Depois disso se deitou e mergulhou num sono profundo, como se tivesse tirado toneladas de sobre si.

Luigia não achava justo, tampouco coerente. Como alguém poderia ser feliz seguindo um caminho que outro traçou para si? E essa era, afinal, matéria que entendia muito bem, mas não lhe pode negar. Não negaria a ele coisa alguma mais.

Giordano se remexeu, sorriu ligeiramente no sono e de novo se acomodou. "Luigia alisou num carinho suave seus cabelos. Quem era aquele que dormia ali agora? Que sonhos se agitavam por sob suas pálpebras? Retalhos de batalhas? Aplausos de plateias desconhecidas? Como acordaria depois que descansasse? Carinhoso e grave ou ingênuo e sonhador? De qualquer forma, depois de sua escolha, a resposta seria sempre previsível. Também ela perderia cinquenta por cento de magia. Também ela teria muito do que abrir mão. De súbito, a responsabilidade da escolha não lhe pareceu mais tão injusta. O que fazer, então?

Tentou imaginar cenários. Como seria a vida com Giordano e só com ele? Seria feliz, com certeza! Viveria com um homem honrado, de quem se orgulhava e em quem podia incondicionalmente confiar. E teria para sempre o abraço largo, o calor dos beijos, a paixão. Mas não teria os versos, esses nunca mais, nem a aventura, tampouco aquela ausência de regras que a encantava. Suspirou de antecipada nostalgia. Nunca mais histórias sobre Molière.

Se escolhesse Arrabal, teria tudo isso, mas de improviso, de surpresa, de repente. Porque a liberdade que ele em si representava pressupunha aquela anarquia alegre, aquele descompromisso diante da existência.

Uma lufada de vento frio entrou pela varanda. Luigia puxou as cobertas e se aconchegou no peito de Giordano, cobrindo os dois. Sentiu medo, desconforto, agonia. Pensou durante toda a tarde enquanto ele dormia. Viu e reviu muitas vezes as duas faces da moeda. E, quando Giordano acordou, ela já tinha a decisão.

Ele se sentou na cama, lívido, o corpo repentinamente coberto de suor, apesar do frio da noite. Respirou para apaziguar o peito e fechou os olhos, esperando ouvir a sentença que o definiria.

Mas Luigia, olhos marejados dando ao rosto um ar de menina triste, limitou-se a balançar a cabeça. Também ela não pôde. Também ela era incapaz de fazer a escolha que o afligia. Compreendera enquanto lhe velava o sono. Se tirasse dele alguma parte, ela o mataria. Não seria mais Giordano, nem seria Arrabal. Seria como um espectro ou um morto-vivo a transitar sem alma pelo mundo, porque era da união daqueles dois aspectos aparentemente díspares e complementares que se constituía sua individualidade.

Por isso amara a ambos desde o início. O amor a tinha feito intuí-lo em toda a sua complexidade. E era novamente o amor que a impedia agora de escolher.

Assim, quando Giordano abriu os olhos, Luigia limitou-se a balançar a cabeça e, sem dizer palavra, deu a ele a máscara, a espada e a liberdade.